D0874970

Esthétique
et
Poétique

Timothy Binkley, George Dickie,
Michał Głowiński, Nelson Goodman,
Margaret Macdonald, Luis J. Prieto,
Charles L. Stevenson, Kendall Walton

Esthétique et Poétique

Textes réunis et présentés par
Gérard Genette

Éditions du Seuil

EN COUVERTURE : Georges Braque, *Soda* (Paris, printemps 1912). The Museum of Modern Art, New York. © ADAGP 1992.

ISBN 2-02-015920-1

Présentation

Le couple Esthétique et Poétique *ne se réfère pas ici à l'opposition traditionnelle entre la perception et la production des œuvres, mais à une distribution inclusive entre la théorie de l'art en général et la théorie de la littérature en particulier. Il nous a semblé utile de réunir, sous ce titre, huit études aujourd'hui classiques, dont la plupart ont été révélées au public français par la revue* Poétique. *Les cinq premières portent sur des questions de définition de l'art, de mode d'existence des œuvres, de critères de la fonction esthétique, la sixième sur le statut particulier de l'œuvre littéraire, et plus précisément poétique, les deux dernières sur les formes de la fiction narrative.*

Malgré la diversité de leurs objets et de leurs choix, un trait commun à ces études me semble être qu'elles témoignent toutes d'un regain d'intérêt, depuis trois ou quatre décennies, de la philosophie, et spécialement de la philosophie de tradition analytique, pour les questions d'esthétique, et réciproquement d'une prise de conscience, chez les spécialistes de l'art, de la littérature et du langage, des implications philosophiques de leur recherche : on y verra par exemple un analyste des propositions éthiques s'interroger sur les critères de la diction poétique, ou un linguiste sémioticien appliquer au statut des œuvres d'art la distinction onto-logique entre identité spécifique *et* identité numérique.

A ce renouveau théorique n'est certainement pas étrangère l'évolution de l'art lui-même, qui n'a cessé, par sa pratique depuis le début de ce siècle (peinture abstraite, musique atonale, art conceptuel, non-fiction novel, *happenings, multi-medias, etc.), de déborder ses limites et de bousculer ses catégories. La radicalité de cette démarche a contribué à réveiller une discipline quelque peu engourdie dans des conceptions héritées de la fin du* XVIIIe *siècle. Le mythe classico-romantique d'un Système des Beaux-Arts établi dans ses frontières extérieures et intérieures n'a pas résisté à cet ébranlement, ni l'utopie d'une définition essentialiste de l'œuvre d'art, du poème ou de la fiction. De fait, l'autre trait commun à l'ensemble de ce recueil est sans doute son caractère hypothétique et relativiste, et le sentiment partagé que les critères, ou, comme préfère dire un de ses auteurs, les « symptômes » de la relation artistique, ne sont pas de l'ordre de la substance, mais de l'usage, de la circonstance et de la fonction : non du* quoi *mais du* quand, *du* comment, *du* pour quoi faire. *Cette révolution copernicienne renverse aussi les termes du rapport, évoqué plus haut, entre création et réception, ou du moins il dévectorise leur échange : il n'y a d'œuvre qu'à la rencontre active d'une intention et d'une attention. L'art aussi est pour tous une* pratique.

Gérard Genette.

George Dickie

Définir l'art *

La tentative de définir le terme « art » en spécifiant ses conditions nécessaires et suffisantes est une entreprise qui remonte très loin. La première définition – la théorie de l'imitation – semble avoir plus ou moins satisfait tout le monde jusqu'au XIXe siècle, en dépit de difficultés qui, aujourd'hui, nous semblent évidentes. Depuis que la théorie expressive de l'art a rompu le charme de la théorie de l'imitation, il y a eu une cascade de définitions de l'art prétendant mettre en lumière ses conditions nécessaires et suffisantes. Il y a quinze ans environ, plusieurs philosophes – inspirés par les propos de Wittgenstein concernant les concepts – commencèrent à soutenir que l'art ne possède pas de telles conditions. Jusqu'à peu encore cet argument convainquait tant de philosophes que le flot de définitions avait pratiquement cessé. Bien que je m'apprête à tenter de montrer que le terme « art » peut être défini, l'affirmation qu'il ne peut pas l'être a eu le très grand mérite de nous obliger à sonder davantage le concept d'*art*. Pour de multiples raisons, l'ensemble des définitions plates et superficielles qui ont été proposées sont bien évidemment à rejeter. On peut considérer les tentatives traditionnelles pour définir le terme « art », en commençant par la théorie de l'imitation, comme la première phase, et l'affirmation selon laquelle la notion ne

* Publié originellement sous le titre « Defining Art II », dans Matthew Lipman, *Contemporary Aesthetics*, Boston, Allyn & Bacon Inc., 1973 ; inédit en français.

saurait être définie comme la deuxième. Je me propose d'inaugurer la troisième par une définition du terme qui évite les inconvénients des définitions traditionnelles et prenne en compte les résultats des analyses plus récentes.

Les tentatives traditionnelles pour établir une définition ont parfois été victimes de traits marquants mais accidentels de certaines œuvres, traits caractéristiques de l'art à un stade particulier de son développement historique. Par exemple, très récemment encore, les choses clairement identifiables comme œuvres d'art étaient, soit des objets manifestement représentationnels, soit des objets supposés l'être. Les peintures et les sculptures l'étaient de manière évidente, et on pensait généralement que la musique elle aussi devait l'être en un certain sens. La littérature était « représentationnelle » au sens où elle décrivait des scènes familières de la vie. Il était donc tentant de penser que l'imitation était l'essence de l'art. La théorie de l'imitation se concentrait sur une propriété relationnelle manifeste des œuvres d'art, à savoir la relation entre l'art et le sujet traité. Le développement de l'art non figuratif a montré que l'imitation n'est même pas toujours une propriété concomitante de l'art, et encore moins une propriété essentielle.

La théorie concevant l'art comme une expression d'émotions se concentrait sur une autre propriété relationnelle des œuvres, leur rapport avec l'artiste. Comme certains philosophes l'ont soutenu récemment, la théorie de l'expression s'est révélée inadéquate, ceci dans les multiples formes qu'elle a revêtues et dans toutes les définitions proposées les unes à la suite des autres. Cependant, même si aucune des définitions proposées par les deux conceptions n'est satisfaisante, les théories de l'imitation et de l'expression peuvent nous fournir une indication. Ainsi que nous l'avons constaté, toutes les deux ont traité comme essentielles des propriétés *relationnelles* de l'art. Or, il apparaîtra que les deux caractéristiques qui définissent l'art sont effectivement des propriétés relationnelles, dont une extrêmement complexe.

I

La plus célèbre négation de la possibilité de définir le terme « art » se trouve dans l'article de Morris Weitz, « Le rôle de la théorie en esthétique[1] ». La conclusion de Weitz repose sur deux arguments qu'on peut appeler l'« argument de généralisation » et l'« argument de classification ». En énonçant l'« argument de généralisation », Weitz distingue, de manière tout à fait correcte, entre le concept générique de l'*art* et ses divers sous-concepts tels la tragédie, le roman, la peinture et d'autres. Ensuite, il avance un argument qui prétend démontrer que le sous-concept *roman* est ouvert, c'est-à-dire que les membres de la classe des romans ne partagent aucune caractéristique essentielle ou définitoire. Puis il affirme, sans fournir d'autre argument, que ce qui est vrai des romans l'est également de tous les autres sous-concepts de l'art. La généralisation à partir d'un sous-concept à tous les autres peut être ou ne pas être justifiée, mais je n'examinerai pas ici ce problème. Ce que je mets en question en revanche, c'est l'affirmation supplémentaire de Weitz – qu'il avance également sans fournir d'argument – selon laquelle le concept générique de l'*art* est un concept ouvert. Tout ce qu'on peut dire au sujet de sa conclusion concernant le sens générique du terme c'est qu'elle n'est pas motivée. Il se pourrait fort bien que tous les sous-concepts de l'art ou quelques-uns d'entre eux soient ouverts, et que néanmoins le concept générique de l'art soit fermé. Il serait donc possible que tous les sous-concepts de l'art ou certains d'entre eux, tels le roman, la tragédie, la sculpture, la peinture et d'autres, fussent dépourvus de conditions nécessaires et suffisantes, sans que ceci empêchât le terme

1. « The Role of Theory in Aesthetics », *Journal of Aesthetics and Art Criticism*, 1956, p. 27-35 ; trad. fr. *in* Danielle Lories (éd. et trad.), *Philosophie analytique et esthétique*, Paris, Méridiens-Klincksieck, 1988, p. 27-40.

« œuvre d'art » — le genre commun de tous les sous-concepts — de pouvoir être défini par des conditions suffisantes et nécessaires. Il se peut qu'il n'existe pas de caractéristiques communes à toutes les tragédies qui les distingueraient, par exemple, des comédies *à l'intérieur du domaine de l'art*, mais cela n'empêche pas que les œuvres d'art puissent avoir en commun des caractéristiques qui les distinguent du non-art. Rien ne s'oppose à l'existence d'une relation *genre fermé/espèces ouvertes*. Weitz lui-même a donné récemment un exemple similaire (quoique inversé) d'une telle relation genre-espèce. Il soutient que *jeu sportif* (le genre) est un concept ouvert, mais que *major league baseball* (une espèce) est un concept fermé[2]. Son deuxième argument, l'« argument de classification », se propose de montrer que même l'artefactualité n'est pas une propriété nécessaire de l'art. Sa conclusion est quelque peu provocante, parce que les philosophes tout comme les non-philosophes tenaient généralement pour assuré qu'une œuvre d'art était nécessairement un artefact. Son argument se réduit à dire que parfois nous avançons des affirmations du genre : « Ce morceau de bois de dérive est une jolie sculpture » ; comme de telles affirmations sont parfaitement intelligibles, il s'ensuit que certains non-artefacts, par exemple tels bois de dérive, sont des œuvres d'art (des sculptures). Autrement dit, une chose n'a pas besoin d'être un artefact pour pouvoir être correctement classée comme œuvre d'art. Je tenterai plus loin de réfuter cet argument.

Récemment, Maurice Mandelbaum a soulevé un problème ayant trait en même temps à la célèbre affirmation de Wittgenstein que le concept de « jeu » ne peut pas être défini et à la thèse de Weitz concernant l'*art*[3]. Il lance un

2. Lors d'une conférence donnée en 1970 à l'occasion d'un symposium à l'université d'État du Kansas.

3. « Family Resemblances and Generalizations Concerning the Arts », *American Philosophical Quarterly*, 1965, p. 219-228 ; rééd. dans Morris Weitz (éd.), *Problems in Aesthetics*, Londres, 1970, 2e éd., p. 181-197.

défi à tous les deux, en leur reprochant d'avoir été concernés uniquement par ce qu'il appelle les caractéristiques « apparentes » *(exhibited)* et d'avoir par conséquent échoué à prendre en considération les aspects non apparents — c'est-à-dire relationnels — des jeux et de l'art. Par caractéristiques « apparentes » Mandelbaum désigne des propriétés faciles à percevoir, comme le fait que certain genre de jeu utilise une balle, qu'une peinture possède une composition triangulaire, qu'une partie d'un tableau est de couleur rouge, ou que l'intrigue d'une tragédie comporte un renversement de fortune. Il conclut que, lorsque nous considérons les propriétés non apparentes des jeux, nous voyons qu'ils ont en commun « de pouvoir susciter [... un...] très vif intérêt non pratique chez les participants ou les spectateurs[4] ». Bien qu'il ne tente pas de fournir une définition du terme « art », Mandelbaum suggère néanmoins qu'à condition de prendre en compte les propriétés non apparentes de l'art on pourrait peut-être découvrir un (des) trait(s) commun(s) à toutes les œuvres, trait(s) qui constituerai(en)t une base pour sa définition.

Après avoir pris note de la suggestion inestimable de Mandelbaum au sujet de la définition, revenons à l'argument de Weitz concernant l'artefactualité. Lors d'une tentative antérieure visant à démontrer que Weitz a tort à propos de l'artefactualité et de l'art[5], j'avais pensé qu'il suffirait de faire remarquer que l'expression « œuvre d'art » possède deux sens, un sens évaluatif et un sens classificatoire — que Weitz lui-même distingue dans son article comme sens évaluatif et sens descriptif du terme. L'argument que j'avais avancé à l'époque consistait à dire que si l'expression « œuvre d'art » a plus d'un sens, alors le fait que l'énoncé : « Ce bois de dérive est une jolie sculpture », soit intelligible ne prouve pas ce que Weitz veut lui faire prouver. Il devrait montrer que dans la

4. *Ibid.*, p. 185, dans l'anthologie de Weitz.
5. Il s'agit de l'article « Defining Art », *American Philosophical Quarterly*, 6, 1969, p. 253-256. (N.d.T.)

phrase en question le terme « sculpture » est utilisé au sens classificatoire, ce qu'il n'essaie pas de faire. Mon argument présupposait qu'une fois la distinction faite il serait évident que, dans cet exemple, le terme « sculpture » était employé au sens évaluatif. Richard Sclafani[6] a montré entre-temps que mon argument prouve uniquement que celui de Weitz n'est pas concluant, et que celui-ci peut néanmoins avoir raison même si son argument ne prouve pas l'exactitude de sa conclusion. Cependant, sur ce point particulier Sclafani a formulé un argument contre Weitz que j'adopte ici.

Sclafani montre que l'expression « œuvre d'art » a un troisième sens et que les « cas de bois de dérive » (les cas de non-artefacts) relèvent de celui-ci. Il commence par comparer une œuvre d'art paradigmatique, le *Bird in Space* de Brancusi avec un bois de dérive supposé lui ressembler étroitement à certains égards. Selon Sclafani, il nous paraît naturel de dire que le bois de dérive est de l'art et que ce qui nous motive en ce sens c'est le fait qu'il a tellement de propriétés en commun avec la pièce de Brancusi. Il nous demande ensuite de réfléchir à notre manière de caractériser le bois de dérive ainsi qu'à la *direction* qu'elle a prise. Si nous le considérons comme étant de l'art, c'est parce qu'il ressemble à une œuvre d'art paradigmatique ou parce qu'il partage des propriétés avec plusieurs œuvres d'art paradigmatiques. L'œuvre ou les œuvres paradigmatiques sont bien sûr toujours des artefacts ; la direction que nous suivons nous mène d'œuvres paradigmatiques (artefactuelles) à l'« art » non artefactuel. Sclafani interprète ceci de manière tout à fait correcte comme indication qu'il y a un sens premier, paradigmatique, de l'expression « œuvre d'art » (mon sens classificatoire) et un sens dérivé ou second, dont relèvent les « cas de bois de dérive ». D'une certaine façon Weitz a raison

6. « Dickie on Defining Art », à paraître dans *The Journal of Aesthetics and Art Criticism* ; voir aussi son article « Art and Artifactuality », *Southwestern Journal of Philosophy*, automne 1970.

de dire que le bois de dérive est de l'art, mais il a tort de conclure que l'artefactualité n'est pas nécessaire pour qu'il y ait de l'art (au sens premier du terme).

L'expression « œuvre d'art » a donc au moins trois sens différents : le sens premier ou classificatoire, le sens second ou dérivé et le sens évaluatif. Il se peut que dans la plupart des emplois de l'énoncé du bois de dérive, donné comme exemple par Weitz, les sens dérivé et évaluatif soient à l'œuvre tous les deux : le sens dérivé si le bois de dérive a en commun un certain nombre de propriétés avec une œuvre d'art paradigmatique, et le sens évaluatif si les propriétés communes sont considérées comme précieuses par le locuteur. Sclafani indique un cas où seul le sens évaluatif est opérant, à savoir lorsque quelqu'un dit : « Le gâteau de Sally est une œuvre d'art ». Dans la plupart des emplois d'un tel énoncé, l'expression « œuvre d'art » signifie simplement que son référent possède des qualités précieuses. Il est vrai qu'on peut imaginer des contextes dans lesquels le sens dérivé pourrait s'appliquer à des gâteaux. (Étant donné la situation présente de l'art, il n'est même pas difficile d'imaginer des gâteaux auxquels le sens premier du terme « art » puisse être appliqué.) Dans un énoncé du genre : « Ce Rembrandt est une œuvre d'art », le sens classificatoire et le sens évaluatif seraient présents tous les deux. L'expression : « Ce Rembrandt » transmettrait l'information que son référent est une œuvre d'art au sens classificatoire, l'affirmation : « est une œuvre d'art » ne pouvant alors être raisonnablement comprise qu'au sens évaluatif. Enfin, parlant d'un coquillage, ou d'un autre objet naturel qui aurait quelque ressemblance avec un visage humain, mais sans présenter d'autre intérêt, on pourrait dire : « Ce coquillage (ou autre objet naturel) est une œuvre d'art. » Dans ce cas on utiliserait uniquement le sens dérivé.

Nous énonçons souvent des phrases où l'expression « œuvre d'art » est utilisée au sens évaluatif, en l'appliquant aux objets naturels aussi bien qu'aux artefacts. Nous parlons un peu moins souvent d'œuvres d'art au sens dérivé. Quant au sens classificatoire d'« œuvre d'art », qui indique simplement qu'une chose appartient à une catégorie donnée d'artefacts, il apparaît très peu souvent dans notre discours. Si nous énonçons rarement des phrases dans lesquelles nous employons le sens classificatoire, c'est parce qu'il s'agit d'une notion tellement fondamentale : nous nous trouvons rarement dans une situation où nous devons nous demander si un objet est une œuvre d'art au sens classificatoire du terme. En général nous savons immédiatement si un objet est une œuvre d'art, de sorte qu'il n'est pas nécessaire de dire, dans une perspective classificatoire : « Ceci est une œuvre d'art. » Il se peut cependant que certains développements récents de l'art, tels la sculpture à partir de déchets *(junk sculpture)* et l'art utilisant des objets trouvés *(found art)*, imposent parfois l'emploi de tels énoncés. Mais même si nous ne parlons pas souvent de l'art dans cette perspective, le sens classificatoire des termes est un concept fondamental qui structure et guide notre réflexion sur le monde et ses contenus.

II

Il est clair maintenant que l'artefactualité est une condition nécessaire (disons le *genre proche*) du sens premier de la notion d'art. Cependant, c'est là un fait qui ne paraît pas très surprenant, et si Weitz et d'autres ne l'avaient pas nié, il ne serait même pas très intéressant. Il est clair également que la question ne se réduit pas à l'artefactualité et que, pour obtenir une définition satisfaisante du terme « art », il faut encore déterminer une autre condition nécessaire (la *différence spécifique*). Tout comme l'artefactualité, la deuxième condition est une propriété non apparente, mais elle s'avère être aussi compliquée que l'artefactualité est simple. La tentative de découvrir et de déterminer la deuxième condition de l'art nécessitera un examen de l'intrication complexe du *monde de l'art*. W. E. Kennick[7] considère comme inefficace le genre d'approche qui sera la nôtre ici et qui suit la direction indiquée par Mandelbaum. Il conclut que « la tentative de définir l'art en termes de ce que nous faisons avec des objets donnés est tout autant vouée à l'échec que toutes les autres ». Il essaie d'étayer cette conclusion par le fait que les anciens Égyptiens ont enfermé des peintures et des sculptures dans des tombes, et par d'autres faits de ce genre. L'argument de Kennick présente deux points faibles. D'abord, le fait que les anciens Égyptiens aient enfermé des peintures et des sculptures dans des tombes n'implique pas qu'ils les considéraient d'une manière qui diffère de la nôtre. Il se peut qu'ils les aient posées en cet endroit afin qu'elles soient appréciées par les morts, ou simplement parce qu'elles appartenaient au défunt, ou pour toute autre raison. La pratique égyptienne ne prouve pas l'existence d'une différence radicale entre leur conception de l'art et la nôtre, différence qui rendrait impossible une définition valable pour les deux. En deuxième lieu, il n'est pas nécessaire de supposer que notre conception de l'art est la même que celle des anciens Égyptiens. Il suffirait d'arriver à déterminer les conditions nécessaires et suffisantes pour le concept d'art qui est le nôtre (c'est-à-dire celui de nous autres Américains contemporains, Occidentaux contemporains, ou Occidentaux depuis la constitution du système des arts au, ou autour du, XVIIIe siècle – je ne sais pas où se situe la limite exacte de ce « nous »). En dépit de Kennick, il est très probable que nous découvrions la *differentia* de l'art en analysant « ce que nous faisons avec certains objets ». Bien sûr, rien ne garantit que n'importe quoi de ce que nous pourrions faire — ou de ce qu'un ancien Égyptien aurait pu faire – avec un objet d'art permette d'éclairer le concept d'art. Tout *faire (doing)* ne nous révélera pas ce que nous cherchons.

Bien qu'il n'essaie pas de donner une définition du

7. « Does Traditional Aesthetics Rest on a Mistake ? », *Mind,* 1958, p. 330.

terme « art », Arthur Danto, dans son article provocant, « The Artworld », a suggéré la direction à suivre lors d'une telle tentative[8]. Réfléchissant sur l'art et son histoire en liaison avec certains développements actuels, tels les *Boîtes Brillo* de Warhol et le *Lit* de Rauschenberg, Danto écrit : « Voir quelque chose comme de l'art requiert quelque chose que l'œil ne peut discerner – une atmosphère de théorie artistique, une connaissance de l'histoire de l'art : un monde de l'art[9]. » Cette réflexion stimulante a bien sûr besoin d'être élucidée, mais il est clair que, en parlant de « quelque chose que l'œil ne peut pas discerner », Danto est d'accord avec Mandelbaum sur l'importance majeure de certaines propriétés non apparentes lorsqu'il s'agit d'établir *(in constituting)* quelque chose comme art. Cependant, en parlant d'atmosphère et d'histoire, la remarque de Danto nous fait franchir un pas de plus que l'analyse de Mandelbaum. Elle pointe vers la structure complexe dans laquelle s'inscrivent les œuvres d'art particulières : elle fait référence à la *nature institutionnelle de l'art*.

J'emprunterai à Danto l'expression « monde de l'art » pour référer à la vaste institution sociale dans laquelle les œuvres d'art trouvent leur place. Mais une telle institution existe-t-elle ? Bernard Shaw parle quelque part de la ligne de succession apostolique s'étendant d'Eschyle à lui-même. Shaw a certainement dit cela pour faire de l'effet et pour attirer l'attention, comme il en avait la coutume, mais sa remarque contient une vérité importante. Le théâtre possède une longue tradition, une institution continue, qui trouve ses origines dans l'ancienne religion grecque ou dans d'autres institutions de la Grèce antique. Cette tradition a été très ténue à certaines époques, par moments elle a même peut-être complètement cessé

8. « The Artworld », *Journal of Philosophy*, 1964, p. 571-584 ; trad. fr. « Le monde de l'art », *in* Danielle Lories (éd. et trad.), *Philosophie analytique et esthétique, op. cit.*, p. 183-198.
9. *Ibid.*, p. 580 ; trad. fr., *op. cit.*, p. 193.

d'exister, pour renaître ensuite du souvenir qu'elle avait laissé et du besoin d'art ressenti par les hommes. Les institutions qui ont été associées au théâtre ont changé d'une époque à l'autre : à l'origine il s'agissait de la religion et de l'État grecs ; au Moyen Âge le théâtre était lié à l'Église ; plus près de nous il a été associé à l'entreprise privée et à l'État (théâtre national). Ce qui est resté constant, maintenant sa propre identité tout au long de son histoire, c'est le théâtre lui-même comme manière établie d'agir et de se comporter. Ce comportement institutionnalisé se retrouve de part et d'autre des « feux de la rampe » : les acteurs et l'auditoire à la fois sont impliqués et contribuent à former l'institution du théâtre. Les *rôles* des acteurs et de l'auditoire sont définis par les traditions du théâtre. Ce que l'auteur, les organisateurs et les acteurs présentent c'est de l'art et il en est ainsi parce que cela est présenté dans le cadre du monde théâtral. Les pièces sont écrites pour trouver place dans le système du théâtre et elles existent en tant que pièces, c'est-à-dire comme art, à l'intérieur de ce système. Bien entendu, je ne nie pas que les pièces existent comme œuvres littéraires, comme art, à l'intérieur du système littéraire : le système du théâtre et le système littéraire se chevauchent.

Le théâtre est un des systèmes seulement du monde de l'art. Chacun de ces systèmes a ses origines et son développement historique propres. Si nous disposons d'informations quant aux étapes ultérieures de ces développements, nous en sommes réduits aux conjectures concernant les origines des systèmes fondamentaux de l'art. (Sans doute disposons-nous d'un savoir complet concernant certains sous-systèmes ou genres qui se sont développés récemment, tels le mouvement Dada et les *happenings*.) Mais, même si notre savoir n'est pas aussi complet que nous pourrions le désirer, nous avons des connaissances substantielles au sujet des systèmes du monde de l'art tels qu'ils existent actuellement et tels qu'ils ont existé depuis un certain temps. Une caractéristique centrale commune à tous les systèmes du monde de l'art réside dans le fait que chacun constitue un cadre pour *présenter* des œuvres d'art particulières. Étant donné la grande diversité des systèmes du monde de l'art, il n'est pas surprenant que les œuvres d'art n'aient pas de propriétés apparentes en commun. Si toutefois nous prenons du recul et considérons les œuvres dans leur contexte institutionnel, nous serons à même de voir les propriétés essentielles qui leur sont communes.

Le théâtre illustre de manière riche et instructive la nature institutionnelle de l'art. Mais c'est un développement dans le domaine de la peinture et de la sculpture — le dadaïsme — qui nous révèle le plus aisément l'essence institutionnelle de l'art. Duchamp et ses amis ont conféré le statut d'art à des « ready-mades » (urinoirs, portemanteaux, pelles à neige et autres choses de cette espèce) et l'analyse de ce qu'ils ont fait nous permet de prendre conscience d'un type d'action humaine qui, jusqu'à présent, est passé inaperçue et a été méconnue — l'action de conférer le statut d'art à quelque chose. Bien entendu, les peintres et les sculpteurs sont engagés depuis toujours dans l'action de conférer le statut d'art aux objets qu'ils créent. Mais aussi longtemps que les objets créés étaient conventionnels eu égard aux paradigmes de l'époque à laquelle ils appartenaient, c'étaient les objets eux-mêmes et leurs fascinantes propriétés apparentes qui étaient le point de mire de l'attention, non seulement des spectateurs et des critiques, mais également des philosophes de l'art. Lorsqu'un artiste d'une époque antérieure peignait un tableau, il accomplissait un certain nombre d'actions comme, par exemple, dépeindre un être humain, faire le portrait d'un homme particulier, exécuter une commande, peindre pour vivre et ainsi de suite. Par-dessus le marché, il remplissait aussi le rôle d'agent du monde de l'art et conférait le statut d'art à sa création. Les philosophes de l'art prêtaient attention à quelques-unes seulement des propriétés dont ces diverses actions avaient pourvu l'objet créé, par exemple à ses caractéristiques représentationnelles ou expressives. Ils ignoraient complètement la propriété non apparente qu'est son statut. Toutefois, lorsque les objets sont bizarres, comme dans le cas des dadaïstes, notre attention est déviée de leurs propriétés manifestes vers la considération de ces objets dans leur contexte social. Il se peut qu'en tant qu'œuvres d'art les « ready-mades » de Duchamp n'aient pas beaucoup de valeur, mais comme exemples d'art ils sont très précieux pour la théorie artistique. Je voudrais préciser que je n'affirme pas que Duchamp et ses amis ont inventé l'action de conférer le statut d'art : ils ont simplement utilisé un moyen institutionnel existant et l'ont appliqué de manière inhabituelle. Duchamp n'a pas inventé le monde de l'art, il a toujours existé.

Le monde de l'art consiste en un ensemble de systèmes : le théâtre, la peinture, la sculpture, la littérature, la musique et ainsi de suite ; chacun d'eux fournit un arrière-plan institutionnel à l'action de conférer le statut d'art à des objets appartenant à son domaine. Le nombre de systèmes qui tombent sous la conception générique de l'art est illimité, et chacun des systèmes majeurs comporte des sous-systèmes supplémentaires. Ces caractéristiques du monde de l'art lui assurent la souplesse nécessaire pour accueillir même la créativité du type le plus radical. Il est possible, bien qu'improbable, qu'un nouveau système entier, comparable à celui du théâtre, soit ajouté d'un seul coup. Ce qui est plus vraisemblable c'est qu'un nouveau sous-système s'ajoute à un système donné. Ainsi, la sculpture utilisant des déchets s'est insérée au domaine de la sculpture, les *happenings* à celui du théâtre, etc. Avec le temps de tels ajouts pourraient se transformer en systèmes complets. Ainsi la créativité radicale, l'esprit d'aventure et l'exubérance de l'art dont parle Weitz sont possibles à l'intérieur du concept d'art, même si celui-ci est fermé par les conditions nécessaires et suffisantes que sont l'artefactualité et le statut conféré. Après cette description partielle du monde de l'art, je suis en position de proposer une définition de l'expression « œuvre d'art ». Elle sera formulée en termes d'artefactualité et de statut conféré.

Cependant, afin d'éviter toute apparence de cercle vicieux, l'expression « statut d'art » n'entrera pas dans la définition. Je pense qu'une définition similaire à celle que je vais donner, mais qui comporterait l'expression « statut d'art », ne constituerait pas un cercle vicieux, mais je ne débattrai pas de cette question ici. Par ailleurs, l'expression *statut d'art* implique plusieurs choses qui doivent être distinguées et clarifiées et il vaut tout aussi bien que ceci se dégage de la définition elle-même. Une fois qu'elle aura été formulée, elle demandera encore bon nombre de clarifications.

> Une œuvre d'art au sens classificatoire est 1) un artefact 2) auquel une ou plusieurs personnes agissant au nom d'une certaine institution sociale (le monde de l'art) ont conféré le statut de candidat à l'appréciation.

La seconde condition de la définition utilise quatre notions, reliées entre elles de différentes manières, à savoir : 1) agir au nom d'une institution, 2) conférer un statut, 3) être un candidat, et 4) appréciation. Les deux premières notions sont si intimement liées qu'elles doivent être traitées ensemble. Je décrirai d'abord des cas paradigmatiques dans lesquels un statut donné est conféré en dehors du monde de l'art et je montrerai ensuite, ou j'essaierai au moins d'indiquer, comment des actes similaires ont lieu à l'intérieur du monde de l'art. Les exemples les plus marquants de l'action de conférer un statut sont certains actes de l'État impliquant un statut légal. Un roi qui confère le titre de chevalier, une chambre de mise en accusation qui inculpe quelqu'un, le président d'un comité d'élection certifiant qu'un tel est qualifié pour être candidat, ou encore un officier communal qui déclare deux personnes mari et femme, constituent autant de cas où une ou plusieurs personnes agissant au nom d'une institution sociale (l'État) confère(nt) un statut *légal* à des individus. Le Congrès, ou une commission légalement constituée, peut conférer le statut de parc national ou de monument historique à une région ou à un objet. Les exemples donnés paraissent suggérer que la pompe et la cérémonie sont indispensables à l'acte d'instaurer un statut légal ; il n'en est pas ainsi, bien que l'existence d'un système légal soit évidemment présupposée. Par exemple, certaines juridictions autorisent le mariage par droit commun — ce qui représente un cas de statut légal acquis sans cérémonie. Lorsqu'une université confère un titre de docteur, quand on élit le président du Rotary ou lorsque l'Église déclare qu'un objet est une relique, une ou plusieurs personnes confère(nt) un statut extra-légal à des individus ou à des choses. Dans de tels cas il doit y avoir un système social qui fournisse le cadre dans lequel s'insère l'acte d'instaurer un statut, mais, comme précédemment, un cérémonial n'est pas indispensable pour établir un statut : par exemple, un individu peut sans cérémonie acquérir à l'intérieur d'une communauté le statut de sage ou d'idiot du village.

Le lecteur aura peut-être l'impression que la notion de conférer un statut à l'intérieur du monde de l'art est extrêmement vague. Il est certain qu'elle n'est pas aussi précise que dans le domaine du système légal où les procédures et les domaines d'autorité sont définis de manière explicite et sont intégrés à la loi. Ce qui dans le monde de l'art correspond à ces procédures et domaines d'autorité n'est codifié nulle part : il fonctionne au niveau d'une pratique coutumière. Néanmoins *il y a* une pratique et ce fait définit une institution sociale. Pour exister et avoir la capacité de conférer un statut, une institution sociale n'a pas besoin d'une constitution formellement établie, de fonctionnaires ou de règlements — certaines institutions sociales sont formellement établies, d'autres sont informelles. Le monde de l'art pourrait devenir une institution formalisée — peut-être que dans certains contextes politiques il l'a été jusqu'à un certain point —, mais la plupart des personnes qui s'intéressent à l'art le regretteraient probablement. Un tel fonctionnement formalisé menacerait la fraîcheur et l'exubérance de l'art. Le noyau du monde de l'art consiste en un ensemble de personnes organisées de manière lâche, mais néanmoins liées entre elles : en font partie les artistes (c'est-à-dire les peintres, auteurs, compositeurs et ainsi de suite), les reporters de presse, les critiques écrivant dans des publications diverses, les historiens, théoriciens et philosophes de l'art, et d'autres encore. Ce sont ces personnes qui maintiennent en état de marche le mécanisme du monde de l'art, et qui, ce faisant, garantissent son existence continue. De plus, toute personne qui se considère elle-même comme membre du monde de l'art en est un de ce seul fait.

Admettons que nous ayons établi l'existence du monde de l'art, ou au moins que nous l'ayons rendue plausible : le problème qui se pose maintenant c'est de voir comment cette institution confère le statut d'art. Selon ma thèse, de manière analogue à ce qui se passe lorsqu'une personne est déclarée apte à être candidat à une fonction, qu'un couple accède au statut de mariage d'après les lois du droit commun d'un système légal, qu'un individu est élu président du Rotary ou qu'un autre accède au statut de sage à l'intérieur d'une communauté, un artefact peut acquérir le statut de candidat à l'appréciation à l'intérieur du système social qu'on peut appeler « le monde de l'art ». Comment peut-on savoir quand ce statut a été conféré ? L'accueil d'un artefact dans un musée d'art en tant qu'élément d'une exposition, la représentation d'une pièce dans un théâtre et d'autres événements de ce genre sont des signes certains que le statut d'art leur a été conféré. Bien sûr, rien ne garantit qu'on puisse toujours savoir si quelque chose est un candidat à l'appréciation, tout comme on ne peut pas toujours dire si tel ou tel individu est un chevalier ou s'il est marié. Lorsque le statut d'un objet dépend de caractéristiques non apparentes, un simple coup d'œil sur cet objet ne le révélera pas nécessairement. Bien entendu, la relation non apparente *peut* être symbolisée par un signe distinctif, un anneau de mariage par exemple, auquel cas il suffira d'un coup d'œil pour découvrir son statut.

Plus importante est cependant la question de savoir comment est conféré le statut de candidat à l'appréciation. Les exemples qu'on vient de voir — l'exposition d'un artefact dans un musée et la représentation d'une pièce dans un théâtre — semblent suggérer que la participation de plusieurs personnes est indispensable pour conférer réellement le statut. En un sens, il faut plusieurs personnes, mais, en un autre sens, une seule suffit. Un certain nombre d'individus est nécessaire pour former l'institution sociale qu'est le monde de l'art, mais une personne seule peut agir au nom de ce monde et conférer le statut de candidat à l'appréciation. En fait, beaucoup d'œuvres d'art ne sont vues que par une seule personne — celle qui les crée — et pourtant elles sont de l'art. Le statut en question peut être acquis par l'acte d'une seule personne *traitant un artefact comme un candidat à l'appréciation.* Bien sûr, rien n'empêche qu'un groupe d'individus confère ce statut, mais en général il est conféré par une personne unique, à savoir l'artiste qui crée l'artefact. Il peut être utile de comparer et de confronter la notion de « conférer le statut de candidat à l'appréciation » à la situation dans laquelle quelque chose est simplement présenté en vue d'être apprécié : espérons que ceci éclairera la notion d' « accession au statut de candidat ». Prenons l'exemple d'un marchand d'appareils sanitaires qui étale ses marchandises devant nous. Il y a une différence importante entre « exposer devant » et « conférer le statut de candidat à l'appréciation » et on peut la faire ressortir en comparant l'action du marchand avec l'acte superficiellement similaire de Duchamp consistant à faire figurer dans une exposition maintenant fameuse un urinoir qu'il avait baptisé *Fontaine*. La différence réside dans le fait que l'acte de Duchamp s'inscrivait dans le contexte institutionnel du monde de l'art tandis que l'action du marchand d'appareils sanitaires se situe en dehors de ce contexte. Le marchand pourrait agir comme Duchamp, c'est-à-dire convertir un urinoir en une œuvre d'art, mais une telle idée ne l'effleurerait probablement pas. N'oublions pas que si *Fontaine* est une œuvre d'art, ceci n'implique pas qu'elle soit une bonne œuvre d'art, ni ne veut insinuer qu'elle en soit une mauvaise. Les canulars d'un artiste contemporain en particulier renforcent la signification du cas Duchamp et mettent en évidence un point important de la pratique d'intitulation des œuvres d'art. Dans le cas d'une de ses œuvres, Walter de Maria — dans une visée burlesque sans doute — a même été jusqu'à utiliser une procédure utilisée par beaucoup d'institutions légales et quelques autres, à savoir la procédure de la patente. Sa *High Energy Bar* (une barre d'acier inoxydable) est accompagnée d'un certificat qui donne le nom de l'œuvre et précise que cette barre est une œuvre d'art uniquement lorsqu'elle est accompagnée du certificat. Outre le fait qu'il met l'accent sur le statut d'art en le « certifiant » par un document, cet exemple fait apparaître également la signification de l'acte consistant à intituler les œuvres d'art. Un objet peut acquérir le statut d'art sans jamais avoir reçu de nom, mais le fait de le doter d'un titre indique à quiconque s'y intéresse qu'il s'agit d'une œuvre d'art. Les titres particuliers remplissent des fonctions diverses — ainsi par exemple ils aident à comprendre une œuvre ou ils permettent une identification aisée — mais tout titre quel qu'il soit (même *Sans titre*) est un signe distinctif indiquant le statut artistique.

La troisième notion contenue dans la deuxième condition de la définition est l'état de candidat : un membre du monde de l'art confère le statut de *candidat* à l'appréciation. La définition n'exige pas que l'œuvre soit effectivement appréciée, ne serait-ce que par une seule personne. Le fait est que beaucoup d'œuvres d'art, et peut-être même la plupart, ne sont jamais appréciées. Il est important de ne pas intégrer à la définition du sens classificatoire d'« œuvre d'art » des propriétés relevant de la valeur, telle l'appréciation effective : cela nous empêcherait de parler d'œuvres d'art non appréciées. Peut-être même serions-nous embarrassés pour traiter d'œuvres d'art mauvaises. Toute théorie de l'art doit prendre en compte certaines caractéristiques centrales de notre manière de parler de l'art : or, il nous semble parfois indispensable de parler d'art non apprécié ou de mauvais art. D'autre part, tous les aspects d'une œuvre ne font pas partie de l'état de candidat à l'appréciation ; par exemple, en général on ne considère pas qu'il convient d'apprécier la couleur du dos d'un tableau. J'ai abordé ailleurs [10] — dans une tentative de fournir une analyse de la notion d'objet esthétique — la question de savoir quels aspects d'une œuvre d'art sont pertinents quant à son statut de candidat à l'appréciation. Il ne faudrait donc pas croire que la définition de la notion d'« œuvre d'art » implique l'affirmation que tous les aspects d'une œuvre sont pertinents quant à son état de candidat à l'appréciation.

La quatrième notion contenue dans la deuxième condition de la définition est celle de l'appréciation elle-même. Certains penseront peut-être que la définition se réfère à une appréciation spécifiquement *esthétique.* J'ai soutenu ailleurs [11] qu'il n'y a pas de raison de penser qu'il existe une perception spécifiquement esthétique. De même, je suis d'avis qu'il n'y a aucune raison de penser qu'il existe une appréciation qui serait spécifiquement esthétique. Le terme d'« appréciation » tel qu'il est employé dans la définition veut dire simplement qu'« en faisant l'expérience des propriétés d'une chose on les trouve précieuses ou valables », et ce sens du terme s'applique d'une manière tout à fait générale à l'intérieur comme à l'extérieur du domaine de l'art.

J'ai fait remarquer plus haut qu'une définition de la notion d'« art » qui ferait intervenir l'expression « statut de l'art » ne comporterait pas un cercle vicieux. La définition que j'ai proposée ne contient pas l'expression « statut de l'art », mais elle fait référence au monde *de*

10. « Art Narrowly and Broadly Speaking », *American Philosophical Quarterly,* 1968, p. 71-77.

11. « The Myth of the Aesthetic Attitude », *American Philosophical Quarterly,* 1964, p. 56-65 ; trad. fr. in *Philosophie analytique et Esthétique, op. cit.,* p. 115-134.

l'art. Par conséquent, certains lecteurs auront peut-être l'impression désagréable qu'elle constitue un cercle vicieux. Il est vrai qu'en un sens elle est circulaire, mais elle ne constitue pas pour autant un cercle vicieux. Si j'avais dit, par exemple : « Une œuvre d'art est un artefact auquel le monde de l'art a conféré un statut », et si ensuite j'avais défini le monde de l'art simplement comme ce qui confère le statut d'art, alors la définition serait un cercle vicieux, parce qu'il s'agirait d'un cercle très étroit et *ne transmettant pas d'informations.* Or, j'ai consacré un espace considérable à la description et à l'analyse des complexités historiques, organisationnelles et fonctionnelles du monde de l'art, et si l'examen auquel je me suis livré est correct, le lecteur aura reçu une quantité importante d'*informations* concernant le monde de l'art. Le cercle que j'ai parcouru n'est ni étroit ni pauvre en informations. Si, en fin de compte, le monde de l'art ne peut pas être décrit indépendamment de l'art, c'est-à-dire si sa description contient des références aux historiens de l'art, aux journalistes spécialisés dans l'art, aux pièces dramatiques, aux théâtres et ainsi de suite, alors la définition au sens strict du terme est circulaire. Cependant, elle ne constitue pas un cercle vicieux parce que la description dans laquelle elle est enchâssée comporte beaucoup d'informations au sujet du monde de l'art. Il ne faut pas se fixer de manière étroite sur la définition, car il importe de voir que l'art est un concept institutionnel et ceci exige qu'on place sa définition dans le contexte de la description globale. J'ai le soupçon que le « problème » de la circularité se pose fréquemment (toujours ?) lorsque des concepts institutionnnels sont en jeu.

III

Les œuvres d'art dadaïstes et des développements similaires de l'art contemporain, qui nous ont rendus attentifs à la nature institutionnelle de l'art, suggèrent plusieurs questions. D'abord, si Duchamp peut convertir en art des artefacts comme un urinoir, une pelle à neige et un portemanteau, pourquoi des objets naturels, par exemple des bois de dérive, ne peuvent-ils pas devenir eux aussi des œuvres d'art au sens classificatoire ? Je répondrai qu'ils peuvent éventuellement le devenir, à condition qu'on leur fasse subir l'un ou l'autre traitement spécifique. Une des façons de réaliser la chose en question serait de ramasser un objet naturel, de l'emmener à la maison et de l'accrocher au mur. Une autre façon serait de le ramasser et de l'intégrer dans une exposition. Soit dit en passant, nous avions présupposé plus haut que le bois de dérive auquel se réfère la phrase de Weitz (choisie comme exemple) gisait sur une plage et qu'aucune main humaine ou, du moins, aucune intention humaine ne l'avait « touché », et que pour cette raison il s'agissait d'art au sens dérivé du terme. Les objets naturels qui deviennent des œuvres d'art au sens classificatoire du terme sont transformés en artefacts sans l'aide d'outils — l'artefactualité est conférée à l'objet plutôt que de résulter d'un travail effectué sur lui. Cela signifie que les objets naturels qui deviennent des œuvres d'art acquièrent la propriété d'artefactualité en même temps que leur est conféré le statut de candidat à l'appréciation. Mais peut-être que quelque chose de semblable se produit d'ordinaire dans le cas de tableaux, de poèmes et ainsi de suite : ils en viennent à exister comme artefacts en même temps que le statut d'art leur est conféré. Bien entendu, être un artefact et être candidat à l'appréciation n'est pas la même chose — mais ce sont deux propriétés qui peuvent être acquises au même moment. De nombreux lecteurs estimeront peut-être que cette notion d'une artefactualité qui serait conférée à un objet, plutôt que de résulter d'un *travail* sur l'objet, est trop étrange pour être acceptée, et j'admets qu'il s'agit d'une conception inhabituelle. Il est possible qu'il faille élaborer une explication spéciale pour les bois de dérive *exposés* et autres cas de ce genre.

Une autre question qui est posée assez souvent en relation avec les discussions suscitées par le concept d'art, et qui paraît spécialement pertinente dans le contexte de la théorie institutionnelle, est la suivante : « Que penser des peintures réalisées par des individus comme Betsy, le chimpanzé du zoo de Baltimore ? » Le fait d'appeler peintures les produits de Betsy ne préjuge en rien de leur statut éventuel d'œuvres d'art — simplement, il faut bien un terme pour les désigner. La question de savoir si les peintures de Betsy sont de l'art dépend de ce qu'on fait d'elles. Par exemple, il y a un an ou deux, le Field Museum of Natural History de Chicago a exposé un certain nombre de peintures réalisées par des chimpanzés et des gorilles. Nous sommes obligés de dire que ces peintures ne sont pas des œuvres d'art. Si cependant elles avaient été exposées quelques kilomètres plus loin à l'Art Institute, elles auraient été des œuvres d'art — elles auraient été de l'art si le directeur de l'Art Institute s'était engagé en faveur de ses cousins primates. Pour une grande part c'est le contexte institutionnel qui est décisif : certains contextes institutionnels se prêtent à l'acte de conférer le statut d'art, d'autres non. Bien que les peintures de Betsy restent ses peintures même si elles étaient exposées dans un musée d'art, il faut pourtant noter qu'en tant qu'*art* elles émaneraient de la personne responsable de leur exposition. Betsy serait incapable (je suppose) de se considérer elle-même comme un membre du monde de l'art et, partant, ne pourrait pas conférer le statut en question. L'art est un concept qui implique nécessairement l'intentionalité humaine. Ces remarques ne sont pas destinées à dénigrer la valeur (y compris la beauté) des peintures de chimpanzés exposées dans des musées d'histoire naturelle ou celle des créations des ptilorinques, etc. — elles concernent la question de savoir ce qui relève d'un concept particulier.

Selon Weitz, définir le terme « art » et ses sous-concepts revient à bannir la créativité. Parmi les définitions traditionnelles du terme, certaines ont peut-être empêché la créativité (certaines définitions traditionnelles de ses sous-concepts l'ont même probablement fait), mais ce danger appartient désormais au passé. On peut facilement imaginer un auteur d'antan dans la situation suivante : il a conçu et désire écrire une pièce à caractère tragique, mais dépourvue de telle ou telle caractéristique spécifique, prescrite par exemple par Aristote dans sa définition de la « tragédie » ; acculé à ce dilemme, il est intimidé et abandonnera peut-être son projet. Cependant, compte tenu de l'indifférence actuelle vis-à-vis des genres établis et vu qu'en art on réclame à cor et à cri la nouveauté, cet obstacle à la créativité a probablement cessé d'exister. Lorsque de nos jours quelqu'un crée une œuvre inédite et inhabituelle, il y a deux options : si l'œuvre est assez proche de certaines autres d'un type d'art établi, elle trouve généralement place à l'intérieur de ce type ; si elle est très différente de toutes les œuvres existantes, un nouveau sous-concept sera probablement créé. Les artistes contemporains ne sont pas facilement intimidés et ils considèrent les genres artistiques comme des repères à titre indicatif plutôt que comme des prescriptions rigides. Même si les remarques d'un philosophe pouvaient avoir de l'effet sur ce que font les artistes de nos jours, la conception institutionnelle de l'art n'empêcherait certainement pas la créativité. L'exigence concernant l'artefactualité ne peut pas entraver la créativité, puisque l'artefactualité est une condition nécessaire de la créativité. Il ne peut pas y avoir d'exemple de créativité sans qu'un artefact, à quelque type qu'il appartienne, ne soit produit. La deuxième condition, celle qui concerne l'acte de conférer un statut, ne peut pas inhiber la créativité ; en fait, elle l'encourage. Comme d'après notre définition n'importe quoi peut devenir de l'art, elle n'impose pas de contraintes à la créativité.

On pourrait être tenté de dire que la théorie institutionnelle de l'art se borne à affirmer qu' « une œuvre d'art est un objet dont quelqu'un a dit “ Je baptise œuvre d'art cet objet ” ». D'une certaine manière, c'est bien ce dont il s'agit, ce qui ne signifie pas que l'acte de conférer le statut d'art soit chose simple. Tout comme le baptême d'un enfant a pour toile de fond l'histoire et la structure de l'Église, l'acte de conférer le statut d'art a comme toile de fond la complexité byzantine du monde de l'art. D'aucuns trouveront peut-être étrange que dans les cas ne relevant pas de l'institution de l'art — et abordés plus haut — l'acte de conférer un statut puisse échouer dans certaines conditions, tandis qu'il ne semble pas y avoir de modalités en vertu desquelles l'acte de conférer le statut d'art pourrait être invalide. Par exemple, si un acte d'accusation est rédigé de manière incorrecte, l'accusé n'est en fait pas inculpé ; en revanche, dans le monde de l'art rien de comparable ne semble être possible. Ce fait reflète simplement les différences entre le monde de l'art et les institutions légales : le système légal s'occupe d'affaires pouvant avoir des conséquences personnelles graves et ses procédures doivent refléter ce fait ; le monde de l'art s'occupe d'affaires qui, bien qu'elles soient également importantes, sont de nature tout à fait différente. Le monde de l'art n'a pas besoin de procédures rigides, il admet — voire encourage — la frivolité et la fantaisie, sans perdre pour autant son but sérieux. Il vaut peut-être la peine de noter que toutes les procédures légales ne sont pas aussi rigides que les procédures judiciaires et que, dans certains cas, le fait de commettre des erreurs en conférant des statuts légaux n'est pas fatal pour ceux-ci. Un officier municipal peut commettre des erreurs en célébrant la cérémonie de mariage, mais le couple en face de lui accédera néanmoins au statut matrimonial. Cependant, s'il est impossible de commettre une erreur *en* conférant le statut d'art, il est possible d'en commettre une *du fait* de le conférer. En conférant le statut d'art à un objet, on endosse une certaine responsabilité vis-à-vis de l'objet doté du nouveau statut — si on présente un candidat à l'appréciation, on doit toujours envisager la possibilité que personne ne l'appréciera et que donc on perdra la face pour avoir conféré le statut. On *peut* faire une œuvre d'art avec l'oreille d'une truie, mais cela n'en fera pas forcément une bourse en soie.

Traduit de l'anglais par Claude Hary-Schaeffer

Timothy Binkley

« *Pièce* » : *contre l'esthétique* *

De quoi parle cette « pièce » ?

1. En son sens le plus général, le terme « esthétique » se réfère à la philosophie de l'art. Selon cette optique, tout écrit théorique sur l'art se situe dans le domaine de l'esthétique. Mais le terme a encore un autre sens, plus spécifique et plus important, qui a trait à un type particulier de recherche théorique née au XVIIIe siècle à la suite de l'invention de la notion de « faculté de goût ». Prise en ce sens, l'esthétique est l'étude d'une activité humaine spécifique faisant intervenir la perception de qualités esthétiques telles que la beauté, la sérénité, l'expressivité, l'unité et l'animation. Bien que souvent elle se fasse passer pour une (ou même *la*) philosophie de l'art, l'esthétique ainsi définie ne traite pas uniquement de l'art : elle étudie un certain type d'expérience humaine (l'expérience esthétique) qui peut être suscitée par des œuvres d'art, mais également par la nature ou des artefacts non artistiques. En général, on considère que cette différence de sens est négligeable et on s'en débarrasse en affirmant que, même si l'esthétique ne s'occupe pas exclusivement de l'art, du moins l'art est concerné au

* Publié originellement dans *The Journal of Aesthetics and Art Criticism,* vol. 35, 1977, p. 265-277 ; traduction française, *Poétique* 79, septembre 1989.

premier chef par la problématique esthétique. Or, cette affirmation elle aussi est erronée, et le but de cette « pièce » est de montrer pour quelle raison. Le fait de relever du domaine des objets de l'esthétique (au second sens du terme) n'est ni une condition suffisante ni une condition nécessaire pour être de l'art.

2. Un jour, Robert Rauschenberg effaça un dessin de De Kooning et l'exposa sous le titre *Dessin de De Kooning effacé*. A la suite de l'intervention de Rauschenberg, les propriétés esthétiques de l'œuvre originale n'existent plus. Pourtant le résultat n'est pas une non-œuvre, mais une œuvre différente. L'aspect visuel de la « pièce » de Rauschenberg ne nous apprend rien d'important à son sujet, si ce n'est peut-être ceci : le fait de la contempler est sans importance pour sa pertinence artistique. On se tromperait à vouloir rechercher la présence de taches esthétiquement intéressantes sur la feuille de papier. L'objet peut être acheté et vendu tout comme le Rubens le plus luxuriant, mais, contrairement à ce dernier, il n'est que le souvenir ou la relique de sa signification artistique. Contrairement au propriétaire de la toile de Rubens qui la cache dans son cabinet privé, le propriétaire du Rauschenberg n'a pas un accès privilégié à son contenu artistique. Et pourtant la « pièce » de Rauschenberg est une œuvre d'art. Au XXe siècle, l'art s'est transformé en une discipline fortement autocritique. Il s'est libéré des paramètres esthétiques, et ses produits sont parfois la mise en œuvre directe d'idées non médiatisées par des qualités esthétiques. Une œuvre d'art est une « pièce », et, en tant que telle, elle n'a pas besoin d'être un objet esthétique ni même un objet tout court.

3. La présente « pièce » est occasionnée par deux œuvres d'art de Marcel Duchamp, *L.H.O.O.Q.* et *L.H.O.O.Q. rasée*. Comment puis-je savoir qu'il s'agit là d'œuvres d'art ? En premier lieu, je l'induis du fait qu'elles figurent dans des catalogues. Au cas où vous contesteriez cette manière de procéder, il vous faudrait expliquer comment la liste d'un catalogue de Renoir peut être une

liste d'œuvres d'art s'il n'en est pas de même pour la liste d'un catalogue de Duchamp, ou encore pourquoi une exposition de Renoir est une exposition d'œuvres d'art, et non pas une exposition de Duchamp, et ainsi de suite. De toute manière, nous allons voir que la question de savoir si les « pièces » de Duchamp sont des œuvres d'art est sans la moindre importance.

Cette « pièce » traite également de ce qu'on peut appeler la signification philosophique de l'art de Duchamp. J'examinerai essentiellement le rôle du concept de « pièce » en art, et je me propose d'aboutir à une reformulation de notre conception de ce qu'est une *œuvre d'art*.

Qu'est-ce que L.H.O.O.Q. *?*

Voici ce qu'en dit Duchamp :

> Cette *Joconde* moustachue et barbue est un ready-made combiné, un spécimen de dadaïsme iconoclaste. L'original, je veux dire le ready-made original, est un chromo bon marché en bas duquel j'ai inscrit quatre lettres qui, prononcées comme des initiales en français, donnent une blague très risquée sur *La Joconde*[1].

Imaginons une description similaire de la véritable *Joconde* : Léonard prit une toile et un peu de couleur qu'il étala de telle sorte que — *presto* — le visage si illustre, avec son paysage à l'arrière-fond, fit son apparition. Il y a une différence importante entre cette description et celle de Duchamp. Elle est marquée par le caractère non spécifié

1. Cité d'après *Marcel Duchamp*, catalogue de l'exposition organisée par le Museum of Modern Art et le Philadelphia Museum of Art, Anne d'Harnoncourt et Kynaston McShine (éd.) New York, Museum of Modern Art ; Philadelphie, Museum of Art, 1973, p. 289. Prononcées en français, les lettres donnent la phrase : « Elle a chaud au cul. »

de l'expression « de telle sorte que » qui n'est jamais précisée dans la description du tableau de Léonard. Bien entendu, je pourrais continuer indéfiniment à énumérer les propriétés visuelles de *La Joconde,* et la fidélité avec laquelle votre imagination les reconstituerait dépendrait de facteurs tels que la qualité de ma description, les capacités de votre imagination et le hasard. Cependant, quel que soit le degré de précision et de vivacité de ma description, vous n'apprendrez jamais à connaître le tableau grâce à elle. On ne saurait prétendre le connaître en se basant uniquement sur une description, aussi subtile soit-elle, et même si elle peut nous apprendre beaucoup de choses intéressantes *à son sujet.* Pour connaître *La Joconde* il faut aller la voir ou en contempler une reproduction de bonne qualité. Si les reproductions peuvent remplir la même fonction que l'œuvre, ce n'est pas parce qu'elles la reproduisent fidèlement, mais parce que celle-ci est définie par l'ensemble de ses propriétés visuelles. Et une reproduction est justement capable de dupliquer, selon un degré d'exactitude variable, les propriétés visuelles saillantes d'une peinture ou d'en fournir une réplique. Cela ne signifie pas qu'on soit autorisé à fonder ses jugements esthétiques uniquement sur des reproductions, mais tout simplement qu'on ne peut pas dire grand-chose au sujet d'une peinture si on ne l'a pas vue.

Revenons maintenant à la description de la « pièce » de Duchamp : *L.H.O.O.Q.* est une reproduction de *La Joconde* à laquelle on a ajouté une moustache, une barbiche et une inscription. Elle ne contient aucune expression vague du genre « de telle sorte que », qui remplacerait l'élément descriptif le plus important. Elle vous apprend ce qu'est l'œuvre d'art en question : vous connaissez maintenant la « pièce » sans l'avoir vue (et sans avoir vu une de ses reproductions). Au moment où vous la verrez effectivement, aucune surprise ne vous attendra : vous découvrirez bien une reproduction de *La Joconde,* avec une moustache, une barbiche et les cinq lettres. En la contemplant vous n'apprendrez rien qui soit important du point de vue artistique que vous ne sachiez déjà grâce à la description de Duchamp. C'est pourquoi il serait vain de vouloir la scruter longuement, tel un connaisseur savourant un Rembrandt. L'exact contraire est vrai pour *La Joconde.* Si je vous dis qu'il s'agit de la peinture d'une femme au sourire énigmatique, je vous apprends peu de choses à son sujet, puisque ce qui importe ce sont ses *propriétés visuelles.* Et celles-ci, je peux uniquement vous les *montrer,* je ne puis vous les faire connaître en les décrivant.

La différence peut être élucidée en opposant idée et apparence visuelle. Il y a des pratiques artistiques (c'est le cas d'une grande partie de ce qu'on appelle l'art traditionnel) qui se servent essentiellement des apparences visuelles. Pour connaître une œuvre relevant de ces pratiques, il faut connaître ses propriétés visuelles, et cela veut dire qu'il faut en faire l'expérience directe, c'est-à-dire qu'il faut percevoir son apparence visuelle. D'autres traditions artistiques, en revanche, se servent principalement d'idées[2]. Pour connaître une œuvre d'art de ce genre, il faut connaître l'idée qui la sous-tend. Et pour connaître une idée on n'a pas besoin d'une expérience sensorielle spécifique, ni même d'une expérience spécifique tout court. C'est la raison pour laquelle on peut connaître *L.H.O.O.Q.* aussi bien en contemplant l'œuvre qu'à travers une description s'y rapportant. (En fait, il se pourrait que, grâce à la description, on obtienne plus facilement une meilleure connaissance de l'œuvre qu'en la contemplant.) L'analyse critique de la manifestation sensible, qui est tellement utile lorsqu'on veut connaître *La Joconde,* ne possède guère de valeur explicative lorsqu'il

2. De nombreux exemples se trouvent dans Lucy Lippard, *Six Years : The Dematerialization of the Art Object from 1966 to 1972*, New York, 1973. Il n'existe pas de dichotomie stricte entre l'art des idées et l'art des apparences. La plus grande partie de l'art traditionnel, lui aussi, s'occupe d'idées, même si elles sont exprimées visuellement.

s'agit de *L.H.O.O.Q.* On aurait tort d'espérer pouvoir dire quelque chose de sensé à son sujet en se lançant dans de longs développements concernant la beauté du dessin de la moustache ou la délicatesse avec laquelle la barbiche a été adaptée aux contours du visage. Ce qu'il est important de noter lorsque nous regardons la « pièce », c'est *le fait* qu'il s'agit d'une reproduction de *La Joconde, le fait* qu'on a ajouté une moustache, et ainsi de suite. Ni le mode de réalisation ni les propriétés visuelles ne sont véritablement importants. Nous contemplons *La Joconde* pour découvrir ses qualités visuelles ; mais nous abordons la « pièce » de Duchamp afin d'obtenir des informations la concernant, c'est-à-dire afin d'accéder à la pensée qui y est exprimée.

Qu'est-ce que L.H.O.O.Q. *rasée ?*

Pour l'avant-première de son exposition intitulée *Not Seen / or Less Seen of / by Marcel Duchamp / Rrose Selavy 1904-64 : Mary Sisler Collection,* Duchamp envoya des invitations. Sur la face avant de l'invitation il colla une carte à jouer avec une reproduction de *La Joconde.* En dessous il écrivit en français : « L.H.O.O.Q. rasée. » Cette « pièce » a le même aspect que *La Joconde,* et vice versa : puisque l'une est une reproduction de l'autre, leurs qualités esthétiques sont fondamentalement les mêmes[3]. Les différences d'ordre visuel qu'il peut y avoir entre elles n'ont guère d'importance artistique. On n'établit pas l'identité de l'une en montrant en quoi elle se distingue visuellement de l'autre. Cela est dû au fait que la « pièce » de Duchamp ne formule pas son message artistique dans le langage des qualités esthétiques. Donc, les propriétés

3. On pourrait même considérer *La Joconde* comme un exemplaire de *L.H.O.O.Q. rasée.* Duchamp se réfère à la pièce antérieure *L.H.O.O.Q.* en parlant de « *cette Joconde* avec moustache et barbiche ».

esthétiques font aussi peu partie de *L.H.O.O.Q.* que le portrait d'un mathématicien dans un livre d'algèbre fait partie des mathématiques.

Les apparences visuelles sont insuffisantes pour établir l'identité d'une œuvre d'art dès lors que son propos ne se situe pas dans le domaine des apparences. Et même si c'est l'apparence visuelle qui importe le plus, comment faire pour s'en assurer ? Qu'est-ce qui empêche un Duchamp de s'approprier les apparences visuelles d'une œuvre donnée pour s'en servir à d'autres fins ? C'est ici que les capacités de l'esthétique à s'occuper de l'art atteignent leurs limites, puisqu'elle fait porter son analyse sur les apparences. Pour savoir comment et pourquoi il en est ainsi, il faut analyser la nature de l'esthétique.

Qu'est-ce que l'esthétique ?

1. *Le terme.* Le mot « esthétique » désigne de nos jours la branche de la philosophie qui traite de l'art. Son origine remonte au XVIIIe siècle, lorsque Alexander Gottlieb Baumgarten adapta le mot grec signifiant « perception » pour désigner ce qu'il définissait comme la « science de la perception »[4]. Se fondant sur une distinction « familière aux philosophes grecs et aux Pères de l'Église », il opposa le monde perçu (les entités esthétiques) au monde su (les entités noétiques) et chargea l'esthétique d'étudier les objets du premier. Puis il plaça l'étude des arts sous l'égide de l'esthétique. On eut vite fait d'amalgamer les deux, et

4. Voir Alexander Gottlieb Baumgarten, *Reflections on Poetry*, trad. Karl Aschenbrenner et William B. Holther, Berkeley, 1954, p. 78. Les traducteurs rendent *scientia cognitionis sensitivae* par la « science de la perception ». Monroe Beardsley donne une traduction plus précise : la « science de la connaissance sensorielle ». Voir son *Aesthetics from Classical Greece to the Present*, New York, 1966, p. 157. Des discussions utiles concernant l'émergence de l'« esthétique » dans la philosophie du XVIIIe siècle se trouvent dans le livre de Beardsley et dans George Dickie, *Aesthetics : An Introduction*, New York, 1971.

l'« esthétique » devint la « philosophie de l'art », de la même manière que l'« éthique » est la philosophie de la morale.

2. *L'esthétique et la perception*. Dès les origines, l'esthétique s'est consacrée à l'étude du monde perçu, en raisonnant soit à partir de l'« attitude esthétique » qui définit une manière spécifique de percevoir, soit à partir de l'« objet esthétique ». L'intérêt pour l'expérience perceptive s'accrut encore avec l'invention de la faculté du goût par les philosophes du XVIIIe siècle qui voulaient rendre compte des réactions de l'homme face à la beauté ou à d'autres qualités esthétiques. La faculté du goût fonctionne comme faculté de jugement dans l'expérience esthétique. On pensait que l'homme raffiné et au goût hautement développé est capable de percevoir et de reconnaître des expressions artistiques sophistiquées et subtiles qui ne sont pas à la portée de l'homme inculte, dont le goût n'est que faiblement développé. La nouvelle faculté était censée se manifester dans le contexte d'une perception particulière, « désintéressée », coupée de tout intérêt personnel et éloignée de ce qu'on appelle les « préoccupations d'ordre pratique ». Le développement du concept de « désintéressement » accentua encore la tendance de l'esthétique à insister sur la perception, puisque, en privant l'expérience de tout « intérêt pratique », on la dépossède de son aspect utilitaire : dès lors elle s'investit entièrement dans le domaine de l'appréhension directe. D'où l'idée que l'expérience esthétique est une expérience qui est vécue « pour son intérêt propre ». Par la suite, l'esthétique en vint à traiter l'objet de la perception esthétique comme une espèce d'illusion, puisque sa « réalité » — c'est-à-dire la réalité de la perception désintéressée — n'est liée d'aucune manière à la réalité de l'intérêt pratique. On en vint à penser qu'il n'y a pas de commune mesure entre ces deux réalités : on peut voir les vaches dans les tableaux de Turner, mais on ne saurait ni les traire ni les entendre.

Il est important de rappeler que l'esthétique s'est développée à partir de l'ancienne tradition philosophique du Beau. La beauté est une propriété qu'on trouve à la fois dans l'art et dans la nature. Ainsi, un homme est beau ; sa maison et les tapisseries qui s'y trouvent le sont également. L'esthétique a perpétué cette tradition qui consiste à étudier un type d'expérience pouvant concerner des objets naturels aussi bien que des objets créés. Il en résulte que l'esthétique n'a jamais été exclusivement l'étude des phénomènes artistiques. Son champ d'étude est plus vaste que le domaine artistique, puisque l'expérience esthétique ne se limite pas à l'art. On n'a pas toujours accordé à ce fait l'attention qu'il mérite, et par conséquent l'esthétique se fait souvent passer pour la philosophie-de-l'art-en-général.

Au fur et à mesure que l'esthétique et la philosophie de l'art ont été assimilées l'une à l'autre, une confusion plus grave encore s'est installée. On en vint à considérer l'œuvre d'art comme un objet esthétique, c'est-à-dire perceptif. D'où l'idée que la signification et l'essence de tout art se trouvent dans les apparences, c'est-à-dire dans les propriétés visuelles ainsi que dans les sons appréhendés directement (même si ce n'est pas nécessairement de manière non réfléchie). Aussi le premier principe de la philosophie de l'art est-il devenu le suivant : tout art possède des qualités esthétiques, et le noyau d'une œuvre d'art est formé par son faisceau de qualités esthétiques. De cette manière, l'« esthétique » a fini par n'être plus qu'un autre nom pour la philosophie de l'art. Bien qu'on reconnaisse parfois que l'esthétique n'est pas identique à la philosophie de l'art et qu'elle en est plutôt une étude complémentaire, on n'en continue pas moins de penser que tout art est nécessairement esthétique, au sens où le fait d'appartenir au domaine objectal de l'esthétique serait une condition nécessaire (sinon suffisante) pour que quelque chose puisse être de l'art[5]. Pourtant, comme nous

5. George Dickie est un exemple, assez rare, de prise de conscience de ce fait : « Le concept d'" art " est certainement lié sur

allons le voir, posséder un statut esthétique n'est ni une condition nécessaire ni une condition suffisante pour être de l'art.

Les adeptes de l'esthétique moderne pensent peut-être que la « science de la perception » de Baumgarten est une entreprise moribonde liée à la pensée esthétique prémoderne qui était engagée corps et âme dans la poursuite de la beauté idéale. Cependant, il suffit de survoler la théorie esthétique contemporaine pour se rendre compte que cette branche de la philosophie pense toujours trouver sa *raison d'être* dans une entité perceptuelle — l'apparence — et qu'elle échoue à distinguer clairement entre l'« esthétique » au sens strict et la philosophie de l'art. Dans son essai intitulé « L'esthétique et le non-esthétique », Frank Sibley a exprimé cet engagement en faveur de la perception :

> Il importe d'abord de noter que, *grosso modo,* l'esthétique a pour objet un certain genre de perception. La grâce qui se dégage de l'unité d'une œuvre, on doit la *voir* ; la plainte ou la frénésie d'une pièce de musique, on doit l'*entendre* ; l'éclat criard d'une combinaison de couleurs, on doit le *remarquer* ; la puissance d'un

---

des points importants au concept d'" esthétique ", mais l'esthétique ne peut pas complètement absorber l'art » (*Aesthetics : An Introduction, op. cit.*, p. 2). Cependant, il s'avère en fin de compte qu'une des manières dont l'art est lié à l'esthétique réside dans le fait que la philosophie de l'art et la philosophie de la critique, comme l'esthétique, sont fondées sur ce que Dickie appelle l'« expérience esthétique » (voir son diagramme, dans *ibid.*, p. 45). Il semble que ce qui, à ses yeux, distingue l'esthétique des deux autres disciplines, ce soit simplement la façon spécifique qu'a chacune d'aborder l'expérience esthétique. Voir aussi son *Art and the Aesthetic*, Ithaca, 1974. Dickie fait un premier pas important en distinguant les concepts d'« art » et d'« esthétique », mais sa recherche d'une définition de l'art me semble suivre des linéaments esthétiques basés sur la notion d'« appréciation ». Je discute les conceptions de Dickie plus longuement dans mon article « Deciding about Art : A Polemic against Aesthetics », *Culture and Art*, Lars Aagaard-Mogensen (éd.), Atlantic Highlands (N. J.), 1976.

> roman, sa tonalité, ou encore son ton incertain, on doit les *sentir*... Ce qui est crucial c'est de voir, d'entendre ou de sentir. Croire qu'on peut porter des jugements esthétiques sans passer par la perception esthétique [...] c'est démontrer qu'on se fait une fausse idée du jugement esthétique[6].

Malgré la multiplicité des directions nouvelles dans lesquelles s'est engagée la philosophie de l'art du XXe siècle, elle se laisse toujours guider par l'esthétique, c'est-à-dire par le postulat que l'œuvre d'art est un objet perceptif.

C'est parce que les qualités esthétiques forment une partie intégrante de ce que Monroe Beardsley a appelé l'« objet perceptif » qu'il faut qu'on les perçoive pour pouvoir porter des jugements sur elles : « Un objet perceptif est doué de qualités dont certaines au moins se prêtent à l'appréhension sensorielle directe[7]. » Il l'oppose à la « base physique » des qualités esthétiques qui, elle, « est constituée d'objets et d'événements descriptibles en termes de physique »[8]. Ainsi l'œuvre d'art est une entité comportant deux aspects radicalement distincts, dont l'un est esthétique et l'autre physique :

> Lorsqu'un critique [...] affirme que les peintures tardives de Titien dégagent une atmosphère puissante et que leurs couleurs sont d'une grande vivacité, l'objet dont il parle est un objet esthétique. Mais lorsqu'il dit que Titien a recouvert la toile entière d'un fond rouge foncé et qu'après avoir disposé les pigments il a

6. Frank Sibley, « Aesthetic and Non-Aesthetic », *The Philosophical Review*, vol. 74, 1965, p. 135-159, repris dans Matthew Lipman (éd.), *Contemporary Aesthetics*, Boston, 1973, p. 434. Voir aussi Frank Sibley, « Aesthetics Concepts », *The Philosophical Review,* vol. 68, 1959, p. 421-450 ; trad. fr. « Les concepts esthétiques », *in* Danielle Lories (éd. et trad.), *Philosophie analytique et esthétique,* Paris, Méridiens-Klincksieck, 1988.

7. Monroe Beardsley, *Aesthetics : Problems in the Philosophy of Criticism,* New York, 1958, p. 31.

8. *Ibid.*, p. 31.

recouvert la peinture d'un vernis transparent, l'objet dont il parle est un objet physique[9].

La philosophie de l'art considère cet « objet esthétique » comme son sujet d'étude. Les apparences visuelles jouent un rôle très important, aussi bien dans les théories expressionnistes, qui interprètent l'œuvre d'art comme un « objet imaginaire » à travers lequel l'artiste a formulé son « intuition », que dans les théories formalistes qui vénèrent la forme perceptive[10]. Ainsi, la « forme signifiante » de Clive Bell est sans conteste une forme perceptive, puisqu'elle doit être perçue et susciter l'« émotion esthétique » pour remplir sa fonction artistique[11]. Quant à Susanne Langer, elle a défini les apparences visuelles comme des « semblants » et a entrepris, dans son livre *Feeling and Form*, ce qu'on peut sans doute considérer comme la plus vaste recherche à ce jour sur ce sujet. Ainsi, l'esthétique postule que tous les arts sont engagés dans la création d'un semblant ou d'une « illusion » artistique dont l'unique raison d'être serait son apparence sensible.

Il s'est cependant révélé difficile de maintenir une interprétation strictement perceptive de l'« apparence » esthétique. Parmi les formes d'art majeures, la littérature s'adapte particulièrement mal à un modèle théorique fondé sur la nature perceptive de l'art. Bien que nous

9. *Ibid.*, p. 33. George Dickie présente des objections à l'encontre de la notion d'objet esthétique défendue par Beardsley, mais je ne les trouve pas très convaincantes. Voir *Art and the Aesthetic, op. cit.*, p. 148 *sq.*

10. Voir Benedetto Croce, *Aesthetic*, New York, 1929, et R. G. Collingwood, *The Principles of Art*, New York, 1938. Dans la théorie de l'expression développée par Croce et Collingwood, ce n'est pas le concept d'expression qui est esthétique mais plutôt le concept d'intuition.

11. Voir Clive Bell, *Art*, New York, 1959. La critique formaliste reste liée à l'esthétique. Voir, par exemple, Clement Greenberg, *Art and Culture*, Boston, 1961, et « Modernist Painting », *Art and Literature*, vol. 9, 1965.

percevions les mots imprimés dans un livre, nous ne percevons pas réellement l'*œuvre* littéraire, qui est composée d'éléments linguistiques intangibles. Or, comme le souligne Sibley, le lecteur sent « la puissance, la tonalité ou le ton incertain d'un roman » : dans l'acte de lecture, *il fait donc l'expérience* de ses qualités esthétiques, même si elles ne sont pas réellement perçues par les sens. Il existe de multiples choses dont nous pouvons faire l'expérience sans les percevoir. Tout comme une émotion, la puissance d'un roman peut être « ressentie », mais ni touchée, ni entendue, ni vue. Ainsi, bien qu'il ne soit pas correct d'affirmer qu'on ne peut pas connaître les qualités esthétiques d'un roman sans « accès perceptif direct », il est exact qu'on ne saurait les connaître sans avoir une expérience directe du roman, c'est-à-dire sans le lire. Cela exclut donc qu'il soit possible de connaître une œuvre littéraire uniquement à travers sa description (alors que c'est tout à fait possible dans le cas de *L.H.O.O.Q.*). De même qu'il faut contempler l'objet particulier qu'est une peinture, il faut lire la chaîne de mots particulière dont est formé le roman avant de pouvoir le juger esthétiquement. Donc, bien que la perception soit le paradigme de l'expérience esthétique, une théorie esthétique adéquate devra associer les qualités esthétiques de façon plus générale à un type particulier d'expérience (l'expérience esthétique), cela afin de pouvoir inclure la littérature dans son domaine objectal.

3. *La théorie des « media »*. Qu'est-ce qu'on entend par l'« expérience esthétique » requise pour l'appréciation d'un objet esthétique ? Comment peut-on spécifier *en quoi* exactement consiste l'expérience qui est nécessaire pour connaître une œuvre d'art spécifique ? Nous nous heurtons ici à un problème. Les qualités esthétiques ne peuvent être communiquées qu'à travers une expérience directe. On ne peut pas dire quelles sont exactement les qualités esthétiques d'une œuvre si on ne les a pas expérimentées directement. Ainsi que l'exprime Isabel Hungerland, il n'existe pas de critères intersubjectifs permettant de

vérifier la présence de qualités esthétiques[12]. C'est la raison pour laquelle il est impossible de communiquer la connaissance de *La Joconde* en la décrivant. Il est impossible d'établir des critères d'identification pour les œuvres d'art qui prendraient appui sur leurs qualités esthétiques. C'est en ce point que l'esthétique a recours au concept de support communicationnel (*medium*). Les supports de communication, les *media*, sont les catégories fondamentales de l'esthétique : chaque œuvre est identifiée grâce au support communicationnel à travers lequel elle se réalise. Voyons comment l'esthétique procède pour établir cette identification.

Le problème des relations entre les propriétés esthétiques et les propriétés non esthétiques d'un objet a été au centre de nombreux débats de la théorie esthétique récente. Quelle que soit l'analyse spécifique défendue, il est généralement admis que les qualités esthétiques dépendent d'une manière ou d'une autre des qualités non esthétiques[13]. On ne peut jamais garantir qu'un léger changement de couleur ou de forme n'affectera pas les qualités esthétiques d'un tableau, ce qui explique pourquoi les reproductions possèdent souvent des qualités esthétiques différentes de celles de l'original[14]. Une modification, aussi infime soit-elle, de ce que Beardsley appelle les propriétés « physiques » d'une œuvre d'art peut altérer les qualités que nous expérimentons à travers l'« expérience esthétique » de l'objet en question. Les

12. Voir Isabel Creed Hungerland, « The Logic of Aesthetic Concepts », *The Proceedings and Addresses of the American Philosophical Association*, vol. 40, 1963, et « Once Again, Aesthetic and Non-Aesthetic », *The Journal of Aesthetics and Art Criticism*, vol. 26, 1968, p. 285-295.

13. Pour une discussion de la dépendance des qualités esthétiques par rapport aux qualités non esthétiques, voir F. Sibley, « Aesthetic and Non-Aesthetic », art. cité.

14. Dans *L'Art et l'Illusion*, Paris, 1960, E. H. Gombrich montre comment un simple changement de contraste dans une photographie peut transformer ses qualités esthétiques.

objets esthétiques sont vulnérables et fragiles : il est d'autant plus important de disposer de critères d'identité permettant de les différencier.

Si les qualités esthétiques dépendent des qualités non esthétiques, l'identité d'une œuvre d'art esthétique peut être établie à l'aide des conventions qui régissent ses qualités non esthétiques. Ces conventions déterminent les paramètres non esthétiques qui doivent rester invariables dans l'identification des œuvres individuelles. Un support communicationnel n'est pas simplement un matériau physique, mais plutôt la trame formée par ces conventions et qui délimite le domaine à l'intérieur duquel le matériau physique et les qualités esthétiques sont corrélés. Pour le support communicationnel de la peinture, par exemple, il existe une convention selon laquelle l'identité de l'œuvre est préservée à condition que la répartition des pigments — mais pas nécessairement la toile, le châssis ou le cadre — reste la même. En architecture, en revanche, la couleur n'est pas un invariant conventionnel : peindre un édifice (du moins l'intérieur de l'édifice) relève d'un autre art, à savoir la décoration intérieure. La même œuvre architecturale peut s'accommoder de murs blancs ou de murs roses ; mais transformer les nuages blancs d'un tableau en nuages roses modifie l'œuvre elle-même. De même, les modifications du cadre d'un tableau n'en altèrent pas le support communicationnel, alors qu'un édifice ne préserve pas son identité lorsque sa charpente par exemple est transformée. Enlever un Rubens de son cadre baroque très élaboré et le transférer dans un cadre moderne de style Bauhaus ne modifie pas le tableau en question, mais si on transforme de la même manière la charpente d'une maison on change, ne fût-ce qu'à un degré infime, la nature de l'œuvre architecturale.

A l'intérieur de la trame formée par ses conventions, chaque support communicationnel artistique établit un critère non esthétique permettant l'identification des œuvres d'art. En nous disant dans quel support communicationnel une œuvre est exécutée, on nous donne du même coup les paramètres à l'intérieur desquels nous devons chercher et pouvons expérimenter ses qualités esthétiques. En regardant une danse, nous fixons notre attention sur les mouvements corporels des danseurs. Mais lorsque nous assistons sur la même scène à une représentation dramatique, nous nous concentrons sur les actions qui sont effectuées. Le fait de traiter une œuvre littéraire comme un poème ne nous amènera à privilégier d'autres qualités esthétiques que si nous l'abordons comme une nouvelle : lorsque le cadre est celui du poème les lignes individuelles sont pertinentes, ce qui n'est pas le cas dans une nouvelle. La caractérisation, par Susanne Langer, des *media* en termes du type particulier de semblant qu'ils créent va donc dans la mauvaise direction. Elle soutient que la peinture crée l'illusion de l'espace ; la musique, l'illusion du flux du temps, etc. En fait ce n'est pas le « contenu » d'une illusion esthétique qui détermine le support communicationnel. Avant de pouvoir décider si quelque chose présente un semblant de l'espace, nous devons d'abord savoir où chercher le semblant ; et cela nous est rendu possible par la compréhension des conventions, c'est-à-dire du support communicationnel à travers lequel l'objet s'offre à l'expérience esthétique. Tout ce qui est visible peut être vu esthétiquement, c'est-à-dire peut être contemplé dans l'intention de découvrir ses qualités esthétiques. Si nous cherchons les qualités esthétiques d'un tableau en inspectant sa face de devant plutôt que son dos, ce n'est pas parce que le dos serait dépourvu de qualités esthétiques, mais plutôt parce que les conventions de la peinture nous invitent à regarder l'endroit plutôt que l'envers. Même si le dos d'un tableau lui semble plus intéressant que sa face antérieure, le directeur du musée est néanmoins obligé d'accrocher la toile de manière conventionnelle, c'est-à-dire à l'endroit. C'est le support communicationnel qui nous indique ce dont il faut faire l'expérience pour connaître l'œuvre d'art esthétique.

Le XXe siècle a été le témoin d'une prolifération de nouveaux *media*. Un support communicationnel nouveau semble émerger chaque fois que de nouvelles conventions sont instituées, permettant d'isoler différemment des qualités esthétiques sur le fond de matériaux inédits ou de nouvelles machines. Ainsi, le film est devenu un support communicationnel artistique à partir du moment où sa structure physique spécifique a été utilisée pour identifier de manière inédite des qualités esthétiques. Le réalisateur de cinéma est devenu un artiste à partir du moment où il a cessé d'enregistrer les créations des auteurs dramatiques et a découvert que le film dispose de ressources créatrices qui font défaut au théâtre. Les qualités esthétiques qui peuvent être celles d'un film tourné à partir de la fosse d'orchestre et respectant la structure temporelle de la pièce théâtrale sont fondamentalement les mêmes que celles de la pièce théâtrale elle-même. Mais, dès lors que la caméra se met à filmer deux actions différentes en deux endroits différents à deux moments différents et que les images finissent par être vues au même moment et au même endroit, il est possible de mettre en œuvre des qualités esthétiques qui sont inaccessibles au théâtre : une nouvelle convention pour spécifier des propriétés esthétiques est née. Nous disons : « Regardez ce film » au lieu de : « Regardez cette pièce de théâtre. » Dans chaque cas, ce que vous recherchez est déterminé par les conventions du support communicationnel.

La théorie esthétique des *media* a donné naissance à une analogie qui semble être acceptée de plus en plus largement : une œuvre d'art est comme une personne. La dépendance des qualités esthétiques par rapport aux qualités non esthétiques est similaire à la dépendance des traits caractériels d'une personne par rapport à ses dispositions corporelles. Comme l'a dit Joseph Margolis, les œuvres d'art sont *incarnées* dans un objet physique (ou un événement physique), tout comme une personne est incarnée dans un corps humain :

> Dire qu'une œuvre d'art est incarnée dans un objet physique revient à dire que son identité est nécessaire-

> ment liée à l'identité de l'objet physique dans lequel elle est incarnée, bien qu'identifier l'une ne soit pas équivalent à identifier l'autre. Cela veut dire aussi que, dans la mesure où elle est incarnée, une œuvre d'art doit posséder d'autres propriétés que celles qu'on attribue à l'objet physique dans lequel elle est incarnée, bien qu'on puisse dire qu'elle possède aussi les propriétés de l'objet (si ces propriétés sont pertinentes). Enfin, si les œuvres d'art sont, en tant qu'entités incarnées, de manière spécifique des entités émergentes, alors certaines des propriétés que possède une œuvre d'art seront d'*un genre spécifique* qui ne saurait être attribué à l'objet physique dans lequel elle est incarnée [15].

Les entités « émergentes » de l'art esthétique sont des qualités esthétiques qui ne sont accessibles qu'à travers une expérience directe. Les propriétés esthétiques et physiques de l'œuvre d'art fusionnent pour former une totalité similaire à une personne, les premières étant l' « âme » de l'œuvre, les dernières son « corps ». Si nous cherchons à localiser une personne, nous recherchons son corps — de même, si nous voulons localiser une œuvre d'art, nous recherchons son « corps », c'est-à-dire le matériau physique dans lequel elle est incarnée, tel qu'il est délimité par les conventions des *media*.

Bien qu'elle ne soit pas universellement acceptée, cette analogie de l'œuvre d'art avec une personne apparaît souvent dans les théories esthétiques, parce qu'elle livre un modèle convenable pour comprendre le statut de l'œuvre d'art comme entité unique s'adressant à deux types d'intérêt nettement différents. Elle explique, par exemple, ce qui fonde la connexion entre la beauté et l'argent.

Récemment, l'analogie a été étendue, au point qu'on en est venu à affirmer que les œuvres d'art, comme les

15. Joseph Margolis, « Works of Art as Physically Embodied and Culturally Emergent Entities », *The British Journal of Aesthetics*, vol. 15, 1975, p. 189.

personnes humaines, ont des droits [16]. Défigurer une toile de Picasso ou une sculpture de Michel-Ange, ce n'est pas seulement violer les droits de son propriétaire, mais encore violer des droits qui sont ceux de l'œuvre elle-même. L'œuvre est une personne : déparer la toile ou la sculpture revient à faire du tort à cette personne. Ainsi, nous voyons que les œuvres d'art esthétiques sont aussi mortelles. Comme les personnes humaines, elles vieillissent et sont exposées à la détérioration physique.

4. *Arts et œuvres*. L'esthétique s'est servie des conventions des *media* pour classer et identifier les œuvres d'art, mais sa vision de la nature de l'art ne reconnaît pas de manière adéquate la structure totalement conventionnelle à l'intérieur de laquelle les œuvres d'art se situent. Cela est dû au fait que l'esthétique a tendance à voir les *media* comme des sortes de substances (peinture, bois, pierre, son, etc.) plutôt que comme une trame de conventions.

L'intérêt qu'elle porte aux entités perceptuelles amène l'esthétique à exalter et à examiner l'« œuvre d'art », ainsi qu'à détourner son attention presque totalement de la multiplicité des autres aspects de cette activité culturelle complexe que nous appelons « art ». En d'autres termes, pour l'esthétique, l'art est fondamentalement une classe d'objets, les œuvres d'art, objets qui sont les sources de l'expérience esthétique. Parler de l'art revient à parler d'un ensemble d'objets. Définir l'art revient à définir les conditions d'appartenance à cette classe. Ainsi, fréquemment, les discussions esthétiques concernant la question : « Qu'est-ce que l'art ? » aboutissent rapidement à la question : « Qu'est-ce qu'une œuvre d'art ? », comme si l'identité des deux questions allait de soi. Et pourtant il s'agit de deux questions différentes.

Pour savoir si un objet est une œuvre d'art, il faut examiner la pratique artistique. L'art est, comme la philosophie, un phénomène culturel, et toute œuvre d'art

16. Voir Allan Tormey, « Aesthetic Rights », *The Journal of Aesthetics and Art Criticism*, vol. 32, 1973, p. 163-170.

particulière dépend largement de son contexte artistique et culturel pour la transmission de son message. *L.H.O.O.Q. rasée* ressemble autant à *La Joconde* que n'importe quelle reproduction, mais sa signification artistique est radicalement différente. De même que je serai incapable de vous dire ce que signifie *rot*, à moins que vous ne me précisiez s'il s'agit d'un mot anglais ou d'un mot allemand, je ne puis expliquer la signification d'une peinture sans la situer dans un contexte artistique. L'effet de choc que provoqua l'*Olympia* de Manet n'existe pratiquement plus pour le public moderne, même si on peut le reconstruire en étudiant la société dans laquelle le tableau a été créé. Même une question aussi banale que celle de savoir ce qu'un tableau représente ne saurait trouver de réponse indépendamment d'une prise en compte des conventions de dépiction adoptées. Ce sont les conventions représentationnelles qui décident si une tache de peinture plus petite sur la toile est une personne plus petite ou une personne plus éloignée, ou autre chose. Le préjugé, moribond aujourd'hui, contre une grande partie de l'art « non réaliste » du passé est dû à une erreur de jugement fondée sur des standards qui sont étrangers à cet art, à savoir ceux de notre culture actuelle.

Ainsi, tenter de définir l'« art » en définissant l'« œuvre d'art », c'est un peu comme si on tentait de définir la philosophie en disant ce qu'est un livre de philosophie. Une œuvre d'art ne saurait mener une existence isolée comme simple membre d'un ensemble. L'appartenance à un ensemble ne correspond pas à la structure de cette activité humaine que nous appelons « art ». La supposition selon laquelle on peut aborder le problème de la définition de l'art en tentant de l'expliquer comme relation d'appartenance à une classe d'entités n'est qu'un préjugé de l'esthétique qui sous-estime la structure culturelle de l'art afin de pouvoir privilégier les objets perceptifs. Mais même *La Joconde*, paradigme par excellence d'une œuvre esthétique, est une entité de part en part culturelle : sa signification artistique et esthétique est garantie par des forces culturelles, et non pas par les forces chimiques qui permettent à la peinture de rester matériellement intacte pendant un certain laps de temps.

Au fur et à mesure que les *media* ont proliféré, les impératifs esthétiques impliqués par leurs conventions se sont affaiblis. Au XXe siècle, l'art est devenu de plus en plus non esthétique, forçant les conventions des *media* au point que leurs frontières commencent à s'effacer. Il existe des œuvres d'art qui sont présentées comme des « multi-*media* » ; d'autres (comme celles de Duchamp) ne peuvent trouver de place dans aucun support communicationnel. Le concept de support communicationnel a été inventé par la pensée esthétique afin d'expliquer l'identité des œuvres d'art qui s'articulent autour de qualités esthétiques. Dès lors que l'art met en question les diktats de l'esthétique, il abandonne les conventions des *media*. Voyons pourquoi.

L'art hors de l'esthétique

L'art n'a pas besoin d'être esthétique. C'est ce que *L.H.O.O.Q. rasée* démontre graphiquement : elle réduplique l'apparence de *La Joconde* tout en la privant de sa valeur esthétique. Les deux œuvres ont exactement le même aspect, mais sont complètement différentes. La blague osée qu'est *L.H.O.O.Q. rasée* représente une humiliation pour *La Joconde*. Et, bien que son apparence originale soit restituée, elle ne retrouve pas son statut initial. Duchamp s'est borné à ajouter une moustache et une barbiche, mais en les supprimant il a fait disparaître du même coup l'*aura* formée par les qualités esthétiques — il a montré qu'elles n'étaient qu'un simple revêtement artistique conventionnel qui restait attaché à la moustache et à la barbiche lorsque celles-ci furent enlevées, comme de la peinture adhère à un ruban adhésif qu'on arrache d'une surface. L'image originale demeure intacte, mais elle est en quelque sorte « littéralisée » : sa fonction dans la « pièce » de Duchamp est simplement de dénoter *La*

Joconde. L.H.O.O.Q. a un aspect irrespectueux, tel un graffiti griffonné sur un chef-d'œuvre. Son effet est fondé sur le fait que nous voyons à la fois l'*aura* esthétique et sa violation impudente. Mais lorsque *L.H.O.O.Q. rasée* restitue l'apparence du tableau de Léonard, le chef-d'œuvre est ironiquement ridiculisé une deuxième fois, puisque sa dignité esthétique, qui avait fondé le statut de transgression de *L.H.O.O.Q.*, disparaît à son tour. La première « pièce » se moque de *La Joconde*, la seconde la démolit à travers le processus de sa « réinstauration ». *L.H.O.O.Q. rasée* ré-indexe l'œuvre d'art de Léonard comme si elle était dérivée de *L.H.O.O.Q.*, ce qui inverse l'ordre temporel et « littéralise » l'image, supprimant ses qualités esthétiques. Vue sous la forme de *L.H.O.O.Q. rasée*, l'image de Léonard est privée de sa force artistique et esthétique – elle semble presque vulgaire lorsque, ainsi profanée, elle fait le tour du monde. Cela est dû au fait qu'elle est placée dans un contexte où ses propriétés esthétiques sont non pertinentes et où sa « personnalité » artistique est réduite à ce qui n'est qu'une toile enduite de peinture parmi d'autres.

J'ai déjà fait remarquer qu'on peut connaître *L.H.O.O.Q.* sans en avoir une expérience directe, c'est-à-dire en passant simplement par une description. L'œuvre de Duchamp partage cette caractéristique avec beaucoup de produits artistiques récents, qui évitent de lier leur problématique à des *media* spécifiques. Lorsque Mel Bochner trace des lignes mesurant les degrés d'un arc sur le mur d'une galerie, leur fonction est de communiquer des informations et non d'offrir du plaisir esthétique. Il en est de même des cartes postales d'On Kawara intitulées *I Got up,* qui se bornent à noter l'heure à laquelle il s'est levé tel ou tel jour[17]. Les choses qu'il faut voir, les expériences qu'il faut faire pour arriver à connaître une œuvre de ce genre sont, contrairement à ce qui se passe pour l'art esthétique, accessibles à des tests intersubjec-

17. Voir Ursula Meyer, *Conceptual Art*, New York, 1972.

tifs : c'est pour cette raison que la description d'une œuvre d'art peut dans certains cas réussir à communiquer l'œuvre elle-même.

Lorsque Duchamp écrivit « L.H.O.O.Q. » en dessous de l'image de *La Joconde,* il ne voulait pas démontrer ses aptitudes de calligraphe. La beauté d'une écriture dépend des propriétés esthétiques des lignes tracées. Mais la signification d'une phrase manuscrite est fonction de la manière dont les traits correspondent à la structure d'un alphabet. L'esthétique soutient que la signification artistique doit être conçue selon le premier type de relation entre le sens et les traits, et non selon le second. Elle identifie faussement l'expérience des qualités esthétiques à la substance de l'art. Or, ce qui est remarquable dans le cas de l'art, même lorsqu'il est esthétique, ce n'est pas la beauté (ou quelque autre qualité esthétique) comme telle, mais le fait qu'elle soit une création humaine articulée à travers un support de communication.

Le défaut essentiel de l'esthétique est qu'elle ne tient pas compte du fait que l'aspect perceptif d'un objet est toujours en partie fonction de ce que nous y projetons et que l'art est culturellement trop dépendant pour pouvoir survivre simplement à travers l'aspect perceptif des objets. L'importance des titres inventés par Duchamp réside dans le fait qu'ils attirent notre attention sur l'environnement culturel qui est capable soit de renforcer, soit d'étouffer le statut esthétique d'un objet. Les titres de Duchamp ne nomment pas des objets ; ils dotent en quelque sorte les choses de manches par où on peut les saisir. Ils attirent l'attention sur le cadre artistique à l'intérieur duquel les œuvres d'art sont indexées par leurs titres et par d'autres moyens. La culture contamine l'œuvre.

De larges secteurs de l'art ont choisi d'articuler leurs messages à travers le support communicationnel d'un espace esthétique, mais il n'existe pas de raison *a priori* en vertu de laquelle l'art devrait se borner à créer des objets esthétiques. L'artiste peut choisir un espace sémantique plutôt qu'un espace esthétique, de telle sorte que la signification artistique n'est plus incarnée dans un objet ou événement physique selon les conventions spécifiques d'un support communicationnel. C'est ce que Duchamp a prouvé en créant un art non esthétique, c'est-à-dire un art dont la signification n'est pas véhiculée par l'apparence sensible d'un objet. En particulier, la fonction de l'inscription dans *L.H.O.O.Q.* ressemble davantage à son rôle dans une phrase que dans un dessin ou une peinture[18]. C'est la raison pour laquelle l'apparence visuelle de la moustache et de la barbiche importe peu à l'œuvre. La première version de *L.H.O.O.Q.* avait été exécutée non pas par Duchamp mais par Picabia selon les instructions du premier, et la barbiche avait été omise. Ce serait faire preuve d'une vaine curiosité que de chercher à savoir laquelle des deux versions est meilleure ou plus intéressante du point de vue de l'aspect visuel. Le but de l'œuvre en question ne saurait être éclairci par un examen de son apparence visuelle. Elle n'est pas une union de qualités physiques et perceptuelles, à la manière d'une personne. Ses traits artistiques saillants ne dépendent pas de qualités non esthétiques, au sens où les premiers seraient incarnés dans les secondes. Les qualités esthétiques de *L.H.O.O.Q.*, de même que celles du De Kooning effacé par Rauschenberg, ne sont pas proposées par l'artiste en vue de la délectation esthétique : ce ne sont que des aspects accidentels de l'œuvre, comme son poids ou son âge. Dans la « pièce » de Duchamp, l'inscription est conçue exactement comme elle le serait dans une phrase d'un livre. Dans les deux cas nous pouvons découvrir la présence de qualités esthétiques. Mais ni le but du livre ni celui de la « pièce » de Duchamp ne sauraient être déduits de leur physionomie. Les traits de l'inscription sont utilisés pour transmettre de l'information, et non pas pour évo-

18. Il est intéressant de noter que Duchamp dit qu'il y a quatre lettres dans le titre « *L.H.O.O.Q.* ». Il y a cinq *tokens*, chacun ayant son apparence individuelle, mais seulement quatre *types* : un *type* ne possède pas d'apparence particulière.

quer des apparences. Par conséquent, la relation entre la signification et le matériau est ici similaire à celle qui régit le dessin d'un triangle dans un livre de géométrie.

Si une œuvre d'art est une personne, alors Duchamp l'a dévêtue de son *aura* esthétique. *L.H.O.O.Q.* traite donc une personne comme un objet, cela par l'intermédiaire de la blague qui résulte des lettres si on les épelle en français. En même temps elle traite une œuvre d'art comme une « simple chose ». La présence de la moustache viole les droits esthétiques de *La Joconde* et donc viole l'œuvre d'art en tant que personne. En se moquant de ces personnes, la « pièce » de Duchamp nie son propre statut de personne.

L'esthétique est condamnée à concevoir l'œuvre d'art selon le modèle d'une personne. Certaines entités analogues à des personnes sont des œuvres d'art, mais toutes les œuvres d'art ne sont pas des personnes. Si une œuvre n'est pas une personne, qu'est-elle alors ?

Qu'est-ce qu'une œuvre d'art ?

Une œuvre d'art est une « pièce ». Le concept « œuvre d'art » n'isole pas une classe de personnes particulières, esthétiques. Le concept possède une fonction d'indexation dans le monde de l'art. Pour être une « pièce » d'art, il suffit qu'une chose soit indexée comme œuvre d'art par un artiste. Le simple fait de catégoriser une entité quelconque comme étant de l'art suffira. Ainsi la question : « Est-ce de l'art ? » n'a que peu d'intérêt. La question qui importe est : « Si c'en est, qu'est-ce qui s'ensuit ? » L'art est un épiphénomène qui surplombe la classe de ses œuvres[19].

19. George Dickie développe une notion apparentée dans sa « théorie institutionnelle de l'art ». Voir spécialement *Art and the Aesthetic, op. cit.* Son idée fondamentale est que quelque chose est de l'art dès lors que cela a été baptisé de ce nom. Une des difficultés de

Les conventions qui consistent à donner un titre aux œuvres d'art et à publier des catalogues facilitent la pratique de l'indexation de l'art. Il importe cependant de distinguer entre l'indexation que réalise l'artiste qui crée et celle du conservateur de musée lorsqu'il édite un catalogue. C'est le premier de ces actes qui produit de l'art ; le second se borne généralement à indexer sous des rubriques plus spécifiques des choses qui sont déjà considérées comme des œuvres d'art : il les classe en œuvres produites par un artiste spécifique, ou faisant partie d'une exposition spécifique, ou appartenant à une personne ou à un musée spécifiques, etc. Faire de l'art consiste fondamentalement à isoler quelque chose (un objet, une idée...) et à dire à son sujet : « Ceci est une œuvre d'art », affirmation qui revient à la cataloguer sous la rubrique « œuvres d'art ». Il peut sembler que, de cette manière, la responsabilité des jugements artistiques incombe aux créateurs officiels de l'art, c'est-à-dire aux artistes, en sorte que le problème de déterminer ce qu'est l'art se transforme en celui de déterminer qui sont les artistes. Mais cette manière de voir les choses met une fois de plus à tort l'accent sur les entités, éclipsant la pratique artistique. Tout un chacun peut être un artiste. Être un artiste, c'est utiliser (ou peut-être inventer) des conventions artistiques pour indexer une « pièce ». Il peut s'agir des conventions d'un support de communication qui permettent d'indexer une « pièce » esthétique au moyen de son matériau non esthétique. Mais même l'artiste esthétique doit à un certain moment prendre du recul par rapport à son tableau ou à sa pièce de théâtre et dire : « *Voilà !* C'est fait. » C'est ici que l'artiste s'en rapporte aux conventions fondamentales servant à indexer l'art. L'acte fondamental du faire artistique (la

---

cette conception réside dans le fait qu'elle ne prend pas en compte la spécification intensionnelle des œuvres d'art. Ce point est discuté plus loin. La notion d'« indexation » est présentée plus en détail dans « Deciding about Art », art. cité.

création de « pièces ») réside dans la spécification d'une « pièce » : « La pièce est --------. » Déposer des pigments sur une toile — ou fabriquer n'importe quel objet — n'est qu'une des multiples manières de spécifier une œuvre d'art. Lorsque Duchamp inscrivit « L.H.O.O.Q. » en dessous de la reproduction, ou lorsque Rauschenberg effaça le De Kooning, l'œuvre ne résulta pas de leur ouvrage (de leur travail). Une œuvre d'art n'est pas forcément quelque chose qui a été travaillé ; c'est avant tout quelque chose qui a été conçu. Être un artiste ne consiste pas toujours à fabriquer quelque chose, mais plutôt à s'engager dans une entreprise culturelle qui propose des « pièces » artistiques à l'appréciation. Robert Barry organisa un jour une exposition où rien n'était exposé :

> Mon exposition en décembre 1969 à la galerie Art & Project d'Amsterdam va durer deux semaines. Je leur ai demandé de verrouiller la porte et d'y clouer l'avis suivant : « Pendant l'exposition la galerie sera fermée »[20].

Le fait que quelqu'un puisse être un artiste simplement en qualifiant d'œuvre d'art sa radio ou son angoisse peut paraître contraire au bon sens. Cependant, le cas du peintre du dimanche qui ne montre que rarement ses tableaux à qui que ce soit n'est pas substantiellement différent. Il faut se garder de confondre la question du statut de l'art avec celle du bon art ou de l'art reconnu. Il se peut que l'amateur qui indexe sa radio ou son angoisse ne réalise qu'un acte trivial, l'absence d'effort nécessité pour cet acte pouvant sembler être à la mesure de l'absence d'intérêt artistique du résultat. Mais le cas du peintre du dimanche qui produit d'horribles aquarelles sans le moindre intérêt artistique n'est guère différent. Malgré leurs échecs artistiques, le réalisateur occasionnel d'indexations comme le peintre occasionnel demeurent

20. Voir U. Meyer, *Conceptual Art, op. cit.*, p. 41.

des artistes, et les « pièces » qu'ils produisent sont des œuvres d'art, de même que le travail de fin de semestre de l'étudiant en économie est un travail en économie, quelque naïf ou mal fait qu'il soit. Pour faire une « déclaration » artistique, il suffit de produire une « pièce » ; le bon art, quant à lui, se caractérise par l'intérêt ou le caractère significatif de ce qu'il dit. Bien sûr, en général le bon art, comme les bons travaux en économie, est produit par des gens qui sont considérés en quelque sorte comme des « professionnels ». Ainsi, les termes d' « artiste » et d' « économiste » sont souvent utilisés pour se référer à des personnes qui s'adonnent à leur discipline respective avec un attachement particulier. Mais ce que font ces « professionnels » n'est pas différent de ce que font les amateurs ; la seule différence réside dans le fait que dans le premier cas l'activité est choisie comme une vocation. Cela montre que la question : « Est-ce que cette personne est un artiste ? », comme la question : « Est-ce que cette chose est une œuvre d'art ? », n'a guère d'importance du point de vue artistique.

Une analogie utile s'offre à nous. Comme les mathématiques, l'économie, la philosophie ou l'histoire, l'art est la pratique d'une discipline de pensée et d'action. La différence principale qui existe entre l'art et ces autres activités, c'est que faire de l'art revient simplement à employer des conventions d'indexation définies par la pratique. La raison en est que le centre d'intérêt de l'art réside dans la création et la conception considérées comme fins en elles-mêmes, et que par conséquent la discipline artistique a mis au point une convention pour produire des « pièces » qui n'impose pas de limites au contenu de ce qui est créé. En d'autres termes, l'art, contrairement à l'économie, ne possède pas de sujet spécifique. Le monde de l'art se développe et évolue à travers un réseau complexe d'intérêts corrélés, et c'est pour cette raison qu'il possède la structure générale d'une « discipline ». Mais l'histoire récente de l'art a abouti en partie à un tel relâchement des conventions pertinentes qu'elles sont devenues purement

« formelles ». L'acception plus large du terme « pièce », comparé au terme « œuvre », reflète cette libéralisation, comme le fait également la moindre importance accordée aux *media*. Le terme « œuvre d'art » suggère un objet. Le terme « pièce » suggère un item indexé dans le cadre d'une pratique. Il existe de nombreux genres de « pièces », différant selon les pratiques à l'intérieur desquelles elles sont indexées. Une « pièce » donnée pourrait être une « pièce » de mathématiques, d'économie ou d'art ; certaines « pièces » se réfèrent à plusieurs disciplines. Une œuvre d'art est tout simplement une « pièce » (d'art), une entité spécifiée par les conventions de la pratique artistique.

Cette conception de l'art diffère sur un point important de l'esthétique. La fonction des *media* est d'identifier extensionnellement les œuvres. Joseph Margolis se fonde sur cette idée lorsqu'il soutient que l'identité d'une œuvre d'art dépend de l'identité de l'objet physique dans lequel elle s'incarne :

> Les œuvres sont caractérisées comme telles dans des contextes intensionnels ; mais par l'intermédiaire de leur incarnation, elles peuvent aussi être identifiées dans des contextes extensionnels. Elles sont donc identifiées extensionnellement en ce sens que leur identité (quelle qu'elle soit) dépend de l'identité de l'objet dans lequel elles sont incarnées[21].

Certaines des difficultés que rencontre cette conception peuvent être illustrées par la « double peinture » de

21. J. Margolis, « Works of Art as Physically Embodied and Culturally Emergent Entities », art. cité, p. 191. Dans ce contexte extensionnel, des expressions dénotant la même entité peuvent se remplacer les unes les autres sans changer la valeur de vérité de la proposition. George Dickie soutient que faire de l'art implique une espèce d'attribution de statut. La théorie possède des aspects intéressants, mais elle a le désavantage que l'attribution de statut est foncièrement extensionnelle. S'il est vrai que le statut d'homme d'État a été conféré à Cicéron, il en va de même de Tullius, puisque les deux noms se réfèrent à la même personne.

Duchamp, un châssis unique peint recto et verso : *Paradise* d'un côté, *The King and the Queen surrounded by Swift Nudes* de l'autre. Mais les contre-exemples décisifs se trouvent du côté des œuvres d'art qui doivent leur statut simplement à un acte d'indexation, comme c'est le cas pour les ready-mades de Duchamp. Les index indexent leurs items de manière intensionnelle : du fait que « l'étoile du matin » fait partie d'un index donné, on ne peut pas conclure que « l'étoile du soir » en fait partie également, bien que les deux expressions dénotent le même objet. A des fins de démonstration, on pourrait même imaginer que le support de *L.H.O.O.Q.* soit le même objet physique que celui de *La Joconde.* Dans ce cas, on aurait un seul objet spécifié extensionnellement, mais deux objets spécifiés intensionnellement. Cette possibilité a été suggérée par Rauschenberg, puisque les seuls éléments importants qu'il a changés en effaçant le dessin de De Kooning étaient des qualités esthétiques. Pour compléter son cycle à la manière de Duchamp, il devrait acheter un De Kooning et l'exposer dans son prochain accrochage sous le titre *De Kooning non effacé.* Le fait important est que les œuvres d'art sont identifiées intensionnellement et non pas extensionnellement. Si *L.H.O.O.Q. rasée* et *La Joconde* sont des œuvres d'art différentes, ce n'est pas parce qu'il s'agit d'objets distincts, mais parce qu'elles expriment des idées différentes. Elles sont spécifiées comme deux « pièces » différentes dans le champ de la pratique artistique.

C'est la pratique du ready-made qui démontre qu'une œuvre d'art est une pièce et non pas une personne. On sait que Duchamp a sélectionné des objets communs et les a transformés en œuvres d'art simplement en les indexant comme œuvres d'art. Parfois, cette transformation était accompagnée de cérémonies explicites d'indexation, consistant par exemple à dater et signer une œuvre, à lui donner un titre, à la faire entrer dans une exposition. Mais dans tous les cas ce qui différencie le ready-made comme œuvre d'art de l'objet tout fait (*ready made*) d'où il procède est un simple acte d'indexation. Comme le dit Duchamp :

> Un point sur lequel je veux particulièrement insister est que le choix de ces ready-mades n'a jamais été dicté par des critères de plaisir esthétique. J'ai fondé mon choix sur une réaction d'*indifférence visuelle,* sans aucune référence au bon ou mauvais goût[22].

Le ready-made démontre que le concept d' « œuvre d'art » est un index, et il le fait en montrant qu'un objet est une œuvre d'art non pas en vertu de son apparence, mais en vertu de la manière dont il est considéré dans le monde de l'art. Le même roman peut, selon les moments, être un simple item matériel ou au contraire une œuvre d'art, selon la relation que le monde de l'art entretient avec lui. De même, une œuvre d'art ancienne peut être transformée en une œuvre d'art nouvelle sans transformation de l'apparence de la première, simplement « en créant une nouvelle idée s'y rapportant », comme l'a dit Duchamp à propos de son urinoir, le ready-made appelé *Fontaine.* On n'a pas apprécié à sa juste mesure le titre de cette pièce. Un urinoir est une fontaine, c'est-à-dire un objet fait pour libérer un jet d'eau. La raison pour laquelle la plupart des urinoirs ne sont pas des fontaines, et cela malgré leur forme, c'est que, du fait de leur emplacement et de leur utilisation, ils diffèrent d'appareils similaires que nous considérons comme des fontaines. Les objets sont structurellement similaires, mais leurs fonctions culturelles sont très différentes. Dès lors qu'un urinoir est placé dans une galerie d'art, on le voit comme une « fontaine » et comme une œuvre d'art, cela parce que le contexte a changé. Les contextes culturels dotent les objets de significations spéciales et déterminent ce qui est de l'art[23].

22. *Marcel Duchamp, op. cit.*, p. 89.
23. Arthur Danto soutient une conception du même genre dans « The Artworld », *The Journal of Philosophy*, vol. 61, 1964, p. 571-584 ; trad. fr. « Le monde de l'art », *in* Danielle Lories (éd. et trad.),

On a fait remarquer que si *Fontaine* a été acceptée comme une œuvre d'art, c'est uniquement parce que Duchamp avait déjà acquis un statut d'artiste grâce à la création d'œuvres de forme traditionnelle. Il est sans doute vrai que n'importe qui n'aurait pas pu réussir un tel coup. On ne peut pas révolutionner les conventions d'indexation si on ne jouit pas déjà d'une certaine réputation dans le monde de l'art. Cela ne signifie cependant pas que la « pièce » de Duchamp n'est que de l'art marginal et que quiconque désirerait suivre son exemple et procéder à des indexations devrait d'abord devenir peintre. Lorsque Duchamp réalisa sa première œuvre non esthétique, les conventions d'indexation des œuvres d'art étaient *grosso modo* celles liées aux différents *media* esthétiques : faire une œuvre d'art revenait à articuler entre eux les différents éléments relevant d'un support communicationnel spécifique. Duchamp ne s'est pas borné à proposer des exceptions par rapport à ces conventions, il a institué une convention nouvelle, la convention d'indexation qui légitime l'art non esthétique, bien qu'il serait sans doute plus juste de dire qu'il a *mis a nu* la convention esthétique, dans la mesure où celle-ci conditionne l'usage des *media* qui ne sont qu'autant de manières spécifiques d'indexer des qualités esthétiques. Quoi qu'il en soit, dès lors que la nouvelle convention est instituée, n'importe qui peut s'en servir avec autant de facilité que de celle de l'indexation esthétique. Comme le peintre du dimanche, le réalisateur occasionnel d'indexations peut s'en donner à cœur joie.

Philosophie analytique et esthétique, op. cit., p. 183-198. Je remercie Lars Aagaard-Mogensen, Linda Ashley et Monroe Beardsley pour les remarques utiles qu'ils ont formulées à propos des versions antérieures de ce travail.

Le legs de Duchamp

Parce que Duchamp était un homme spirituel doué de beaucoup d'humour, il était facile au début d'écarter son art, ou du moins de se tromper à son égard. Pourtant, le fait qu'un art soit drôle ne veut pas dire qu'il soit trivial. Avec Duchamp, l'art s'est révélé ouvertement comme une pratique. Ainsi, son « Grand Verre[24] », dont la signification est inaccessible à quiconque se borne à scruter l'objet physique en question, est le premier monument d'un art de l'esprit.

Ce genre d'art est un développement de l'histoire et non pas une anomalie. Son origine se trouve probablement dans ce que Clement Greenberg appelle le « modernisme », dont le trait caractéristique réside dans l'autocritique. L'évolution de l'art a été telle que, comme la philosophie, il a atteint un stade où un acte critique à propos de la discipline (ou une partie de la discipline) peut faire partie intégrante de la discipline elle-même. Une fois embarqué dans l'auto-analyse, l'art a pris conscience du fait que son domaine est beaucoup plus vaste que le champ délimité par la création d'objets esthétiques. C'est une pratique, ce qui explique pourquoi des blagues à propos de l'art peuvent faire partie de l'art, de la même manière que des blagues au sujet de la philosophie font partie de la philosophie. Les tentatives de caractérisation de la pratique de l'art sont à peu près aussi profitables et utiles que celles de la philosophie. Vouloir définir l'art n'est probablement pas un but très intéressant. Une œuvre d'art est une « pièce » indexée à l'intérieur des conventions de la pratique artistique, et le fait qu'elle soit une œuvre d'art n'est pas déterminé par ses propriétés, mais par sa localisation dans le monde de l'art. Ses propriétés sont

24. Il s'agit de *La Mariée mise à nu par ses célibataires, même* (N.d.T.).

utilisées pour dire *ce qu'est* telle ou telle œuvre dans sa particularité.

Si l'art doit être esthétique, alors les instruments dont on se sert pour indexer des œuvres d'art doivent relever des *media*, qu'ils soient purs ou mélangés. Selon cette convention, faire une œuvre d'art revient à utiliser un support de communication pour relier des qualités physiques littérales et des qualités esthétiques créées. De ces rapports naît une « personne » esthétique.

L'esthétique traite de l'expérience esthétique, non de l'art. N'importe quoi, de la musique aux mathématiques, peut être vu esthétiquement. C'est là le fondement de l'intérêt traditionnel de l'esthétique pour la beauté, une qualité qu'on trouve à la fois dans l'art et la nature. L'esthétique traite de l'art et d'autres choses sous la rubrique de l'expérience esthétique. Inversement, tout art n'est pas esthétique. Considérant que son union avec l'esthétique est un mariage forcé, l'art cherche des significations au-delà des apparences de surface. Le réalisateur d'indexations crée avec des idées. Les instruments d'indexation sont des langages d'idées, même lorsque les idées sont esthétiques.

Traduit de l'anglais par Claude Hary-Schaeffer

Nelson Goodman

Quand y a-t-il art ? *

1. Le pur en art

Si les tentatives faites pour répondre à la question « Qu'est-ce que l'art ? » se terminent de façon caractéristique dans la frustration et la confusion, peut-être est-ce — comme souvent en philosophie — que la question n'est pas la bonne. Poser à nouveaux frais le problème, en même temps qu'appliquer certains résultats d'une étude de la théorie des symboles, peut aider à clarifier certains sujets aussi controversés que le rôle du symbolisme en art, le statut d'art de l'« objet trouvé » et de ce qu'on appelle l'« art conceptuel ».

Une vision remarquable de la relation des symboles aux œuvres d'art est illustrée par un incident rapporté avec mordant par Mary McCarthy[1] :

> Il y a 7 ans, alors que j'enseignais dans un *progressive college*, j'avais dans une de mes classes une jolie étudiante qui voulait écrire des nouvelles. Elle n'étudiait pas avec moi, mais elle savait que j'écrivais parfois des nouvelles, et un jour, hors d'haleine et jubilante, elle vint me trouver dans le hall, pour me dire qu'elle venait d'écrire un récit que son professeur en art

* Publié originellement sous le titre « When Is Art ? », dans *The Arts and Cognition,* The Johns Hopkins Univ. Press, 1977, repris dans *Ways of Worldmaking,* Hackett, Indianapolis, 1978 ; trad. fr. dans Danielle Lories, *Philosophie analytique et esthétique,* Paris, Méridiens-Klincksieck, 1988. Une autre traduction française de *Ways of Worldmaking* a paru sous le titre *Manière de faire des mondes* (trad. de l'anglais par Marie-Dominique Popelard), Éd. J. Chambon, 1992.

1. « Settling the Colonel's Hask », *Harper's Magazine*, 1954 ; rééd. in *On the Contrary*, Farrar, Straus and Cudahy, 1961, p. 225.

> d'écrire, un certain M. Converse, trouvait terriblement excitant. « Il pense que c'est merveilleux, dit-elle, et il va m'aider à le mettre au point pour le publier. » Je demandai quel était le sujet du récit ; la fille était un être plutôt simple qui aimait les chiffons et les rendez-vous. Sa réponse eut un ton dépréciateur. Il s'agissait d'une fille (elle-même) et de quelques marins qu'elle avait rencontrés dans le train. Mais alors son visage, qui avait un instant manifesté un trouble, s'éclaira. « M. Converse va le revoir avec moi et nous allons y introduire les symboles. »

Aujourd'hui, on dira plus vraisemblablement, et avec autant de subtilité, à l'étudiante en art aux yeux brillants d'exclure les symboles ; mais la supposition sous-jacente est la même : les symboles, qu'ils soient renforts ou distractions, sont extrinsèques à l'œuvre elle-même. Une notion apparentée semble se refléter dans ce que nous tenons pour être de l'art symbolique. Nous pensons d'abord à des œuvres telles que *Le Jardin des délices* de Bosch, les *Caprichos* de Goya, les tapisseries de la Licorne ou les montres molles de Dali, et ensuite peut-être à des peintures religieuses, de préférence aux plus mystiques d'entre elles. Ce qui est remarquable ici, c'est moins l'association du symbolique à l'ésotérique ou au surnaturel que la classification des œuvres comme symboliques pour ce qu'elles ont comme sujet des symboles, c'est-à-dire pour ce qu'elles dépeignent des symboles plutôt que d'être des symboles. Il reste ainsi comme art non symbolique non seulement les œuvres qui ne dépeignent rien, mais aussi les portraits, les natures mortes, et les paysages où les sujets sont rendus de manière directe sans allusions mystérieuses et ne se présentent pas eux-mêmes comme des symboles.

D'autre part, quand nous choisissons des œuvres pour les classer comme non symboliques, comme art sans symboles, nous nous confinons aux œuvres sans sujet ; par exemple, aux peintures purement abstraites, décoratives ou formelles, aux édifices ou aux compositions musicales. Les œuvres qui représentent quoi que ce soit, peu importe ce qu'elles représentent et si prosaïquement qu'elles le fassent, sont exclues; car représenter est assurément référer à, tenir lieu de, symboliser. Toute œuvre qui représente est un symbole; et l'art sans symboles se restreint à l'art sans sujet.

Que les œuvres qui représentent soient symboliques selon un usage et non symboliques selon un autre importe peu tant qu'on ne confond pas les deux usages. Ce qui importe cependant, selon de nombreux artistes et critiques contemporains, c'est d'isoler l'œuvre d'art comme telle de tout ce qu'elle symbolise ou à quoi elle se réfère de quelque manière. Qu'on me permette de proposer entre guillemets, puisque je la propose à l'attention sans exprimer pour le moment aucune opinion à ce sujet, la formulation composite d'un programme, d'une politique ou d'un point de vue actuellement très invoqués :

> « Ce qu'un tableau symbolise lui est extérieur, et est étranger au tableau en tant qu'œuvre d'art. Son sujet s'il en a un, ses références – subtiles ou évidentes – au moyen de symboles issus de quelque vocabulaire plus ou moins bien reconnu n'ont rien à voir avec sa signifiance ou son caractère esthétiques ou artistiques. Tout ce à quoi un tableau se réfère ou dont il tient lieu en quelque manière, ouvertement ou de façon occulte, se situe hors de lui. Ce qui compte réellement n'est pas une telle relation à quelque chose d'autre, ce n'est pas ce que le tableau symbolise, mais ce qu'il est en lui-même – ce que sont ses propres qualités intrinsèques. En outre, plus un tableau centre l'attention sur ce qu'il symbolise, plus nous sommes détournés de ses qualités propres. En conséquence, toute symbolisation par le tableau est non seulement sans pertinence mais même gênante. L'art réellement pur évite toute symbolisation, ne fait référence à rien, et doit n'être pris que pour ce qu'il est, pour son caractère inhérent, non pour quelque chose à quoi il est associé par une relation aussi éloignée que la symbolisation. »

Un tel manifeste a de l'impact. Le conseil de se concentrer sur l'intrinsèque plutôt que sur l'extrinsèque, l'insistance mise à souligner qu'une œuvre d'art est ce qu'elle est plutôt que ce qu'elle symbolise, et la conclusion que l'art pur se dispense de toute espèce de référence externe, ont la solide apparence de la pensée correcte, et promettent de dégager l'art des fourrés étouffants de l'interprétation et du commentaire.

2. *Un dilemme*

Mais nous affrontons ici un dilemme. Si nous acceptons cette doctrine du formaliste ou du puriste, nous semblons dire que le contenu d'œuvres telles que *Le Jardin des délices* et les *Caprichos* n'importe pas réellement et qu'il serait mieux de le laisser de côté. Si nous rejetons cette doctrine, nous semblons soutenir que ce qui importe n'est pas seulement ce qu'une œuvre est, mais aussi beaucoup de choses qu'elle n'est pas. Dans un cas, nous semblons préconiser une lobotomie sur de nombreuses œuvres importantes ; dans l'autre, nous semblons tolérer l'impureté en art, en insistant sur ce qui est étranger.

Le mieux, je pense, est de reconnaître la position puriste comme entièrement juste et entièrement fausse. Mais comment cela peut-il être ? Commençons par admettre que ce qui est étranger est étranger. Mais ce qu'un symbole symbolise lui est-il toujours extérieur ? Certainement pas pour tous les genres de symboles. Considérons les symboles suivants :

a) « cette enfilade de mots », symbole qui tient lieu de lui-même ;
b) « mot », qui s'applique à lui-même entre autres mots ;
c) « bref », qui s'applique à lui-même, à d'autres mots, et à beaucoup d'autres choses ; et
d) « possédant 6 syllabes », qui possède 6 syllabes.

Il est évident que ce que symbolisent certains symboles ne se situe pas entièrement en dehors des symboles. Les cas cités sont, bien sûr, des cas tout à fait spéciaux, et les cas analogues parmi les tableaux — c'est-à-dire des tableaux qui sont des tableaux d'eux-mêmes ou qui s'incluent eux-mêmes dans ce qu'ils dépeignent — peuvent être mis de côté parce que trop rares et trop idiosyncrasiques pour avoir du poids. Admettons pour le moment que ce qu'une œuvre représente, sauf dans quelques cas comme ceux-ci, lui est extérieur et extrinsèque.

Cela signifie-t-il que n'importe quelle œuvre qui ne représente rien satisfait aux exigences du puriste ? Pas du tout. En premier lieu, certaines œuvres assurément symboliques, telles les peintures de monstres étranges par Bosch, ou la tapisserie de la Licorne, ne représentent rien ; car il n'y a nulle part de tels monstres, démons, ou licornes, sauf dans de tels tableaux ou dans des descriptions verbales. Dire que la tapisserie « représente une licorne » revient seulement à dire que c'est une figure-de-licorne, non qu'il y a un animal, ou quoi que ce soit, dont elle soit un portrait[2]. Ces œuvres, même s'il n'y a rien qu'elles représentent, ne satisfont guère le puriste. Peut-être, cependant, n'est-ce là qu'une argutie de philosophe parmi d'autres ; et je n'insisterai pas sur ce point. Admettons que de tels tableaux, bien qu'ils ne représentent rien, sont de caractère représentatif, et donc symbolique et non « pur ». Quoi qu'il en soit, nous devons noter en passant que le fait qu'ils soient représentatifs n'implique pas de représentation de quelque chose en dehors d'eux, de sorte que l'objection que leur adresse le puriste ne peut reposer sur cette base. Sa thèse devra être modifiée d'une façon ou d'une autre, au prix d'un certain sacrifice de simplicité et de force.

En second lieu, il n'y a pas que les œuvres qui représentent qui soient symboliques. Une peinture abstraite qui ne représente rien peut exprimer, et donc

2. Voir, en outre, « On Likeness of Meaning » (1949) et « On Some Differences about Meaning » (1953), in *Problems and Projects*, Hackett Publishing Company, 1972, p. 221-238 ; et aussi *Langages de l'art* (1969), Paris, Jacqueline Chambon.

symboliser, un sentiment ou une autre qualité, ou bien une émotion ou une idée[3]. Précisément parce que l'expression est une façon de symboliser quelque chose en dehors de la peinture — laquelle ne sent, ni n'éprouve, ni ne pense —, le puriste rejette l'expressionnisme abstrait aussi bien que les œuvres qui représentent.

Pour qu'une œuvre soit un exemple d'art « pur », d'art sans symboles, elle ne doit dans cette perspective ni représenter, ni exprimer, ni même être représentative ou expressive. Mais cela suffit-il ? Accordons-le, une telle œuvre ne tient lieu d'aucune chose en dehors d'elle ; tout ce qu'elle a, ce sont ses propriétés propres. Mais bien entendu si nous posons le problème de cette manière, toutes les propriétés que possède un tableau quelconque ou n'importe quoi d'autre — même une propriété telle que celle de représenter une personne donnée — sont les propriétés du tableau, non des propriétés en dehors de lui.

La réponse prévisible est que la distinction importante concernant les diverses propriétés qu'une œuvre peut avoir se situe entre ses propriétés internes ou intrinsèques et ses propriétés externes ou extrinsèques ; que, bien que toutes soient en effet ses propriétés propres, certaines d'entre elles relient de façon évidente le tableau à d'autres choses ; et qu'une œuvre qui ne représente pas, qui n'exprime pas, n'a que des propriétés internes.

Il est clair que cette réponse n'est pas satisfaisante ; car sous n'importe quelle classification, même peu vraisemblable, qui répartit les propriétés en internes et externes, n'importe quel tableau ou n'importe quoi d'autre a des propriétés des deux genres. Qu'un tableau se trouve au

3. Le mouvement, par exemple, aussi bien que l'émotion, peut s'exprimer dans un tableau en noir et blanc ; par exemple, voir les tableaux en II : 4 ci-dessus*. Voir également la discussion de l'expression *in Langages de l'art*, *op. cit.*, p. 115-125.

* Ces illustrations sont celles du chapitre de *Ways of Worldmaking* consacré au statut du style. Elles reproduisent 1° une encre de Katharine Sturgis : *Dessin d'une compétition de hockey;* 2° une gravure d'Antonio Pollaiuolo : *Combat d'hommes nus*. (N.d.T.)

Metropolitan Museum, qu'il ait été peint à Duluth, qu'il soit plus jeune que Mathusalem, cela ne peut guère être appelé des propriétés internes. Se débarrasser de la représentation et de l'expression ne nous donne pas quelque chose qui soit libre de propriétés externes ou étrangères de ce genre.

En outre, il est manifeste que la distinction entre propriétés internes et externes est une distinction confuse. Il faut probablement considérer les couleurs et les formes du tableau comme internes ; mais si une propriété externe est une propriété qui relie le tableau ou l'objet à quelque chose d'autre, alors il est évident que couleurs et formes doivent être comptées comme externes ; car non seulement d'autres objets peuvent partager la couleur ou la forme d'un objet, mais celles-ci relient l'objet à d'autres qui ont les mêmes couleurs ou formes ou en ont de différentes.

Parfois, les termes « interne » et « intrinsèque » sont abandonnés au profit de « formel ». Mais le formel dans ce contexte ne peut être une question de forme seulement. Il doit inclure la couleur, et s'il inclut la couleur, quoi d'autre ? La texture ? La taille ? Le matériau ? Nous pouvons bien entendu énumérer à volonté les propriétés qui doivent être appelées formelles ; mais dire « à volonté », c'est dire que le fondement rationnel, la justification s'évanouissent. Les propriétés laissées de côté comme non formelles ne peuvent plus être caractérisées comme toutes les propriétés, et seulement celles-là, qui relient le tableau à quelque chose en dehors de lui. Ainsi sommes-nous encore confrontés à la question de savoir si un *principe* est ici mis en œuvre, et lequel, pour discerner les propriétés qui importent dans une peinture qui ne représente pas et qui n'exprime pas et pour les distinguer du reste.

Je pense qu'il y a une réponse à la question ; mais pour l'approcher, nous devrons abandonner tout ce bruyant bavardage sur l'art et la philosophie, et redescendre sur terre.

3. *Échantillons*

Considérons un échantillon ordinaire de tissu dans le livre d'échantillons d'un tailleur ou d'un tapissier. Il est peu probable que ce soit une œuvre d'art ou que cela dépeigne ou exprime quoi que ce soit. C'est simplement un échantillon — un simple échantillon. Mais de quoi est-ce un échantillon ? De texture, de couleur, de tissage, d'épaisseur, de contenu de la fibre... ; nous sommes tentés de dire que tout ici se ramène à ce que l'échantillon a été découpé dans un rouleau et qu'il a toutes les mêmes propriétés que le reste du matériau. Mais ce serait aller trop vite.

Qu'on me permette de raconter deux histoires — ou une histoire en deux parties. Mme Mary Tricias avait examiné un livre d'échantillons de ce genre, elle fit son choix, et commanda à son magasin de tissus favori du matériau en suffisance pour recouvrir un fauteuil et un sofa — en insistant pour qu'il fût exactement semblable à l'échantillon. Quand le paquet arriva, elle l'ouvrit avec empressement et fut consternée lorsque plusieurs centaines de morceaux de 2 pouces sur 3, aux bords en zigzag exactement semblables à l'échantillon, glissèrent sur le sol. Quand elle appela le magasin en protestant avec véhémence, le propriétaire, blessé, répliqua avec lassitude : « Mais, madame Tricias, vous aviez dit que le matériau devait être exactement semblable à l'échantillon. Quand il est arrivé de l'usine hier, j'ai gardé mes aides ici la moitié de la nuit pour le découper de façon à ce qu'il corresponde à l'échantillon. »

L'incident était presque oublié plusieurs mois plus tard, quand Mme Tricias, qui avait cousu ensemble les morceaux et couvert ses sièges, décida d'organiser une soirée. Elle alla à la boulangerie locale, choisit un cake au chocolat parmi ceux qui étaient exposés et en commanda assez pour cinquante invités, à livrer deux semaines plus tard. Juste au moment où les invités commençaient à arriver, un camion se présenta, porteur d'un unique énorme gâteau. La dame qui dirigeait la boulangerie fut absolument découragée par la plainte. « Mais, madame Tricias, vous n'avez pas idée des difficultés que nous avons eues. Mon mari dirige le magasin de tissus et il m'a avertie que votre commande devait être en une pièce. »

La morale de cette histoire n'est pas simplement qu'on est toujours perdant, mais qu'un échantillon est un échantillon de certaines de ses propriétés à l'exclusion d'autres. L'échantillon de tissu est un échantillon de texture, de couleur, etc., mais non de taille ou de forme. Le gâteau est un échantillon de couleur, de texture, de taille et de forme, mais pas encore de toutes ses propriétés. Mme Tricias se serait plainte avec plus de véhémence encore si ce qu'on lui avait livré avait poussé la ressemblance avec l'échantillon jusqu'à avoir été cuit le jour de la commande, deux semaines plus tôt.

En général, desquelles donc de ses propriétés un échantillon est-il un échantillon ? Pas de toutes ses propriétés ; car alors l'échantillon ne serait un échantillon de rien d'autre que lui-même. Et pas de ses propriétés « formelles » ou « internes », ni, en fait, d'aucun ensemble spécifiable de propriétés. Le genre de propriété échantillonnée diffère selon les cas : le gâteau est un échantillon de taille et de forme, mais non l'échantillon de tissu ; un spécimen de minerai peut être un échantillon de ce qu'on a extrait à un moment et en un lieu donnés. De plus, les propriétés dont il est donné un échantillon varient largement selon le contexte et les circonstances. Bien que l'échantillon de tissu soit normalement un échantillon de sa texture, etc., et non de sa forme ou de sa taille, si je vous le montre en réponse à la question : « Qu'est-ce qu'un échantillon de tapissier ? », alors il fonctionne non en tant qu'échantillon du matériau mais en tant qu'échantillon d'échantillon de tapissier, de sorte que sa taille et sa forme font maintenant partie des propriétés dont il est un échantillon.

En somme, la question est qu'un échantillon est un

échantillon de — ou *exemplifie* — seulement certaines de ses propriétés, et que les propriétés sur lesquelles porte cette relation d'exemplification[4] varient selon les circonstances et ne peuvent être distinguées qu'en tant que ces propriétés pour lesquelles, dans des circonstances données, il sert d'échantillon. « Être un échantillon de » ou « exemplifier » est une relation quelque peu semblable à celle d'« être un ami » ; mes amis ne se distinguent par aucune propriété singulière identifiable, ni aucun ensemble de propriétés, mais seulement par ceci qu'ils se tiennent, pendant un certain temps, dans une relation d'amitié avec moi.

Les implications pour notre problème concernant les œuvres d'art peuvent maintenant apparaître. Les propriétés qui comptent dans une peinture puriste sont celles que la peinture rend manifestes, qu'elle choisit, sur lesquelles elle se centre, qu'elle exhibe, qu'elle rehausse dans notre conscience — celles qu'elle expose — bref, ces propriétés qu'elle ne possède pas simplement mais qu'elle *exemplifie*, desquelles elle est un échantillon.

Si j'ai raison sur ce point, alors même la plus pure peinture du puriste symbolise. Elle exemplifie certaines de ses propriétés. Or exemplifier, c'est assurément symboliser — l'exemplification n'est pas moins que la représentation ou l'expression une forme de référence. Une œuvre d'art, même libre de représentation et d'expression, est encore un symbole même si ce qu'elle symbolise, ce ne sont pas des choses, des gens ou des sentiments, mais certaines structures de forme, de couleur, de texture qu'elle expose.

Qu'en est-il, alors, de la déclaration initiale du puriste dont j'ai dit facétieusement qu'elle est entièrement juste et entièrement fausse ? Elle est juste quand elle dit que ce qui est étranger est étranger, quand elle signale que souvent ce qu'un tableau représente importe très peu, quand elle

4. Pour une discussion plus approfondie de l'exemplification, voir *Langages de l'art, op. cit.*

prétend que ni la représentation, ni l'expression ne sont requises d'une œuvre, et quand elle souligne l'importance des propriétés dites intrinsèques, internes ou « formelles ». Mais la déclaration est entièrement fausse quand elle pose que la représentation et l'expression sont les seules fonctions symboliques que peuvent remplir des peintures, quand elle pose que ce qu'un symbole symbolise lui est toujours extérieur, et quand elle souligne que, dans une peinture, ce qui compte est la simple possession plutôt que l'exemplification de certaines propriétés.

Quiconque cherche de l'art sans symboles, dès lors, n'en trouvera pas — si l'on tient compte de toutes les manières dont les œuvres symbolisent. De l'art sans représentation, sans expression, ou sans exemplification — oui ; de l'art sans aucune des trois — *non*.

Indiquer que l'art puriste consiste simplement à éviter certains types de symbolisation, ce n'est pas le condamner mais seulement découvrir l'erreur dans les manifestes habituels qui préconisent l'art puriste à l'exclusion de tout autre genre. Je ne débats pas ici des vertus relatives de différentes écoles, des différents types ou manières de peindre. Ce qui me semble plus important, c'est que la reconnaissance de la fonction symbolique de la peinture puriste elle-même oriente notre réponse à l'éternel problème de savoir quand on a ou n'a pas affaire à une œuvre d'art.

La littérature esthétique est jonchée de tentatives désespérées pour répondre à la question : « Qu'est-ce que l'art ? » Cette question, souvent désespérément confondue avec la question : « Qu'est-ce que le bon art ? », se pose avec acuité dans le cas de l'art « trouvé » — la pierre ramassée sur une route et exposée dans un musée — et est encore relancée par la promotion de l'art dit d'environnement et conceptuel. Une aile d'automobile écrasée dans une galerie d'art est-elle une œuvre d'art ? Qu'en est-il de quelque chose qui n'est pas même un objet et n'est pas exposé dans une galerie ou un musée — par exemple, creuser et combler un trou dans Central Park comme cela fut prescrit par Oldenburg ? Si ce sont là des œuvres d'art, alors toutes les pierres de la route, tous les objets et événements sont-ils des œuvres d'art ? Sinon, qu'est-ce qui distingue ce qui est de ce qui n'est pas une œuvre d'art ? Qu'un artiste l'appelle une œuvre d'art ? Que ce soit exposé dans un musée ou dans une galerie ? Aucune réponse de ce genre n'apporte de conviction.

Comme je le remarquais en commençant, une partie du problème réside en ceci que l'on ne pose pas la bonne question — en ceci qu'on ne reconnaît pas qu'une chose peut fonctionner comme œuvre d'art à certains moments et pas à d'autres. Dans les cas cruciaux, la vraie question n'est pas : « Quels objets sont (de façon permanente) des œuvres d'art ? », mais : « Quand un objet est-il une œuvre d'art ? », — ou plus brièvement, comme dans mon titre : « Quand y a-t-il art ? ».

Ma réponse est que, tout comme un objet peut être un symbole — par exemple, un échantillon — à certains moments et dans certaines circonstances et non à d'autres, de même un objet peut être une œuvre d'art à certains moments et non à d'autres. En effet, c'est précisément en vertu du fait qu'il fonctionne comme symbole d'une certaine manière qu'un objet devient, quand il fonctionne ainsi, une œuvre d'art. Normalement, la pierre n'est pas une œuvre d'art tant qu'elle est sur la route, mais elle peut l'être, exposée dans un musée d'art. Sur la route, elle ne remplit habituellement pas de fonction symbolique. Dans le musée d'art, elle exemplifie certaines de ses propriétés — par exemple, des propriétés de forme, de couleur, de texture. L'action de creuser-et-combler-un-trou fonctionne comme œuvre d'art dans la mesure où notre attention est dirigée sur elle en tant que symbole qui exemplifie. D'autre part, un Rembrandt peut cesser de fonctionner comme œuvre d'art si on l'utilise comme couverture ou pour remplacer une fenêtre cassée.

Naturellement, fonctionner comme symbole d'une manière ou d'une autre n'est pas en soi fonctionner comme œuvre d'art. Notre échantillon de tissu, quand il sert d'échantillon, ne devient pas dès lors et par là même une œuvre d'art. Les choses ne fonctionnent comme œuvres d'art que lorsque leur fonctionnement symbolique a certaines caractéristiques. Notre pierre, dans un musée de géologie, remplit des fonctions symboliques en tant qu'échantillon des pierres d'une période, d'une origine ou d'une composition données, mais elle ne fonctionne pas pour autant comme œuvre d'art.

La question de savoir quelles caractéristiques précises distinguent ou indiquent la symbolisation qui rend un objet capable de fonctionner comme œuvre d'art appelle une étude attentive à la lumière d'une théorie générale des symboles. C'est plus que je ne puis entreprendre ici, mais je me risque à avancer l'idée qu'il y a cinq symptômes du caractère esthétique[5] : 1. la *densité syntaxique*, où les différences les plus fines à certains égards constituent une différence entre symboles — comme dans un thermomètre à mercure non gradué par contraste avec un instrument électronique à affichage digital ; 2. la *densité sémantique*, où on se procure des symboles pour des choses qui se distinguent par les plus fines différences à certains égards — par exemple, non seulement, à nouveau, le thermomètre non gradué mais aussi l'anglais ordinaire, bien qu'il ne soit pas syntaxiquement dense ; 3. la *saturation relative*, où un nombre comparativement élevé d'aspects d'un symbole sont significatifs — par exemple, le dessin d'un seul trait d'une montagne par Hokusai où chaque trait de forme, de ligne, d'épaisseur, etc., compte, par contraste avec la même ligne, peut-être, en tant que graphique des moyennes quotidiennes de la Bourse où tout ce qui compte est la hauteur de la ligne par rapport à la base ; 4. l'*exemplification*, où un symbole, qu'il dénote ou non, symbolise en servant d'échantillon des propriétés qu'il possède

5. Voir *Langages de l'art, op. cit.*, et les passages antérieurs auxquels il y est fait allusion. Le cinquième symptôme a été ajouté à l'issue de conversations avec les professeurs Paul Hernadi et Alan Nagel de l'université de l'Iowa.

littéralement ou de façon métaphorique ; et enfin 5. la *référence multiple et complexe*, où un symbole remplit plusieurs fonctions[6] référentielles intégrées et en interaction, certaines directes et certaines médiatisées à travers d'autres symboles.

Ces symptômes ne procurent pas une définition, encore moins une description complète ou une célébration. La présence ou l'absence de l'un ou de plusieurs d'entre eux ne suffit pas à qualifier ou à disqualifier quelque chose du caractère esthétique ; et la mesure dans laquelle ces traits sont présents ne donne pas la mesure dans laquelle un objet ou une expérience sont esthétiques[7]. Les symptômes ne sont après tout que des indices ; le patient peut avoir les symptômes sans la maladie, ou la maladie sans les symptômes. Et même pour qu'il y ait approximation par ces cinq symptômes de l'état de disjonction nécessaire et de conjonction suffisante (comme dans un syndrome), il faudrait peut-être que l'on redessine les limites vagues et errantes de l'esthétique. Cependant, notons que ces propriétés tendent à centrer l'attention sur le symbole plutôt que, ou au moins en même temps que, sur ce à quoi il se réfère. Là où nous ne pouvons jamais déterminer précisément à quel symbole d'un système nous avons affaire ou si nous avons affaire au même symbole en une autre occasion, là où le référent est si évasif que lui accorder proprement un symbole requiert un soin infini, là où davantage que quelques traits du symbole comptent, là où le symbole est un exemple des propriétés qu'il symbolise et où il peut remplir de nombreuses fonctions référentielles

6. Ceci exclut l'ambiguïté ordinaire, où un terme a deux dénotations ou davantage, tout à fait indépendantes à des moments et dans des contextes tout à fait différents.

7. Il ne s'ensuit donc pas du tout que la poésie, par exemple, qui n'est pas syntaxiquement dense, soit moins de l'art ou moins susceptible d'être de l'art que la peinture qui manifeste les quatre symptômes. Certains symboles esthétiques peuvent avoir moins de symptômes que certains symboles non esthétiques. C'est parfois mal compris.

simples et complexes en interrelations, nous ne pouvons pas simplement regarder à travers le symbole vers ce à quoi il réfère comme nous le faisons en obéissant à des feux de signalisation ou en lisant des textes scientifiques, mais nous devons être constamment attentifs au symbole lui-même comme quand nous regardons des peintures ou lisons de la poésie. Cet accent mis sur la non-transparence de l'œuvre d'art, sur la primauté de l'œuvre par rapport à ce à quoi elle réfère, loin d'impliquer qu'on refuse ou qu'on néglige les fonctions symboliques, découle de certaines caractéristiques de l'œuvre en tant que symbole[8].

Indépendamment de la spécification des caractéristiques particulières qui différencient la symbolisation esthétique d'autres symbolisations, la réponse à la question : « Quand y a-t-il art ? » me semble donc s'imposer clairement en termes de fonction symbolique. Dire qu'un objet est de l'art quand et seulement quand il fonctionne ainsi est peut-être excessif ou insuffisant. La peinture de Rembrandt demeure une œuvre d'art, comme elle demeure une peinture, alors même qu'elle ne sert que de couverture ; et la pierre de la route peut ne pas devenir à strictement parler de l'art en fonctionnant comme art[9]. De façon similaire, une chaise demeure une chaise même si on ne s'assied jamais dessus, et une caisse d'emballage demeure une caisse d'emballage même si on ne s'en sert jamais que pour s'asseoir dessus. Dire ce que l'art fait n'est pas dire ce que l'art est ; mais je soutiens que la première question est la plus urgente et la plus pertinente. La question ultérieure —, comment définir la propriété stable

8. C'est là une autre version de l'opinion selon laquelle le puriste a entièrement raison et entièrement tort.

9. Tout comme ce qui n'est pas rouge peut sembler ou être dit rouge *à certains moments,* ce qui n'est pas de l'art peut fonctionner comme art ou être dit art à certains moments. Qu'un objet fonctionne comme art à un moment donné, qu'il ait le statut d'art à ce moment-là, et qu'il soit de l'art à ce moment-là, tout cela peut être compris comme disant la même chose — tant qu'on ne comprend aucune de ces formules comme attribuant à l'objet un statut stable.

en termes de fonction éphémère, le *quoi*? en termes du *quand*? — est tout à fait générale, et concerne aussi bien des chaises que des objets d'art. Le cortège de réponses instantanées et inadéquates est également très semblable : la question de savoir si un objet est de l'art — ou une chaise — dépend de l'intention, ou de la question de savoir s'il fonctionne parfois, habituellement, toujours ou exclusivement comme tel. Parce que tout cela tend à obscurcir des questions plus spécifiques et plus importantes concernant l'art, j'ai détourné mon attention de ce que l'art est et l'ai portée sur ce qu'il fait.

Un trait saillant de la symbolisation, ai-je insisté, est qu'elle peut aller et venir. Un objet peut symboliser différentes choses à différents moments, et rien à d'autres. Un objet inerte ou purement utilitaire peut en venir à fonctionner comme art, et une œuvre d'art peut en venir à fonctionner comme objet inerte ou purement utilitaire. Loin que l'art soit long et la vie courte, peut-être tous les deux sont-ils transitoires.

La portée de cette enquête concernant la nature des œuvres d'art sur l'entreprise générale de ce livre [10] devrait à présent apparaître clairement. La manière dont un objet ou un événement fonctionne en tant qu'œuvre d'art explique comment, à travers certains modes de référence, ce qui fonctionne ainsi peut contribuer à une vision du monde, et à faire un monde.

Traduit de l'anglais par Danielle Lories

10. *Ways of Worldmaking, op. cit.*, (N.d.T).

Kendall Walton

Catégories de l'art *

1. *Introduction*

> Il s'introduit dans l'histoire de l'art des jugements erronés si on part de l'impression que font sur nous des tableaux d'époques différentes placés l'un à côté de l'autre [...]. En fait, ils ne parlent pas le même langage [1].

Les peintures et les sculptures sont faites pour être regardées, les sonates et les chansons pour être entendues. Ce qui importe dans une œuvre d'art, c'est ce qu'elle donne à voir ou à entendre [2]. Récemment, beaucoup de théoriciens de l'art, s'inspirant en partie d'apparents lieux communs de ce type, ont tenté de débarrasser la critique d'art de toute considération — supposée extérieure — consacrée à des faits auxquels l'inspection des œuvres ne permet pas (ou pas directement) d'accéder, et de focaliser l'attention sur les œuvres elles-mêmes. En particulier, les circonstances liées à l'origine d'une œuvre sont souvent considérées comme n'ayant pas de rapport essentiel avec

* Publié originellement dans *The Philosophical Review,* vol. 79, 1970, p. 334-367 ; traduction française, *Poétique* 86, avril 1991.

1. Heinrich Wölfflin, *Principes fondamentaux de l'histoire de l'art*, trad. fr. C. et M. Raymond (1952), Paris, Gallimard, « Idées-Art », 1966, p. 259.

2. « [Nous] serions tous d'accord, je suppose, [...] pour dire qu'une qualité qui ne saurait être, même pas en principe, entendue en elle [une composition musicale] ne lui appartient pas en tant que musique » (Monroe Beardsley, *Aesthetics : Problems in the Philosophy of Criticism*, New York, 1958, p. 31-32).

l'évaluation de sa nature esthétique. Ainsi, il n'est pas indispensable de savoir par qui, comment et quand une œuvre a été créée, ni de connaître les intentions et les attentes de l'artiste à son égard, ses opinions philosophiques, son état psychologique, sa vie amoureuse, ainsi que les traditions artistiques et l'atmosphère intellectuelle de la société dont il faisait partie. Une fois créée, affirme-t-on, l'œuvre ne doit valoir que par elle-même ; il faut la juger pour ce qu'elle est, sans tenir compte de ce qui l'a amenée à être ce qu'elle est.

Les arguments soutenant la non-pertinence des circonstances historiques pour l'évaluation esthétique des œuvres d'art peuvent (sans le faire nécessairement) comporter l'affirmation que ces circonstances n'ont pas d'intérêt ni d'importance « esthétiques », même si souvent elles tiennent manifestement une grande place dans les recherches biographiques, historiques, psychologiques ou sociologiques. On pourrait considérer que l'acte de l'artiste créant une œuvre est esthétiquement intéressant — qu'il s'agit d'un « objet esthétique » spécifique — tout en soutenant qu'il est non pertinent pour toute investigation esthétique de l'œuvre produite. Un jour, Robert Rauschenberg effaça soigneusement un dessin de De Kooning ; il intitula la feuille désormais vierge *Erased De Kooning Drawing* (« Dessin de De Kooning effacé »), l'encadra et l'exposa [3]. On pourrait considérer comme symbolique ou expressif (comme symbolisant ou exprimant une attitude spécifique envers l'art, la vie en général, ou quoi que ce soit d'autre) le fait qu'il ait agi de la sorte — et on pourrait même considérer qu'il s'agit d'un fait « esthétiquement » significatif, un peu comme l'est l'action d'un personnage dans une pièce de théâtre — et néanmoins refuser de lui attribuer la moindre influence sur la nature esthétique du produit fini. Ce qui m'intéresse ici, c'est de savoir dans quelle mesure les questions critiques concernant les

3. Voir Calvin Tompkins, *The Bride and the Bachelors*, New York, 1965, p. 210-211.

œuvres d'art peuvent être *séparées* des questions concernant leur histoire[4].

Celui qui voudrait rendre cette séparation très stricte pourrait déterminer les traits fondamentaux de l'art de la manière qui suit. Les objets d'art sont simplement des objets dotés de propriétés diverses, dont celles d'ordre perceptif nous intéressent en premier lieu — les propriétés visuelles des peintures, les propriétés audibles de la musique, et ainsi de suite[5]. Les propriétés perceptives d'une œuvre comprennent celles qui sont « esthétiques » aussi bien que les « non esthétiques » : l'impression de mystère et de tension émanant d'un tableau aussi bien que ses couleurs sombres et sa composition en diagonale ; l'exubérance et la cohérence d'une sonate tout autant que ses mesures, rythmes, hauteurs de son, timbres et ainsi de suite ; le sentiment d'équilibre et de sérénité qui émane d'une cathédrale gothique tout comme ses lignes et symétries[6]. Les propriétés esthétiques sont des traits ou

4. Monroe Beardsley préconise une séparation relativement stricte (*op. cit.*, p. 17-34). Les débats autour du concept d'« illusion de l'intention » comptent parmi les plus énergiques des tentatives récentes visant à renforcer cette séparation. La discussion a été lancée par William Wimsatt et Beardsley dans leur article « The Intentional Fallacy », *Sewanee Review*, vol. 54, 1946 (trad. fr. in *Philosophie analytique et esthétique*, Paris, Méridiens-Klincksieck, 1989, p. 223-238), article abondamment cité et réimprimé. Malgré le nom que porte l'« illusion » en question, ces débats ne se limitent pas à des considérations concernant la pertinence des *intentions* des artistes.

5. Le terme « perceptif » n'est pas très approprié pour désigner les propriétés esthétiques des œuvres littéraires. Aussi est-il parfois malaisé d'analyser la littérature comme les arts visuels et la musique. (La notion de *perception d'une œuvre dans une catégorie* que je vais introduire sous peu n'est pas directement applicable à des œuvres littéraires.) Voilà pourquoi, dans cet article, je vais me concentrer sur les œuvres visuelles et musicales, bien que je pense que les idées les plus importantes que je formule à leur sujet sont — une fois convenablement adaptées — valables également pour les romans, les pièces de théâtre et les poèmes.

6. Dans « Aesthetic Concepts », *The Philosophical Review*, vol. 68, 1959, Frank Sibley distingue entre des termes et concepts « esthétiques » et « non esthétiques ».

des caractéristiques d'une œuvre d'art au même titre que ses propriétés non esthétiques[7]. Elles sont *dans* les œuvres, on peut les y voir, entendre, ou percevoir d'une autre manière. Il se peut que, pour voir l'impression de mystère émanant d'un tableau ou pour entendre la cohérence d'une sonate, il faille regarder ou écouter plus longuement ou plus attentivement que pour percevoir des couleurs et des formes, des rythmes ou des hauteurs de son ; il se peut même que cela exige un entraînement ou un genre de sensibilité spéciaux. Mais si ces propriétés peuvent être découvertes, elles doivent pouvoir l'être grâce à une inspection des œuvres elles-mêmes. Ce n'est jamais, même pas en partie, *en vertu* des circonstances de son origine qu'une œuvre produit une impression de mystère ou qu'elle est cohérente ou sereine. Parfois, ces circonstances peuvent nous indiquer ce qu'il faut rechercher dans l'œuvre, ce à quoi nous pouvons raisonnablement nous attendre en l'inspectant. Mais théoriquement on doit toujours pouvoir se dispenser de telles indications ; les propriétés esthétiques d'une œuvre doivent « en principe » pouvoir être déterminées sans leur aide. Il est certain (semble-t-il) que si un portrait de Rembrandt dégage (ou ne dégage pas) une impression de mystère, ce n'est pas en vertu de l'intention de Rembrandt de le doter de cette qualité (ou de ne pas l'en doter), pas plus que l'intention d'un entrepreneur de rendre étanche un toit ne le rend étanche. Si le portrait crée une impression de mystère, ce n'est pas non plus en vertu d'autres faits, comme les pensées de Rembrandt, la façon dont il s'y prit pour peindre le tableau ou les caractéristiques de la société dans laquelle il vivait. De telles circonstances n'importent au résultat que dans la mesure où elles ont eu un effet sur la répartition des taches de peinture sur la toile ; et celle-ci peut être examinée sans qu'on prenne en compte de

7. Voir Paul Ziff, « Art and the " Object of Art " », *in* P. Ziff, *Philosophical Turnings*, Ithaca, New York, 1966, p. 12-16 (publié originairement dans *Mind*, vol. 60, 1951).

quelque façon que ce soit comment les taches y sont arrivées. Selon ce point de vue, si la peinture avait été appliquée sur la toile non pas par Rembrandt, mais par un chimpanzé ou par un cyclone ayant sévi dans un magasin de peinture, cela ne changerait rien quant aux propriétés esthétiques du portrait.

Le point de vue que je viens d'esquisser peut facilement sembler très convaincant. Cependant, la tendance des critiques à prendre en compte l'histoire des œuvres, lorsqu'ils justifient leurs jugements esthétiques les concernant, est remarquablement bien établie. C'est que les indications fournies par l'histoire de l'œuvre, aussi superflues qu'elles soient « en principe », ont souvent une importance cruciale en pratique. (On peut tout simplement n'avoir jamais eu l'idée d'écouter de manière consciente telle ou telle série d'intervalles récurrents dans une pièce musicale, jusqu'à ce qu'on apprenne que l'intention du compositeur avait été d'en faire la structure centrale de l'œuvre.) Il est certain que la tendance à prendre en compte l'histoire des œuvres est aussi due en partie à de réelles confusions de la part des critiques. Cependant, je soutiens que des faits concernant l'origine des œuvres jouent un rôle *essentiel* dans la critique et que les jugements esthétiques reposent sur eux d'une manière absolument fondamentale. Pour cette raison, et pour une autre encore, le point de vue selon lequel les œuvres d'art doivent être jugées uniquement d'après les perceptions auxquelles elles donnent lieu aboutit à des erreurs sérieuses, bien que l'idée selon laquelle, dans une peinture ou une sonate, seul ce qu'elles donnent à voir ou à entendre importe du point de vue esthétique ne soit pas entièrement fausse.

2. *Propriétés standard, variables et contre-standard*

Je continuerai à considérer la tension, le mystère, l'énergie, la cohérence, l'équilibre, la sérénité, la sentimentalité, le manque de puissance, le manque d'unité, le grotesque, et ainsi de suite, comme des propriétés d'une œuvre, au même titre que les couleurs et les formes, les hauteurs de son et les timbres, bien que le terme de « propriété » doive être pris dans un sens assez large, si on veut éviter que certaines questions importantes ne soient résolues par des pétitions de principe. Je qualifierai les propriétés du premier type de propriétés « esthétiques », suivant en cela Sibley. Mais, pour de simples raisons de commodité, j'inclurai dans cette catégorie les propriétés « représentationnelles » et « de ressemblance » que Sibley en exclut — par exemple, la propriété de représenter ou d'être une image de Napoléon, celle de dépeindre un vieil homme (comme) penché sur un feu, celle de ressembler à (ou de seulement suggérer) un visage humain, des griffes (les pétales des tournesols de Van Gogh), ou (en musique) des bruits de pas ou une conversation. Il n'est pas essentiel pour mon propos de délimiter avec exactitude la classe des propriétés esthétiques (à supposer qu'une telle délimitation soit possible), car je suis plus intéressé à examiner des exemples particuliers de telles propriétés qu'à faire des généralisations concernant la classe comme un tout. Néanmoins, il est évident que ce que je dirai concernant les exemples abordés vaudra pour de très nombreuses autres propriétés pouvant être désignées comme esthétiques.

Sibley a fait remarquer que les propriétés esthétiques d'une œuvre dépendent de ses propriétés non esthétiques : il s'agit de propriétés « émergentes » (*emergent*) ou de propriétés *Gestalt,* fondées sur les propriétés non esthétiques[8]. Je pense que cette affirmation vaut pour tous les exemples de propriétés esthétiques dont nous aurons à nous occuper, y compris les propriétés représentationnelles ou de ressemblance. C'est à la configuration des couleurs et des formes, en particulier peut-être aux couleurs sombres et à la composition en diagonale, qu'est

8. « Aesthetic and Non-Aesthetic », *The Philosophical Review*, vol. 72, 1965.

due l'impression de mystère et de tension émanant éventuellement d'une peinture. Ce sont les couleurs et les formes d'un portrait qui sont responsables de sa ressemblance avec un vieil homme et (peut-être avec son titre) du fait qu'il dépeint un vieil homme. La cohérence et l'unité d'une pièce de musique (par exemple, la *Cinquième Symphonie* de Beethoven) peuvent être dues en grande partie à la récurrence fréquente du même motif rythmique ; de même une chanson peut-elle être rendue sereine ou paisible grâce à son mètre régulier, joint à l'absence de modulation harmonique et à celle de grands intervalles dans la partie vocale.

Par ailleurs, une œuvre nous *semble* ou nous *paraît* avoir certaines propriétés esthétiques parce que nous y observons — ou qu'elle nous paraît avoir — certaines caractéristiques non esthétiques (bien que nous ne devions pas nécessairement remarquer de manière consciente toutes les caractéristiques non esthétiques pertinentes). Une peinture représentant un vieil homme peut ne pas ressembler à un vieil homme, lorsqu'elle est vue par un daltonien, ou sous un angle extrême, ou encore dans de mauvaises conditions d'éclairage, toutes choses qui obscurcissent ou déforment ses couleurs ou ses formes. Si la *Cinquième Symphonie* de Beethoven est jouée de façon si négligente qu'un grand nombre des occurrences du motif rythmique à quatre notes ne sonnent pas de la même manière, elle peut sembler incohérente et dépourvue d'unité.

Je défendrai cependant l'idée que les propriétés esthétiques d'une œuvre ne dépendent pas seulement de ses propriétés non esthétiques, mais varient aussi selon que ces propriétés non esthétiques sont « standard », « variables » ou « contre-standard » — termes qui sont à préciser ultérieurement. J'aborderai cette thèse en partant d'un fait psychologique : les propriétés esthétiques qu'une œuvre nous semble avoir ne dépendent pas seulement des caractéristiques non esthétiques que nous percevons en elle, mais varient selon que ces dernières sont standard, variables et contre-standard *pour nous* (en un sens qui lui aussi reste à expliquer).

Il est nécessaire d'introduire d'abord une autre distinction, celle entre propriétés standard, variables et contre-standard, relativement à des catégories perceptuellement discernables appliquées à des œuvres d'art. Ces catégories comprennent les types de support, les genres, les styles, les formes et ainsi de suite — par exemple, la catégorie des peintures, des peintures cubistes, de l'architecture gothique, des sonates classiques, des peintures dans le style de Cézanne, ou encore celle de la musique dans le style des œuvres tardives de Beethoven —, interprétées de telle manière que l'appartenance d'une œuvre à une catégorie donnée est déterminée exclusivement par ceux de ses traits qui peuvent être perçus lorsqu'on l'aborde dans des conditions normales. Le fait qu'une pièce de musique ait ou n'ait pas été composée au XVIIIe siècle n'est donc pas pertinent pour son appartenance à la catégorie des sonates classiques (interprétée de cette manière) ; de même, le fait qu'une œuvre ait été créée par Cézanne ou Beethoven n'est pas essentiel pour la question de savoir si elle est dans le style de Cézanne ou dans celui des œuvres tardives de Beethoven. La catégorie des gravures, conçue selon l'acception normale du terme, n'est pas perceptuellement discernable au sens requis, car je suppose qu'être une gravure signifie simplement avoir été produit d'une manière particulière. En revanche, la catégorie des *manifestations visuelles* de gravures (*apparent etchings*), c'est-à-dire d'œuvres qui, par les caractéristiques de leurs lignes, ont l'*aspect* de gravures, qu'elles soient ou non des gravures, est une catégorie perceptuellement discernable. Une catégorie ne peut pas être considérée comme « perceptuellement discernable » lorsque, pour décider par la perception si quelque chose en fait partie ou non, il est nécessaire (dans certains ou dans tous les cas) de déterminer d'abord — en partie ou totalement —, sur la base de considérations non perceptuelles, dans quelles catégories elle est correctement perçue (voir la section 4). Ce fait empêche par exemple la catégorie des choses sereines d'être perceptuellement discernable au sens où je l'entends.

Un trait d'une œuvre d'art est *standard* par rapport à une catégorie (perceptuellement discernable) si, et seulement si, il est un des traits en vertu desquels une œuvre d'art appartenant à cette catégorie en fait partie — c'est-à-dire uniquement si l'absence de ce trait exclurait ou tendrait à exclure l'œuvre en question de la catégorie en question. Un trait est *variable* par rapport à une catégorie si, et seulement si, il est sans lien avec le fait que l'œuvre appartient à cette catégorie : la présence ou l'absence de ce trait sont non pertinentes quant à savoir si une œuvre remplit les conditions pour appartenir à la catégorie en question. Enfin, un trait *contre-standard* par rapport à une catégorie réside dans l'absence d'un trait standard par rapport à elle — c'est-à-dire qu'il s'agit d'un trait dont la présence dans une œuvre la rend impropre à être un membre de la catégorie concernée. Il va sans dire qu'il ne sera pas clair dans tous les cas si un trait spécifique d'une œuvre est standard, variable ou contre-standard par rapport à une catégorie donnée, puisque les critères de classification des œuvres d'art sont loin d'être précis. Mais les exemples clairs sont légion. La bidimensionnalité d'une peinture et l'absence de mouvement des marques qui la constituent sont standard par rapport à la catégorie de la peinture ; ses formes et couleurs en revanche sont variables. Un objet saillant tridimensionnel ou un tressaillement de la toile obtenu grâce à un courant électrique seraient contre-standard par rapport à la catégorie en question. Les lignes droites dans les dessins de bonshommes réduits à des traits et les formes carrées dans les peintures cubistes sont standard par rapport à ces deux catégories, tout en étant variables par rapport aux catégories du dessin et de la peinture. La séquence *exposition-développement-récapitulation* d'une sonate classique est standard par rapport à la catégorie des sonates, alors que son matériel thématique est variable.

Afin d'expliquer ce que j'entends lorsque je dis que des caractéristiques sont standard, variables ou contre-standard *pour une personne donnée en une occasion donnée,* je dois introduire la notion de perception d'une œuvre dans — ou comme appartenant à — une catégorie (accessible à la différenciation perceptuelle)[9]. Percevoir une œuvre dans une catégorie donnée, c'est percevoir la *Gestalt* de cette catégorie dans l'œuvre en question. Cela mérite une explication. Quelqu'un qui est familier de la musique brahmsienne — c'est-à-dire de la musique dans le style de Brahms (notamment les œuvres de Johannes Brahms) — ou qui connaît bien la peinture impressionniste est souvent capable de reconnaître des membres de ces catégories en reconnaissant les traits de la *Gestalt* brahmsienne ou impressionniste. Une telle reconnaissance dépend de la perception de caractéristiques particulières qui sont standard relativement à ces catégories, mais il ne s'agit pas d'*inférer* à partir de la présence de ces caractéristiques que l'œuvre en question est brahmsienne ou impressionniste. On peut ne pas remarquer un certain nombre des caractéristiques importantes et on peut ne savoir que très vaguement lesquelles sont pertinentes. Lorsque je reconnais une œuvre comme brahmsienne parce que je note d'abord la luxuriance de sa texture, sa structure harmonique et formelle fondamentalement traditionnelle, sa tendance à superposer et à alterner des rythmes binaires et ternaires, etc. et que je me souviens ensuite que ces caractéristiques sont typiques des œuvres brahmsiennes, alors je n'ai pas reconnu cette œuvre en entendant la *Gestalt* brahmsienne. Faire cela signifie simplement reconnaître l'œuvre par sa *sonorité* brahmsienne, sans nécessairement faire attention aux traits (« indices ») qui en sont

9. Il est très difficile de définir cette notion avec précision et je ne prétends pas y avoir réussi entièrement. Mais les commentaires qui vont suivre me semblent aller dans la bonne direction et, ensemble avec les exemples de la section suivante, ils devraient la rendre assez claire pour le but que je poursuis ici.

responsables. De même, reconnaître une peinture impressionniste par sa *Gestalt* impressionniste, c'est reconnaître son *allure* impressionniste – qui nous est familière grâce à d'autres tableaux impressionnistes ; il ne s'agit pas d'appliquer une règle que nous aurions apprise afin de la reconnaître d'après ses caractéristiques.

Percevoir une qualité *Gestalt* spécifique dans une œuvre – c'est-à-dire percevoir l'œuvre dans une catégorie donnée – ne signifie pas, ou pas seulement, *reconnaître* cette qualité. La reconnaissance est un phénomène momentané, alors que la perception d'une qualité est un état continu, pouvant durer plus ou moins longtemps. (Pour la même raison, voir comme un canard la figure ambiguë du canard-lapin ne signifie pas, ou pas uniquement, reconnaître une de ses propriétés.) Nous percevons une *Gestalt* brahmsienne ou impressionniste dans une œuvre lorsque, et aussi longtemps que, pour nous elle *sonne* (comme une œuvre brahmsienne ou a l'*allure* d'une peinture impressionniste. Cela implique que nous percevions (sans nécessairement en être conscients) des traits qui sont standard par rapport à cette catégorie. Mais il ne s'agit pas *uniquement* de cela, ni de cela accompagné de la prise de conscience intellectuelle du fait que c'est grâce à ces traits qu'une œuvre donnée est brahmsienne ou impressionniste : nous percevons les traits en question intégrés dans une qualité *Gestalt* unique.

Bien entendu, nous pouvons percevoir une œuvre donnée dans plusieurs ou dans de multiples catégories différentes à la fois. Ainsi une sonate de Brahms peut-elle être entendue simultanément comme une pièce de musique, une sonate, une œuvre romantique et une œuvre brahmsienne. Cependant, certaines paires de catégories semblent être telles qu'on ne saurait percevoir une œuvre comme appartenant aux deux à la fois, de même qu'on ne peut pas voir la figure de canard-lapin en même temps comme canard et comme lapin. On ne peut pas voir une image photographique simultanément comme image fixe et comme (partie d'un) film, de même qu'on ne peut pas voir un objet simultanément dans la catégorie des peintures et dans celle des *guernicas* (terme qui sera expliqué sous peu).

Il peut être utile d'indiquer quelques-unes des *causes* qui nous amènent à percevoir une œuvre dans des catégories spécifiques. *a*) Dans quelles catégories nous percevons une œuvre donnée dépend bien sûr en partie de la nature des autres œuvres qui nous sont familières. Plus nous avons rencontré d'œuvres d'une certaine espèce et plus grande sera la probabilité que nous percevions une œuvre particulière dans la catégorie correspondante. *b*) Ce que nous avons entendu dire par des critiques ou par d'autres personnes concernant les œuvres que nous avons déjà rencontrées, leur manière de les classer et les ressemblances auxquelles ils nous ont rendus attentifs — tout cela est également un facteur important. Si personne ne m'a jamais expliqué ce qui caractérise le style de Schubert (opposé par exemple aux styles de Schumann, Mendelssohn, Beethoven, Brahms ou Hugo Wolf), ou si on ne m'a même pas indiqué qu'il existe un style particulier de ce type, il se peut que je n'aie jamais appris à entendre la qualité *Gestalt* schubertienne, même si j'ai déjà entendu de nombreuses œuvres de Schubert. Et ainsi il est possible que je n'entende pas ses œuvres comme étant schubertiennes. *c*) La manière dont l'œuvre en question nous est présentée peut également jouer un rôle. Il est plus probable que nous voyions un tableau de Cézanne comme une peinture impressionniste française s'il est exposé dans le cadre d'une collection d'œuvres des impressionnistes français, ou si nous apprenons, avant de le voir, qu'il s'agit d'une œuvre de ce type, que s'il est exposé dans une collection regroupant des œuvres au hasard et si on ne nous a pas auparavant informés à son sujet.

Je dirai qu'un trait d'une œuvre donnée est standard pour un individu particulier en une occasion donnée si, et seulement si, il est standard par rapport à une des catégories dans lesquelles cet individu le perçoit et s'il n'est contre-standard par rapport à aucune des catégories dans lesquelles il est perçu. Un trait est variable pour un individu donné en une occasion donnée si, et seulement si, il est variable par rapport à *toutes* les catégories dans lesquelles il le perçoit. Et un trait est contre-standard pour un individu particulier en une occasion donnée si, et seulement si, il est contre-standard par rapport à *n'importe laquelle* des catégories dans lesquelles il le perçoit [10].

3. *Une remarque au sujet de la perception*

J'en viens maintenant à ma thèse psychologique selon laquelle les propriétés esthétiques qu'une œuvre semble avoir, l'effet esthétique qu'elle a sur nous ou l'impression esthétique qui en émane varient souvent (en partie) selon que ses traits sont standard, variables ou contre-standard pour nous. Voici une série d'exemples permettant d'étayer cette thèse.

a) Les propriétés représentationnelles et de ressemblance fournissent peut-être l'illustration la plus parlante

10. Afin d'éviter une complexité et une longueur excessives, je passe outre certaines considérations qui pourraient être importantes à un stade ultérieur de mes investigations. Je pense en particulier qu'il serait important à un moment donné de distinguer entre différents *degrés* ou *niveaux* dans la façon dont des propriétés peuvent être standard, variables ou contre-standard pour une personne donnée ; ainsi, on devrait dire par exemple que certains traits sont *plus* ou *moins* standard pour cette personne. Il faudrait reconnaître au moins deux types de causes pour de telles différences de degré. *a*) Il faudrait admettre qu'on peut percevoir une œuvre comme appartenant dans une plus grande ou dans une moindre mesure à une catégorie donnée, cela allant de pair avec des différences de degré concernant la manière dont des propriétés données sont standard par rapport à cette catégorie pour celui qui les perçoit. *b*) Par conséquent, si un trait est standard par rapport à des catégories plus nombreuses et/ou plus spécifiques dans lesquelles une personne donnée voit une œuvre, il devrait être considéré comme étant plus standard pour cette personne. Ainsi, lorsque nous voyons quelque chose comme un tableau et en même temps comme une peinture impressionniste française, les traits qui sont standard par rapport aux deux catégories sont plus standard pour nous que ceux qui sont standard uniquement par rapport à la deuxième de ces catégories.

de ma thèse. De nombreuses œuvres d'art ont l'air d'autres objets ou ressemblent à d'autres objets — à des gens, à des immeubles, à des montagnes, à des coupes de fruits, et ainsi de suite. Le *Jeune Homme lisant* de Rembrandt a l'air d'un garçon, et plus particulièrement du fils de Rembrandt. *Les Demoiselles d'Avignon* de Picasso ont l'air de cinq femmes, dont quatre se tiennent debout et une est assise (sans avoir l'air *spécifiquement* d'une femme en particulier). On peut même dire de tel ou tel portrait que sa ressemblance avec le modèle est *parfaite,* ou qu'il est *exactement* à son image.

Pour déterminer si une œuvre *dépeint* ou *représente* un objet particulier, ou un objet d'une certaine espèce (par exemple, le fils de Rembrandt, ou simplement *un* garçon) — en ce sens qu'elle est une image ou une sculpture, ou n'importe quoi d'autre, de cet objet[11] —, il est important de savoir si elle ressemble à cet objet ou à des objets de cette espèce. A mon avis, dans la plupart des contextes, un degré de ressemblance significatif est une condition nécessaire pour qu'on puisse parler de représentations ou de dépictions[12] en ce sens, bien que la ressemblance ne doive pas nécessairement être évidente du premier coup d'œil. Lorsque nous ne pouvons pas découvrir de similitude entre une peinture qui prétend avoir une femme comme sujet et les femmes réelles, je pense que nous devrions supposer ou bien qu'une telle ressemblance existe, mais que nous ne l'avons pas encore découverte (comme on peut échouer à découvrir un visage dans un labyrinthe de lignes) ou bien que ce n'est tout simplement pas l'image d'une femme. Bien entendu, la ressemblance n'est pas une condition *suffisante* de la représentation : un portrait (à

11. Cela exclut, par exemple, le sens de « représenter » selon lequel une image représente la justice ou le courage, et sans doute encore d'autres sens du terme.

12. Cela ne vaut pas dans le cas spécial de la photographie. Une photo — peu importe à quoi elle ressemble — est une photo d'une femme si une femme se trouvait devant l'objectif au moment où l'image a été prise.

une seule figure) peut ainsi ressembler à la fois au modèle et à son frère jumeau, mais il ne s'agira pas d'un portrait des deux à la fois (le titre peut éventuellement indiquer lequel des deux est dépeint)[13].

Cependant, un esprit tant soit peu mal tourné pourrait trouver que notre discussion concernant les ressemblances entre les œuvres d'art et d'autres objets est en grande partie dénuée de sens. Un tableau et une personne sont réellement des choses *très* différentes. Un tableau consiste en un morceau de toile servant de support à des taches de peinture, alors qu'une personne est un animal vivant, tridimensionnel — un animal en chair et en os. De plus — excepté dans de rares cas et dans des conditions d'observation spéciales (y compris probablement de mauvaises conditions d'éclairage) —, un tableau et une personne *ont l'air* très différents. Un tableau a l'air d'un morceau de toile (ou en tout cas d'une surface plane) recouvert de peinture, alors qu'une personne a l'air d'un animal en chair et en os. Il n'y a pratiquement aucun danger qu'on les confonde. Dans ces conditions, comment peut-on affirmer sérieusement qu'un portrait ressemble de façon significative à son modèle, et même aller jusqu'à prétendre qu'il est parfaitement ressemblant ? Et pourtant, il n'en demeure pas moins que de nombreux portraits nous

13. Nelson Goodman nie que la ressemblance soit une condition nécessaire de la représentation — et cela de toute évidence, pas seulement en vertu d'exemples isolés et marginaux de représentations non ressemblantes (*Langages de l'art*, [Indianapolis, 1968], Paris, Jacqueline Chambon, 1990, p. 35).

Je ne peux pas discuter ces arguments ici, mais, plutôt que de rejeter *en masse* (en français dans le texte, N.d.T.) — comme le propose Goodman — la croyance du sens commun selon laquelle les images ressemblent vraiment de manière significative à ce qu'elles représentent et selon laquelle elles représentent quelque chose en partie à cause de cette ressemblance, je préfère admettre un sens de « ressemblance » selon lequel cette croyance est vraie. Mon désaccord avec lui est peut-être moins marqué qu'il ne semble, comme nous allons le voir, je suis tout à fait disposé à admettre que les ressemblances pertinentes sont « conventionnelles ». Voir N. Goodman, *op. cit.*, p. 59-67.

frappent par leur ressemblance — parfois très grande ou même parfaite — avec des personnes, bien qu'ils soient d'aspect tellement différent !

Afin de résoudre ce paradoxe, nous devons admettre que, parmi les ressemblances que nous percevons entre, par exemple, des portraits et des personnes, celles qui sont pertinentes pour déterminer ce que les œuvres d'art dépeignent ou représentent sont d'une espèce quelque peu spéciale et sont liées aux catégories dans lesquelles nous percevons les œuvres. Les propriétés d'une œuvre qui sont standard pour nous sont généralement non pertinentes quant à savoir de quoi, à nos yeux, elle a l'air et à quoi elle ressemble (au sens du terme qui importe ici) ; elles n'influent donc pas sur ce que nous croyons qu'elle dépeint ou représente. Celles des propriétés d'un portrait qui le rendent *tellement* différent d'une personne et si facile à l'en distinguer — tels sa bidimensionnalité et son aspect *peint* — sont standard pour nous. C'est la raison pour laquelle elles ne comptent tout simplement pas pour déterminer à quoi (ou à qui) il ressemble. Seules les propriétés variables pour nous, c'est-à-dire les couleurs et les formes disposées sur la surface de l'œuvre, donnent au portrait l'aspect qu'il a pour nous. Et ce sont elles qui sont pertinentes pour déterminer ce que l'œuvre représente (si elle représente quelque chose) [14].

Voici d'autres exemples pour renforcer cette hypothèse. Tel buste en marbre d'un empereur romain nous paraît ressembler à un homme avec, par exemple, un nez aquilin, des sourcils froncés et un visage exprimant une détermination farouche, et il représente donc pour nous un homme avec — ou comme ayant — ces caractéristiques. Mais pourquoi ne disons-nous pas qu'il ressemble à, et repré-

14. Cependant le lien entre les caractéristiques qui sont variables pour nous et ce comme quoi une œuvre nous apparaît n'est en aucune manière simple et direct. Il peut présupposer des « règles » plus ou moins « conventionnelles ». Voir E. H. Gombrich, *L'Art et l'Illusion*, Paris, Gallimard, 1971, et Nelson Goodman, *op. cit.*

sente, un homme perpétuellement immobile, de couleur uniforme (celle du marbre) et sectionné à hauteur de la poitrine ? Il semblerait qu'il soit similaire à un tel homme, et cela beaucoup plus qu'à un homme normalement coloré, mobile et entier. Mais, en voyant le buste, nous ne sommes pas frappés par cette similitude, bien qu'elle soit évidente lorsque nous y réfléchissons. La couleur uniforme du buste, son immobilité et le fait qu'il soit sectionné de manière abrupte au niveau de la poitrine sont des qualités standard par rapport à la catégorie des bustes, et, dans la mesure où nous le voyons comme buste, elles sont standard pour nous. De même, des dessins en noir et blanc n'ont pas l'air de scènes incolores à nos yeux et nous ne considérons pas qu'ils dépeignent les choses comme incolores. Nous ne trouvons pas non plus que les dessins des bonshommes réduits à des traits ressemblent à, ou représentent, uniquement des gens extrêmement maigres. Pour quelqu'un qui ne serait pas familier avec le style cubiste, telle œuvre cubiste pourrait avoir l'air d'une personne à tête cubique. Mais pour quelqu'un qui la voit comme une œuvre cubiste, ces formes cubistes sont standard, ce qui l'empêche d'établir une telle comparaison.

Les formes d'une peinture ou d'une photographie ayant pour sujet un athlète de saut en hauteur en pleine action sont fixes, et pourtant ces images n'ont pas l'air pour nous d'être celles d'un athlète suspendu en l'air. En fait, selon tels ou tels traits éventuels qui sont variables pour nous (par exemple, la position exacte des figures, des coups de pinceau tourbillonnants lorsqu'il s'agit d'une peinture, un léger flou dans le cas de l'image photographique), l'athlète peut sembler s'adonner à une activité frénétique ; les images dégageront peut-être une vive impression de mouvement. Mais si nous rencontrions de telles statiques — exactement identiques à celles que nous venons d'évoquer — dans un film que nous percevrions comme film, alors nous trouverions probablement qu'elles ressemblent à un athlète immobile. Cela est dû au fait que l'immobilité des images est standard par rapport à la catégorie des images et variable par rapport à celle des images en mouvement. (Comme les images fixes nous sont tellement familières, il serait sans doute difficile de voir pendant longtemps une image statique comme un film plutôt que comme une image fixe [filmée]. Mais nous ne pourrions guère les voir autrement si le médium des images fixes nous était totalement inconnu.) Ce que je veux dire ressort du fait que nous percevrions sans doute une différence esthétique énorme entre un film montrant un danseur qui se meut *très* lentement et une image fixe ayant le même sujet, alors même que, « objectivement », les deux images seraient presque identiques. Il se pourrait fort bien que nous trouvions la première élaborée, calme, délibérée, laborieuse, et que la deuxième nous semblât dynamique, énergique, fluide ou frénétique.

D'une manière générale, on peut dire que ce à quoi une œuvre nous paraît ressembler, ou ce qu'elle nous semble représenter, dépend de celles de ses propriétés qui sont variables pour nous et non pas de celles qui sont standard[15]. Ces dernières permettent de déterminer de quel *genre* de représentation relève une œuvre donnée plutôt que ce qu'elle représente ou à quoi elle ressemble. Nous les prenons pour ainsi dire comme allant de soi dans des représentations de ce genre. Ce principe aide aussi à expliquer comment des nuages peuvent avoir l'air d'éléphants, comment la musique orchestrale diatonique peut suggérer une conversation ou une personne en train de rire ou de pleurer, et comment un garçon de douze ans peut ressembler à son père adulte.

Nous pouvons comprendre maintenant comment un portrait peut ressembler *exactement* à son modèle, malgré

15. Il existe au moins un groupe d'exceptions à cette règle. Il est évident que les traits d'une œuvre qui sont standard pour nous parce qu'ils le sont par rapport à la catégorie représentationnelle dans laquelle nous la voyons — comme, par exemple, celle des nus, des natures mortes ou des paysages — nous aident à déterminer à quoi cette œuvre ressemble et ce qu'elle représente pour nous.

les énormes différences qu'il y a entre eux. Dans la mesure où elles sont liées à des propriétés standard pour nous, elles ne comptent pas comme allant à l'encontre de la ressemblance, ni de la ressemblance parfaite. De la même manière, un garçon peut non seulement ressembler à son père, mais en être le « portrait tout craché », cela malgré son jeune âge relatif. Il est clair que les concepts de ressemblance et de ressemblance parfaite qui nous intéressent ici ne sont même pas des cousins éloignés de la notion d'indiscernabilité perpétuelle.

b) La distinction entre propriétés standard et propriétés variables n'est pas seulement importante dans des cas impliquant des relations de ressemblance ou de représentation. Imaginons une société qui ne connaisse pas la peinture comme médium artistique établi, mais qui produise des *guernicas*. Ces *guernicas* ressemblent à des versions du *Guernica* de Picasso traitées en bas-relief et de dimensions variables. Chaque *guernica* est composé de surfaces ayant les couleurs du tableau de Picasso, mais ces surfaces sont modelées de telle sorte qu'elles saillissent du mur, à la manière d'une carte en relief de différents types de terrain. Certains *guernicas* ont des surfaces ondulées, d'autres sont escarpés ou en dents de scie, d'autres encore comportent plusieurs surfaces relativement planes disposées selon des angles divers les unes par rapport aux autres, et ainsi de suite. Pour les membres de cette société, le *Guernica* de Picasso serait un *guernica* parfaitement plat plutôt qu'un tableau. Sa bidimensionnalité serait une propriété variable, alors que les figures tracées sur sa surface seraient des propriétés standard par rapport à la catégorie des *guernicas*. Ainsi, la bidimensionnalité, qui est standard pour nous, serait variable pour les membres de cette société (s'ils se trouvaient confrontés à *Guernica*), et les figures sur la surface, qui sont variables pour nous, seraient standard pour eux. Par conséquent, il y aurait une différence profonde entre notre réaction esthétique face à *Guernica* et la leur. A nous, l'œuvre semble violente, dynamique, vitale et dérangeante. Mais je suppose qu'eux la trouveraient froide, figée, sans vie, ou alors sereine et paisible, peut-être même doucereuse, insipide et ennuyeuse — mais certainement *pas* violente, dynamique et vitale. Nous ne prêtons pas attention à la bidimensionnalité de *Guernica*, ni n'en prenons note ; pour nous, c'est une caractéristique qui va pour ainsi dire de soi lorsqu'il s'agit d'une peinture. Mais pour les membres de cette société hypothétique, la bidimensionnalité est justement ce qu'il y a de plus frappant et de plus remarquable dans *Guernica* — c'est en cela que consiste son *expressivité.* A l'inverse, les couleurs de *Guernica,* que nous trouvons remarquables et expressives, sont insignifiantes pour eux.

Il importe de souligner que la différence entre ces deux réactions esthétiques n'est pas due *uniquement* au fait que nous sommes plus habitués qu'eux aux œuvres d'art bidimensionnelles, et qu'à l'inverse les couleurs et les formes de *Guernica* leur sont plus familières qu'à nous. Je pense que quelqu'un qui serait aussi familier des peintures que des *guernicas* pourrait voir *Guernica,* selon les occasions, comme une peinture ou comme un *guernica.* Dans le premier cas, il trouverait probablement que l'œuvre est dynamique, violente, et ainsi de suite, alors que dans le second cas elle lui semblerait sans doute froide, sereine, doucereuse ou sans vie. Sa manière de voir pourrait être influencée par le fait de la voir dans un musée réservé à des peintures, ou au contraire dans un musée de *guernicas*, ou encore parce qu'on lui a dit qu'il s'agit d'un tableau ou d'un *guernica.* Mais je pense qu'il pourrait à loisir passer de l'une à l'autre de ces manières de voir, un peu comme on peut voir la figure du canard-lapin tantôt comme canard, tantôt comme lapin.

Cet exemple, ainsi que les précédents, pourrait donner l'impression qu'en général seules les caractéristiques d'une œuvre qui sont variables pour nous seraient esthétiquement importantes — qu'en ce qui nous concerne elles constitueraient les propriétés expressives et esthétiquement actives, alors que les propriétés standard seraient expressivement inertes. Mais cette conception serait totalement erronée, comme le montreront les exemples qui vont suivre. Les propriétés qui sont standard pour nous ne sont pas esthétiquement sans vie, bien que cette vie qui est la leur, c'est-à-dire l'effet esthétique qu'elles ont sur nous, soit, de manière caractéristique, tout à fait différente de ce qu'elle serait si elles étaient variables pour nous.

c) Du fait même que les traits qui sont standard pour nous ne nous frappent pas et ne retiennent pas notre attention — nous nous y attendons en quelque sorte et ils vont de soi —, ils peuvent conférer une impression d'ordre, de nécessité, de stabilité et de justesse à une œuvre. Cela est peut-être le plus évident dans le cas des propriétés macrostructurelles des arts du temps. La forme *exposition-développement-récapitulation* (en y incluant la clé typique et les relations thématiques), qui caractérise le premier mouvement des sonates, symphonies et quatuors à cordes classiques, est standard par rapport à la catégorie des œuvres de la forme allegro de sonate ; elle est donc aussi standard pour des auditeurs qui les entendent comme appartenant à cette catégorie — ce qui est le cas de la plupart d'entre nous. De ce fait, suivre la progression de la forme allegro de sonate nous paraît être *correct* ; pour nos tympans, c'est ainsi que des sonates sont *censées* se comporter. Nous avons l'impression de savoir tout au long de l'œuvre où nous en sommes et où nous allons — davantage, je suppose, que si la forme allegro de sonate ne nous était pas familière, si le fait de suivre les contraintes de cette forme nous apparaissait comme une propriété variable plutôt que standard[16]. Cependant, les propriétés qui sont standard pour nous n'ont pas toujours cet effet d'unification. Le fait qu'une sonate de piano comporte uniquement des sons pianistiques ou qu'elle utilise d'un bout à l'autre le système harmonique occidental ne lui

16. Grâce à la présence de clichés dans une œuvre, celle-ci peut parfois comporter des éléments extrêmement hétéroclites sans que pour autant elle devienne chaotique et incohérente. Voir Anton Ehrenzweig, *L'Ordre caché de l'art* (1967), Paris, Gallimard, 1987.

confère pas d'unité à nos yeux. Je pense que la raison en est que ces propriétés sont *trop* standard pour nous, cela en un sens qui nécessite une explication (voir note 10). Malgré cela, si la forme sonate a une fonction unifiante, c'est en partie parce qu'elle est standard pour nous plutôt que variable.

d) Qu'une œuvre (ou une de ses parties) possède une caractéristique donnée déterminée (concernant par exemple ses dimensions, sa vitesse, sa longueur ou son volume) est souvent un fait variable par rapport à une catégorie particulière ; il peut néanmoins être standard pour cette même catégorie que la caractéristique variable varie à l'intérieur de certaines limites. Dans un tel cas, l'effet esthétique de la propriété variable déterminée peut être teinté par les limites standard de son spectre. Par conséquent, celles-ci fonctionnent comme un catalyseur actif, même si ce n'est pas comme une composante active.

Les partitions pour piano comportent souvent les indications *sostenuto, cantabile, legato* ou *lyrique*. Mais comment le pianiste pourrait-il suivre ces instructions ? Immédiatement après la frappe d'une touche, le volume d'un son de piano diminue de manière drastique, devenant relativement vite inaudible, sans que le pianiste dispose d'un moyen de l'éviter. Si un chanteur ou un violoniste produisaient des sons, ne serait-ce qu'un tant soit peu proches du caractère abrupt avec lequel un son de piano s'évanouit, ils seraient tellement tranchants et percutants qu'on pourrait à peine les supporter — ils seraient tout sauf *cantabile* ou lyriques ! Et pourtant la musique de piano *peut* être *cantabile, legato* ou lyrique ; parfois, elle l'est même au plus haut degré (par exemple, une bonne interprétation de l'« Adagio cantabile » de la sonate *Pathétique* de Beethoven). Cela est possible parce que la décroissance très rapide d'un son de piano est inévitable, et donc n'est jamais évitée. Il s'agit d'un trait standard de la musique pianistique. A l'intérieur des limites dictées par la nature de l'instrument, le pianiste peut cependant, à l'aide de différents procédés, contrôler la vitesse de diminution et la longueur d'un son [17]. Les sons pianistiques peuvent donc être *plus ou moins* soutenus à l'intérieur de ces limites, et le *degré* auquel ils le sont, la vitesse plus ou moins grande de leur diminution ainsi que leur durée sont des propriétés variables pour la musique de piano, à l'intérieur du spectre des possibilités de l'instrument. Un passage pianistique est lyrique ou *cantabile* pour nous, les sons individuels dont il se compose sont *relativement* soutenus, compte tenu des capacités de l'instrument. Une telle sonorité sonne lyrique à nos oreilles uniquement parce que la musique de piano est limitée comme elle l'est et parce que nous l'entendons comme la musique de piano, donc parce que ces limitations sont des propriétés standard pour nous. Le caractère d'un morceau pianistique est déterminé non pas par la nature « absolue » des sons en eux-mêmes, mais par celle-ci dans ses relations avec la propriété standard de ce qu'un son pianistique peut être [18].

Ce principe contribue à expliquer le manque d'énergie et d'éclat que nous trouvons parfois même dans les passages très rapides de la musique électronique. L'énergie et l'éclat d'un passage rapide de violon ou de piano ne

17. Le moment auquel on relâche une touche affecte la longueur du son. L'utilisation de la pédale forte peut retarder légèrement le *diminuendo* d'un son en renforçant les harmoniques dus aux vibrations des cordes en résonance. La vitesse du *diminuendo* est affectée d'une manière un peu plus nette par la force avec laquelle une touche est frappée. Plus elle est frappée fort et plus est grand le *diminuendo* relatif du son. (Il est évident que la vitesse du *diminuendo* d'un son ne peut pas être contrôlée de cette manière indépendamment du volume initial du son.) On peut faire se chevaucher les tons successifs d'une mélodie, de manière à ce que l'attaque tranchante de chacun d'eux soit partiellement voilée par la fin du ton précédent qui perdure. Un ton mélodique, une fois émis, peut également être renforcé par les vibrations consonantes de figures harmoniques l'accompagnant, figures fournies par le compositeur.

18. « Le caractère global des médias musicaux que nous connaissons à ce jour, de même que leur utilité en tant que médias, résultent précisément de leurs limitations intrinsèques » (Roger Sessions, « Problems and Issues Facing the Composer Today », *in* Paul Henry Lang, *Problems of Modern Music,* New York, 1960, p. 31).

sont pas dus uniquement à la vitesse absolue de la musique (avec les accentuations, les caractéristiques rythmiques, et ainsi de suite), mais au fait qu'elle est rapide *pour ce médium particulier.* Dans la musique électronique, différentes hauteurs de son peuvent se succéder à n'importe quelle fréquence, jusqu'au point où on peut encore tout juste les distinguer, voire au-delà. Pour cette raison, on réussit difficilement à faire *sonner* la musique électronique rapide (énergique, violente) à nos oreilles. Car, dès lors que nous avons entendu assez de musique électronique pour en connaître les possibilités, nous n'avons plus l'impression que la vitesse d'un passage, aussi élevée soit-elle, se rapproche d'une limite [19].

Dans le domaine visuel, on peut trouver des corrélats de ces exemples musicaux. Un petit éléphant, plus petit que la plupart de ceux qui nous sont familiers, pourrait nous frapper comme charmant, mignon, frêle ou minuscule. La raison n'en résiderait pas uniquement dans sa taille (absolue), mais dans le fait qu'il est petit *pour un éléphant.* A des gens habitués non pas à nos éléphants, mais à une race de mini-éléphants, ce même animal — s'il était grand pour un mini-éléphant — pourrait sembler massif, puissant, imposant, menaçant, pesant. La taille des éléphants est variable par rapport à la classe des éléphants, mais elle varie uniquement à l'intérieur d'un spectre donné (qui ne saurait être spécifié de manière précise). Le fait de se situer à l'intérieur de ce spectre est une propriété standard des éléphants. L'effet esthétique que la taille d'un éléphant exerce sur nous dépend — puisque nous le voyons comme éléphant — de la position que sa taille occupe dans ce spectre : en bas, au milieu ou en haut.

e) Les propriétés qui sont standard pour une catégorie donnée sans être imposées par les limitations physiques du médium peuvent être considérées comme résultant de

19. Un moyen pour réussir à faire sonner la musique électronique comme rapide serait de la faire sonner comme un instrument traditionnel, en sorte de tirer profit des limitations de celui-ci.

« règles » plus ou moins conventionnelles qui servent à produire des œuvres dans la catégorie en question (par exemple, les « règles » du contrepoint au XVIe siècle, ou celles de la musique à douze tons). Ces règles peuvent se combiner entre elles de manière à créer un dilemme pour l'artiste, qu'il pourra résoudre ingénieusement et avec grâce, s'il a du talent. Il peut en résulter une œuvre dont le caractère esthétique est très différent de ce qu'il aurait été sans l'existence de ces règles. Supposons que le premier mouvement d'une sonate en *sol* majeur module en *ut* dièse majeur vers la fin du développement. Une règle de la forme sonate stipule que pour la récapitulation elle doit retourner à la tonalité de *sol*. Mais les tonalités de *sol* et d'*ut* dièse n'ont pas le moindre rapport entre elles, et il est donc difficile de construire une modulation fluide et rapide de l'une vers l'autre. Supposons encore que, alors que la sonate se meut en *ut* dièse, certains signes nous indiquent — étant donné les autres règles de la sonate — que la récapitulation est imminente (par exemple, une allusion à un motif spécifique fonctionnant comme indice du retour imminent, un paroxysme émotionnel, ou une cadence). Il est probable qu'un auditeur qui entend la pièce comme une œuvre de forme sonate éprouvera un évident sentiment de malaise, de tension ou d'incertitude lorsque le moment de la récapitulation approchera. Si le compositeur, faisant preuve d'inventivité, réalise avec rapidité, efficacité et naturel la modulation exigée, l'auditeur éprouvera un sentiment de soulagement — on pourrait même dire de délivrance. La transformation vers *ut* dièse (qui avait pu sembler déplacée et trop aventureuse) se sera révélée tout à fait appropriée, et, rétrospectivement, la séquence entière nous donnera une impression de justesse et de perfection. Je pense qu'en cette occasion nous aurons une impression du même ordre que face à la « beauté » ou à l' « élégance » d'une preuve en mathématiques. (En fait, dans notre exemple, la tâche du compositeur est semblable à celle qui consiste à produire une telle preuve.)

Mais supposons que la règle de la forme sonate exige que la récapitulation soit *ou bien* dans la tonalité originale, *ou bien* dans la tonalité située un demi-ton en dessous. Ainsi, dans notre exemple, la récapitulation aurait pu être en *fa* dièse majeur plutôt qu'en *sol* majeur. Cette possibilité ferait disparaître le sentiment de tension provoqué par la partie en *ut* dièse majeur intervenant dans le développement, car la modulation de *ut* dièse en *fa* dièse est des plus faciles à réaliser (puisque *ut* dièse est la dominante de *fa* dièse). Évidemment, dans ce cas, la modulation vers *sol* ne provoquerait pas non plus de *soulagement* spécial, puisqu'il n'y aurait pas eu de tension. En fait, elle nous apparaîtrait plutôt comme surprenante, puisque la modulation permise vers *fa* dièse aurait été une solution beaucoup plus naturelle.

L'effet qu'une sonate a sur nous varie donc selon celles de ses propriétés qui sont dictées par des « règles », c'est-à-dire sont standard par rapport à la catégorie des sonates, et par conséquent standard pour nous.

f) J'en viens maintenant à la question des traits qui sont contre-standard pour nous, ceux qui tendent à exclure une œuvre de la catégorie dans laquelle néanmoins nous la percevons. Il est probable que nous trouverons de tels traits choquants, déconcertants, étonnants ou irritants, cela uniquement parce qu'ils sont contre-standard pour nous. Leur présence peut être envahissante au point d'obscurcir les propriétés variables de l'œuvre. Des objets tridimensionnels faisant saillie sur une toile ou un mouvement animant une sculpture sont contre-standard par rapport aux catégories de la peinture et de la sculpture (traditionnelles). Ces traits sont contre-standard, et probablement choquants, pour nous si, en dépit d'eux, nous percevons l'œuvre dont ils font partie dans les catégories en question. Les peintures monochromes d'Yves Klein nous dérangent (du moins en un premier moment) pour cette raison même : nous les voyons comme des peintures, bien que le fait qu'elles consistent en une seule couleur tout unie soit un trait contre-standard pour des peintures.

Il est à noter qu'il existe d'autres surfaces monochromes — tels les murs d'une salle de séjour — que nous ne trouvons nullement dérangeantes et qui ne nous semblent pas devoir retenir notre attention.

Si nous sommes souvent confrontés à des œuvres comportant un type de trait qui est contre-standard pour nous, nous transformons d'ordinaire nos catégories afin de les y adapter, de sorte qu'il ne soit plus contre-standard pour nous. Le premier tableau sur lequel on avait collé un objet tridimensionnel était sans aucun doute choquant. Mais, maintenant que cette technique est devenue habituelle, nous ne sommes plus choqués. Cela est dû au fait que nous ne voyons plus ces œuvres comme des *peintures*, mais plutôt comme des membres soit *(a)* d'une nouvelle catégorie — celle des *collages* —, auquel cas la caractéristique dérangeante est standard pour nous plutôt que contre-standard, soit *(b)* d'une catégorie élargie qui inclut aussi bien les peintures ayant des objets attachés à elles que les peintures qui en sont dépourvues, auquel cas cette caractéristique est variable pour nous.

Mais ce n'est pas seulement le fait d'être rare, inhabituel ou inattendu qui rend choquant un trait donné. Lorsqu'une œuvre s'écarte *trop* des normes d'une catégorie donnée, nous ne la percevons plus dans cette catégorie, et donc l'écart n'est pas contre-standard pour nous, même si précédemment nous n'avions jamais rencontré d'œuvres qui différaient de cette façon-là de la catégorie en question. Une sculpture dotée de manière permanente d'un mouvement vigoureux serait si nettement et radicalement différente des sculptures traditionnelles que nous ne la percevrions probablement pas comme une sculpture, même s'il s'agissait de la première sculpture en mouvement que nous rencontrions. Ou bien nous la percevrions comme une sculpture *cinétique* ou bien nous serions simplement déconcertés. En revanche, un buste sculpté qui serait traditionnel à tous égards, excepté le fait qu'une des oreilles tressaillerait légèrement toutes les trente secondes, serait perçu comme une sculpture. Ainsi, l'oreille qui tressaillerait serait contre-standard pour nous et elle serait beaucoup plus troublante que le mouvement plus important de l'autre sculpture cinétique. De même, une très petite surface colorée intégrée dans un dessin par ailleurs en noir et blanc serait très déconcertante. Mais si on y ajoutait assez de couleur, nous le verrions comme un dessin en couleurs plutôt que comme un dessin en noir et blanc, et il n'y aurait plus de choc.

Ces considérations nous aident à comprendre une des différences qui existent entre les déviations par rapport au système harmonique qu'on trouve dans *Tristan et Iseult* de Wagner et celles qu'on trouve dans *Pelléas et Mélisande* et *Jeux* de Debussy, ou dans le *Pierrot lunaire* de Schönberg, ainsi que dans ses œuvres dodécaphoniques ultérieures. Les œuvres de Debussy et de Schönberg ne sont pas simplement *plus* déviantes, *moins* tonales que *Tristan*. Elles diffèrent sur tant de points et à un tel degré de la musique tonale qu'on ne les entend plus du tout comme tonales. *Tristan* en revanche, malgré ses déviations, conserve assez d'éléments du système tonal pour être entendu comme une œuvre tonale. C'est la raison pour laquelle ses déviations, moins importantes, sont souvent plus choquantes[20]. *Tristan* joue avec les traditions harmoniques, en respectant certaines et en passant outre à d'autres, alors que le *Pierrot lunaire* et les autres œuvres de ce type les ignorent tout simplement.

Nous sommes donc choqués par des traits qui ne sont pas seulement rares ou uniques, mais contre-standard par rapport aux catégories dans lesquelles nous percevons les objets qui possèdent ces traits. Mais il faut souligner qu'être contre-standard par rapport à une catégorie donnée ne signifie pas seulement être rare ou unique *parmi les choses appartenant à cette catégorie*. La ligne mélodique du *lied* de Schubert *Im Walde* est probablement unique ; on

20. Voir William W. Austin, *Music in the Twentieth Century*, New York, 1966, p. 205-206, et Eric Salzman, *Twentieth-Century Music : An Introduction*, Englewood Cliffs (N.J.), 1967, p. 5, 8, 19.

ne la rencontre sans doute dans aucun autre *lied* ni dans aucune autre œuvre musicale. Mais elle n'est pas contre-standard par rapport à la catégorie du *lied* parce qu'elle ne tend pas à exclure l'œuvre de cette catégorie. Elle n'est pas non plus contre-standard par rapport à aucune des autres catégories dans lesquelles nous entendons l'œuvre en question. Et de toute évidence, c'est une ligne mélodique que nous ne trouvons nullement dérangeante. Ce qui importe, ce n'est pas la rareté d'un trait, mais sa relation avec la classification de l'œuvre. Un trait contre-standard est un trait qui nous apparaît comme déplacé dans la catégorie dans laquelle nous percevons l'œuvre en question — il nous semble *faire violence* à la catégorie, alors que le fait d'être rare dans une catégorie donnée ne signifie pas être déplacé par rapport à elle.

Les exemples que je viens de donner devraient avoir montré que l'effet esthétique qu'une œuvre exerce sur nous — c'est-à-dire quelles sont les propriétés esthétiques qu'elle nous paraît avoir et quelles sont celles que nous sommes disposés à lui attribuer — dépend de différentes façons importantes du fait de savoir lesquels de ces traits sont standard, variables ou contre-standard pour nous. De plus, il est clair qu'il s'agit là non d'un phénomène isolé ou exceptionnel, mais d'une caractéristique omniprésente dans la perception esthétique. Je voudrais souligner que mon propos n'a pas été d'établir des principes généraux concernant l'effet que chacun de ces trois types de propriétés produit sur nous. Cet effet, dans sa particularité, dépend aussi de nombreuses autres variables que je n'ai pas analysées. Ce qui importe, c'est que, dans de nombreux cas, le fait qu'une caractéristique soit standard, variable ou contre-standard pour nous joue un rôle important quant à son effet sur nous. Il faut maintenant commencer à peser les conséquences théoriques de ce fait.

4. *Vérité et fausseté*

Le fait que les propriétés apparentes d'une chose dépendent des catégories dans lesquelles elle est perçue amène la question de savoir comment déterminer les propriétés qu'elle possède réellement. Si *Guernica* apparaît dynamique lorsqu'on le voit comme une peinture et non dynamique lorsqu'on le voit comme un *guernica,* est-il dynamique ou non ? Peut-on décréter correcte la première manière de le voir et incorrecte la seconde ? Une des façons d'aborder ce problème consiste à nier que les jugements apparemment conflictuels de ceux qui perçoivent une œuvre dans des catégories différentes soient réellement conflictuels[21].

On pourrait suggérer que les jugements attribuant des propriétés esthétiques aux œuvres d'art font implicitement référence à un ensemble spécifique de catégories. De ce point de vue, affirmer que *Guernica* est réellement dynamique reviendrait à affirmer qu'il est dynamique *en tant que peinture* (pourrait-on dire), ou dynamique pour des gens qui le voient *comme une peinture.* Le jugement selon lequel il n'est pas dynamique, s'il est formulé par ceux qui le voient comme un *guernica,* signifierait tout simplement qu'il n'est pas dynamique *en tant que guernica.* Interprétés de cette manière, les deux jugements sont bien entendu tout à fait compatibles. Des termes tels que « grand » et « petit » livrent un modèle commode pour cette interprétation. Un éléphant peut être à la fois petit en tant qu'éléphant et grand en tant que mini-éléphant, et il est donc correct de le qualifier soit de « grand », soit de

21. J'exclus le point de vue selon lequel les notions de vérité et de fausseté ne s'appliqueraient pas aux jugements esthétiques ; cela nous obligerait en effet à rejeter une si grande partie de notre discours et des intuitions du sens commun concernant l'art que l'esthétique théorique, conçue comme une tentative de comprendre l'institution artistique, n'aurait guère plus de sujet d'étude reconnaissable pouvant être exploré (voir la citation de Wölfflin plus haut).

« petit », selon la catégorie à laquelle on se réfère implicitement.

Je pense que, dans *certains* contextes, les jugements esthétiques peuvent être réduits à de telles interprétations relatives à des catégories données, en particulier les jugements esthétiques concernant des objets naturels (des nuages, des montagnes, des couchers de soleil), plutôt que ceux portant sur des œuvres d'art. (On verra clairement que l'explication alternative présentée plus loin ne s'applique guère à la plupart des jugements concernant des objets naturels.) Mais la majorité de nos jugements esthétiques n'entrent dans ce moule que si nous les déformons au point de les rendre méconnaissables.

Mon objection principale est la suivante : concevoir les jugements esthétiques comme des interprétations relatives à des catégories données les empêche trop souvent d'être des jugements erronés. Il serait sans doute naturel de considérer qu'une personne qui qualifie *Guernica* de figé, froid ou ennuyeux, parce qu'elle le voit comme un *guernica*, a tort : elle se trompe sur l'œuvre parce qu'elle ne la regarde pas de la manière qui convient. De même, lorsque quelqu'un affirme d'une bonne exécution de l' « Adagio cantabile » de la *Pathétique* de Beethoven qu'elle est percutante, ou qu'un buste romain a l'air d'un homme uniformément coloré, immobile et sectionné à hauteur de poitrine — et le dépeint comme tel —, cette personne a tout simplement tort, même si son jugement est dû au fait qu'elle perçoit l'œuvre dans des catégories différentes de celles dans lesquelles nous la percevons. Il faut ajouter que nous n'accordons pas de statut plus privilégié à nos propres jugements esthétiques. Il est probable que, lors de notre premier contact avec, par exemple, la peinture cubiste, la musique sérielle ou la musique chinoise, nous les considérerions comme informes, incohérentes ou dérangeantes, surtout parce que, je pense, nous ne les percevrions pas comme peinture cubiste, musique sérielle ou musique chinoise. Mais, une fois devenus familiers de ce type d'art, nous *retirerions* probablement nos jugements précédents et admettrions qu'ils étaient erronés. Il serait tout à fait déplacé de protester en disant que ce que nous voulions dire auparavant, c'était simplement que ces œuvres étaient informes ou dérangeantes par rapport aux catégories dans lesquelles nous les percevions alors, tout en admettant qu'elles ne le sont pas par rapport aux catégories de la peinture cubiste, de la musique sérielle ou de la musique chinoise. Le conflit entre des jugements esthétiques apparemment incompatibles portés sur une œuvre alors qu'elle était perçue dans des catégories différentes ne disparaît pas automatiquement lorsque la différence catégorielle est mise en évidence, à l'inverse de ce qui se passe lors du conflit entre deux affirmations soutenant l'une qu'un animal donné est grand, l'autre qu'il est petit — conflit qui disparaît dès qu'il apparaît que l'un regardait l'animal comme un mini-éléphant, l'autre comme un éléphant normal. Ces derniers jugements ne reflètent pas (nécessairement) un désaccord réel concernant la taille de l'animal, alors que les premiers reflètent bel et bien un désaccord réel concernant la nature esthétique de l'œuvre.

Par conséquent, il semble, dans certains cas du moins, qu'il soit *correct* de percevoir une œuvre dans des catégories spécifiques et *incorrect* de la percevoir dans certaines autres. Ce qui signifie que les jugements que nous portons lorsque nous la percevons dans les catégories mentionnées en premier sont probablement justes, alors que ceux formulés lorsque nous la percevons dans les autres sont faux. Cela nous fournit un sens absolu pour les termes « standard », « variable » et « contre-standard » ; les traits d'une œuvre donnée sont standard, variables ou contre-standard en un sens absolu dès lors qu'ils sont standard, variables ou contre-standard pour une personne qui perçoit l'œuvre de manière correcte. (Ainsi, un trait qui est standard dans l'absolu est standard par rapport à une des catégories dans lesquelles il est correct de percevoir l'œuvre en question ; un trait variable dans l'absolu est variable par rapport à toutes ces catégories ; et un trait contre-standard dans l'absolu est contre-standard par rapport à au moins une de ces catégories.)

Comment peut-on déterminer quelles sont les catégories dans lesquelles il est correct de percevoir une œuvre ? Il n'existe certainement pas de démarche précise et bien définie qu'il suffirait de suivre. Les critères retenus diffèrent selon les personnes et les situations. Mais il existe plusieurs considérations bien définies qui se rencontrent régulièrement dans les discussions critiques et qui s'accordent fort bien avec nos intuitions. Pour moi, les circonstances suivantes indiquent qu'il est correct de percevoir une œuvre O dans une catégorie C donnée :

(1) Le fait que O comporte un nombre relativement élevé de traits qui sont standard par rapport à C. La manière correcte de percevoir une œuvre est sans doute celle selon laquelle elle possède le minimum de traits contre-standard pour nous. La pertinence de cette considération me paraît évidente. Il ne peut pas être correct de percevoir le *Jeune Homme lisant* de Rembrandt comme une sculpture cinétique — à supposer que cela soit possible —, précisément parce que l'œuvre en question possède un trop petit nombre des traits qui font qu'une sculpture cinétique est une sculpture cinétique. Mais, bien entendu, cela ne nous mène pas loin, car selon cette considération *Guernica,* par exemple, possède les propriétés requises pour être perçu aussi bien comme *guernica.*

(2) Le fait — si tel est le cas — que O est de plus grande qualité, plus intéressante, esthétiquement plus attrayante ou plus digne d'intérêt lorsqu'elle est perçue dans C que lorsqu'elle est perçue d'une autre manière. La façon correcte de percevoir une œuvre est probablement celle qui permet de la voir sous son meilleur jour.

(3) Le fait — si tel est le cas — que l'artiste qui a produit O voulait qu'elle soit perçue dans C, qu'il s'attendait à ce qu'elle le fût ou qu'il la considérait comme faisant partie de C.

(4) Le fait — si tel est le cas — que C est bien établie

dans — et reconnue par — la société dans laquelle O a été produite. Une catégorie est bien établie dans — et reconnue par — une société si les œuvres de la catégorie en question sont familières aux membres de cette société, si ces derniers considèrent que le fait qu'une œuvre appartienne à cette catégorie mérite d'être relevé, s'ils exposent ensemble des œuvres de cette catégorie, et ainsi de suite — c'est-à-dire en gros si elle tient une place importante dans leur manière de classer les œuvres d'art. Les catégories de la peinture impressionniste et de la musique brahmsienne sont bien établies dans notre société, celles des *guernicas*, des peintures à composition diagonale avec des croix vertes, des pièces de musique comportant entre quatre et huit *fa* dièse et au moins dix-sept noires toutes les huit mesures ne le sont pas. Selon cette considération, les catégories dans lesquelles il est correct de percevoir une œuvre sont généralement celles dans lesquelles les contemporains de l'artiste l'ont perçue, ou l'auraient perçue.

Je pense que dans certains cas le procédé mécanique grâce auquel une œuvre a été produite, ou (en architecture, par exemple) les caractéristiques physiques non perceptibles, ou encore la structure interne d'une œuvre sont pertinents. Nous percevons sans doute correctement une œuvre donnée comme manifestation visuelle d'une gravure sur cuivre, plutôt que, par exemple, d'une gravure sur bois ou d'un dessin au trait, si cette œuvre a été produite selon le procédé de la gravure sur métal. La résistance des matériaux d'un immeuble, ou l'utilisation de poutres en acier à l'intérieur de ses colonnes en bois ou en stuc, indique (pas nécessairement de manière concluante) qu'il est correct de le percevoir dans la catégorie des immeubles dotés des caractéristiques visuelles typiques des immeubles construits de cette manière. Comme le champ d'application de ces considérations est limité, je ne le discuterai pas plus en détail ici.

Quels arguments parlent en faveur de la pertinence des conditions (2), (3) et (4) ? En ce qui concerne les exemples donnés plus haut, les catégories dans lesquelles nous considérons une œuvre correctement perçue semblent remplir (pour autant que nous puissions le savoir) chacune de ces trois conditions. Je pense (bien que cela soit difficile à prouver) que *Guernica* se présente sous un meilleur jour lorsqu'il est vu comme une peinture que si on le voyait comme un *guernica*. En tout cas, l'intention de Picasso était certainement que son œuvre soit vue comme une peinture plutôt que comme un *guernica*, et la catégorie des peintures, contrairement à celle des *guernicas*, est bien établie dans sa (c'est-à-dire dans notre) société. Mais, bien entendu, cela ne prouve pas que *chacune* des conditions (2), (3) et (4) soit pertinente. Cela tend seulement à indiquer que l'une ou l'autre d'entre elles, ou quelque combinaison, l'est. La difficulté d'évaluer chacune prise individuellement se complique du fait qu'en gros on peut s'attendre à ce qu'elles coïncident et produisent des conclusions identiques. Comme habituellement un artiste destine ses œuvres à ses contemporains, il est probable qu'il veut qu'elles soient perçues dans des catégories établies et reconnues par sa société. Par ailleurs, on peut penser qu'une œuvre est plus à son avantage lorsqu'elle est vue dans les catégories auxquelles elle était destinée que dans d'autres. Tout artiste veut produire des œuvres qui soient dignes d'intérêt lorsqu'elles sont perçues de la manière qu'il a voulue, et, à moins que nous n'ayons des raisons de penser qu'il est totalement incompétent, nous pouvons présumer qu'il y réussit au moins partiellement. En revanche, qu'une œuvre soit vue à son avantage lorsqu'elle est perçue d'une manière non voulue par l'artiste dépend plus ou moins du hasard. Cependant, cette convergence des trois conditions réduit en même temps la nécessité *pratique* de les justifier individuellement, puisque dans la plupart des cas nous pouvons nous en passer lorsqu'il s'agit de décider comment juger des œuvres individuelles. Il n'en demeure pas moins que la question théorique subsiste.

Je commencerai par (2). Si nous devons choisir entre

deux manières de percevoir une œuvre, et si l'œuvre est vue beaucoup plus à son avantage lorsqu'on la perçoit selon la première plutôt que selon la seconde, je pense que, du moins en l'absence de considérations contraires, nous serions fortement enclins à considérer que la première est la manière *correcte* de la percevoir. Tenter de déterminer en quoi consiste une œuvre revient en partie à rechercher, parmi l'ensemble des manières selon lesquelles il est plausible de l'aborder, celle grâce à laquelle elle apparaît comme réussie. Nous sentons que nous commençons à comprendre correctement une œuvre lorsque nous commençons à l'aimer et à en retirer du plaisir ; nous découvrons en quoi elle consiste réellement à partir du moment où elle nous paraît mériter notre intérêt.

Mais si (2) est une condition pertinente, elle n'est de toute évidence pas la *seule.* Imaginons une œuvre d'art dont tout le monde serait d'accord pour dire que sa qualité est de quatrième, cinquième ou dixième ordre. Si on la percevait dans un ensemble de catégories excentriques que quelqu'un aurait inventées, elle pourrait fort bien apparaître comme étant une œuvre de premier ordre, un chef-d'œuvre. Il est certain que, pour trouver de telles catégories *ad hoc*, il faudrait faire preuve d'autant de talent et d'inventivité que pour produire directement un chef-d'œuvre. Mais nous pouvons esquisser comment on pourrait commencer à les chercher. *a*) Si une œuvre médiocre comporte un trait marquant qui dérange et détourne l'attention des mérites qu'elle peut avoir, ce trait peut être atténué en choisissant des catégories par rapport auxquelles il est standard, plutôt que variable ou contre-standard. Lorsque l'œuvre sera perçue de cette nouvelle manière, le trait gênant ne sera peut-être pas plus dérangeant que la bidimensionnalité d'une peinture ne l'est pour nous. *b*) Si l'œuvre comporte trop de clichés, nous pouvons la rendre plus vivante en sélectionnant des catégories par rapport auxquelles les clichés sont variables ou contre-standard plutôt que standard. *c*) Si elle manque d'inventivité, nous pouvons imaginer un ensemble de règles qui la confrontent à un dilemme qu'elle résout de façon ingénieuse ; ensuite, nous pouvons constituer ces règles en un ensemble de catégories. Cependant, même s'il existait certaines catégories restant à découvrir, qui fussent capables de transformer une œuvre médiocre en chef-d'œuvre, il ne s'ensuivrait pas qu'elle fût réellement un chef-d'œuvre jusqu'ici méconnu. Même si, vue dans ces catégories, elle paraissait passionnante, inventive et ainsi de suite, plutôt que discordante, pleine de clichés et prosaïque, cela n'en ferait pas un chef-d'œuvre. A mon avis, il *ne saurait* être correct de percevoir une œuvre dans des catégories totalement étrangères à l'artiste et à sa société, même si, perçue ainsi, elle apparaissait comme un chef-d'œuvre[22].

Cela nous mène aux conditions historiques (3) et (4). Je ne vois pas comment on pourrait éviter la conclusion selon laquelle une au moins de ces deux conditions est pertinente pour déterminer dans quelles catégories une œuvre est correctement perçue. Je considère qu'elles sont toutes les deux pertinentes, mais je ne défendrai pas ici la pertinence de (4) prise isolément. Comme l'attention s'est cristallisée récemment autour du débat sur l'importance des intentions des artistes, (3) mérite une attention spéciale. Afin de tester sa pertinence, il nous faut considérer un cas où (3) et (4) divergent. Une telle situation s'est présentée au début du mouvement dodécaphonique en musique. Schönberg voulait sans doute que même ses premières œuvres à douze tons fussent entendues comme des œuvres dodécaphoniques. Mais il est certain qu'à ce moment la catégorie en question n'était ni bien établie dans sa société ni reconnue par elle : pratiquement aucun

22. Affirmer qu'il est incorrect (au sens où j'entends ce terme) de percevoir une œuvre dans certaines catégories ne revient pas nécessairement à dire qu'il *ne faut pas* la percevoir ainsi. Je recommande chaudement de percevoir les œuvres médiocres dans des catégories qui les rendent dignes d'intérêt, toutes les fois que cela est possible. Ce que je veux dire, c'est qu'il est improbable qu'on *juge* correctement une œuvre si on la perçoit d'une manière incorrecte.

de ses contemporains (à l'exception de Berg et de Webern, intimement associés à lui), même parmi ceux qui disposaient d'une culture musicale sophistiquée, n'aurait entendu (ou n'aurait pu entendre) ses œuvres dans cette catégorie. Pourtant, il me semble que, même pour ces premières compositions à douze tons, les percevoir correctement signifie les percevoir comme des œuvres dodécaphoniques; ainsi, les jugements que quelqu'un qui les entend autrement porterait sur elles (par exemple, qu'elles sont chaotiques ou informes) seraient erronés. Je pense qu'il en serait ainsi même si Schönberg avait travaillé entièrement seul et si *aucun* de ses contemporains n'avait eu la moindre idée du système dodécaphonique. Il est évident que les premières compositions à douze tons apparaissent plus réussies lorsqu'on les entend dans la catégorie des œuvres dodécaphoniques que lorsqu'on les entend de n'importe quelle autre manière envisageable. Mais, comme nous l'avons constaté, ce fait *en lui-même* ne saurait garantir qu'il est correct de les entendre de cette manière. Le seul autre élément de la situation qui puisse être pertinent est, pour autant que je puisse en juger, l'intention de Schönberg.

L'exemple qui précède est exceptionnel, car Schönberg était extraordinairement conscient de ce qu'il faisait, puisqu'il avait formulé des règles explicites — c'est-à-dire des propriétés standard spécifiques — pour la composition dodécaphonique. Bien entendu, la plupart des artistes ne sont pas aussi réfléchis, même lorsqu'ils produisent des œuvres d'art révolutionnaires. Leurs intentions concernant les catégories dans lesquelles il convient de percevoir leurs œuvres sont loin d'être aussi claires que celles de Schönberg, et souvent ils changent considérablement d'avis au cours du processus de création. Dans des cas pareils (de même lorsque l'intention de l'artiste est inconnue), si nous voulons savoir dans quelles catégories une œuvre est correctement perçue, nous devons nous rabattre par la force des choses sur la condition (4), jointe aux conditions (1) et (2). Mais il me semble que dans presque tous les cas au moins une des conditions d'ordre historique (3) et (4) est d'importance cruciale.

Mon analyse des règles qui gouvernent nos décisions déterminant dans quelles catégories une œuvre donnée est perçue correctement est loin d'être complète. Un grand nombre de cas restent indécidables d'après les critères énumérés. L'intention des artistes est souvent peu claire, changeante ou inconnue. De nombreuses œuvres font partie de catégories qui sont des cas limites eu égard à la manière dont elles sont établies dans la société de l'artiste (ainsi, la catégorie de la musique rococo – par exemple, K.P.E. Bach –, celle de la musique dans le style du jeune Mozart ou celle des sculptures en métal de figures filiformes telles celles de Giacometti). Beaucoup d'œuvres se situent à mi-chemin entre des catégories bien établies (par exemple, entre les peintures impressionniste et cubiste), en ce sens qu'elles possèdent *certains* des traits standard de l'une et de l'autre, ce qui fait qu'elles ne sont ni tout à fait qualifiées ni tout à fait disqualifiées pour appartenir à l'une ou à l'autre. S'y ajoute la question de savoir quelle importance relative il convient d'accorder aux différentes conditions au cas où elles entrent en conflit.

On commettrait cependant une erreur si on voulait rendre plus strictes les règles permettant de décider comment une œuvre donnée est perçue correctement. Cela reviendrait à légiférer d'une façon arbitraire, puisque les intuitions et les précédents auxquels nous devons nous remettre sont très variables et souvent confus. Mais il est important de déterminer en quoi exactement ces intuitions et ces précédents sont non conclusifs, car cela permettra de découvrir l'origine de bon nombre de débats critiques. Les sculptures filiformes de Giacometti pourraient facilement susciter un tel débat. A un critique qui les verrait simplement comme des sculptures, ou comme des sculptures de personnes, elles pourraient apparaître fragiles, décharnées, frêles ou grêles. Mais elles ne feront pas cette impression-là sur un critique qui les voit dans la catégorie des sculptures filiformes (tout comme les bonshommes dessinés réduits à des traits ne nous frappent pas comme frêles ou décharnés). Il serait frappé non par la minceur des sculptures, mais par l'expressivité de la position de leurs membres, et ainsi de suite ; il leur attribuerait donc certainement des propriétés esthétiques très différentes. Je suppose que la question de savoir laquelle des deux manières de voir ces œuvres est la façon correcte est indécidable. Il n'est pas certain qu'un assez grand nombre d'œuvres de ce genre aient été produites et qu'elles aient été considérées assez souvent comme appartenant à cette catégorie pour qu'on puisse considérer que cette dernière a été bien établie dans la société à laquelle appartenait Giacometti. Et il me semble douteux que le problème puisse être résolu de manière satisfaisante par une des autres conditions. La controverse entre les deux critiques est donc peut-être pour l'essentiel sans issue. Tout ce que nous pouvons faire, c'est indiquer quel genre de différence de perception est sous-jacent au débat, et pourquoi il est sans issue.

L'existence de telles impasses n'est absolument pas à regretter. Une œuvre peut être fascinante justement à cause des déplacements produits par différentes manières de la percevoir, toutes également licites. Et l'extraordinaire richesse de certaines œuvres est due en partie à la variété des manières selon lesquelles elles peuvent être perçues et selon lesquelles il est intéressant de les percevoir. Mais il est à noter que, même dans des cas où mes critères ne spécifient pas clairement un ensemble *unique* de catégories dans lesquelles il est correct de voir une œuvre, ils excluront toujours certaines manières selon lesquelles il serait possible de la voir (que nous ayons ou non envisagé ces possibilités).

Au début de cette section, nous nous sommes demandé comment déterminer les propriétés esthétiques d'une œuvre, étant donné que celles qu'elle paraît avoir dépendent des catégories dans lesquelles elle est perçue, et donc de la question de savoir lesquelles de ses propriétés sont standard, variables ou contre-standard pour nous. J'ai esquissé les grandes lignes des règles qui nous permettent de décider dans quelles catégories une œuvre est perçue *correctement* (et partant, lesquels de ses traits sont standard, variables ou contre-standard dans l'absolu). Les propriétés esthétiques qu'elle possède réellement sont celles qu'on peut y découvrir lorsqu'on la perçoit correctement[23].

5. *Conclusion*

Revenons aux considérations de la section 1. (Jusqu'à la fin de cet article, j'admettrai l'hypothèse simplificatrice selon laquelle il n'existe pour chaque œuvre qu'une seule manière correcte de la percevoir. Rien d'important ne dépend de cette hypothèse.) S'il est vrai que les propriétés esthétiques d'une œuvre sont celles qu'on peut y découvrir lorsqu'on la perçoit correctement, s'il est vrai par ailleurs

23. C'est évidemment une image trop simplifiée de la situation. Lorsqu'il existe deux manières pareillement correctes de percevoir une œuvre et lorsque celle-ci paraît posséder telle ou telle propriété esthétique uniquement lorsqu'elle est perçue selon l'une de ces deux manières mais non selon l'autre, peut-on dire qu'elle possède réellement cette propriété ou non ? Il n'est pas aisé de donner une réponse générale à cette question. Il est probable que dans certains cas elle demeure indécidable. Mais je pense que nous serions parfois enclins à dire d'une œuvre qu'elle est, par exemple, touchante et sereine si elle apparaît ainsi lorsqu'elle est perçue d'une manière correcte (ou peut-être que nous dirions de manière plus hésitante qu'elle « a quelque chose de touchant ou de serein »), tout en admettant qu'elle n'apparaît pas ainsi lorsqu'elle est perçue de telle autre manière que nous ne voudrions pas qualifier d'incorrecte. Parfois, une œuvre a des propriétés esthétiques (lorsqu'elle est par exemple fascinante, subtile, vivante, intéressante ou profonde) qui ne sont pas apparentes lorsqu'on la perçoit selon une seule des manières acceptables, mais qui dépendent de la multiplicité des manières acceptables de la percevoir et de leurs interrelations. Aucune de ces complications ne décharge le critique de la responsabilité de déterminer quelle est la manière correcte, ou quelles sont les manières correctes, de percevoir une œuvre.

que la manière correcte de la percevoir est déterminée en partie par des faits historiques concernant l'intention de l'artiste, alors aucun examen de l'œuvre elle-même, aussi approfondi soit-il, ne révélera par lui-même ces propriétés[24]. Confrontés à une œuvre dont l'origine nous serait tout à fait inconnue (par exemple, une œuvre dégagée de la poussière d'un site archéologique encore inexploré sur Mars), nous ne serions tout simplement pas en mesure de la juger esthétiquement. Nous aurions beau la scruter du regard le plus intense et le plus intelligent, nous serions dans l'impossibilité de dire si elle est cohérente, sereine ou dynamique, car la scruter du regard ne nous apprend pas s'il faut la voir comme une sculpture, comme un *guernica* ou comme quelque autre espèce d'œuvre d'art exotique ou familière. (Nous pourrions lui attribuer des propriétés esthétiques comme nous le faisons pour des objets naturels, auquel cas on n'a évidemment pas besoin de prendre en considération des faits historiques concernant les artistes et la société à laquelle ils appartenaient [voir la section 4]. Mais agir ainsi, ce ne serait pas traiter l'objet comme une *œuvre* d'art.)

Il est à remarquer que les faits historiques pertinents ne se bornent pas à être des aides utiles pour formuler un jugement esthétique ; ils ne nous fournissent pas simplement des indications concernant ce qui pourrait être découvert dans une œuvre donnée. Ils nous aident plutôt à *déterminer* quelles sont les propriétés esthétiques de l'œuvre en question ; de concert avec les propriétés non esthétiques de l'œuvre, ils la *rendent* cohérente, sereine, etc. Si une œuvre, qui est cohérente et sereine, avait une origine fondamentalement différente, elle ne posséderait pas ces qualités ; ce n'est donc pas simplement un moyen de les *découvrir* qui nous ferait défaut. De deux œuvres différant *uniquement* par leur origine — donc perceptuelle-

24. Mais un tel examen accompagné d'une connaissance générale concernant le type d'œuvres produites, quand et par qui, pourrait sans doute les mettre en lumière.

ment indiscernables —, il se peut que l'une soit cohérente ou sereine et l'autre non. Par conséquent, puisque les intentions des artistes font partie des considérations historiques, l'« illusion de l'intention » n'est en rien une illusion. Je n'ai évidemment pas pris position sur la pertinence des intentions des artistes quant aux propriétés esthétiques que leurs œuvres devraient avoir : or, c'est de ces intentions-là qu'on débat le plus dans les écrits esthétiques. J'accorde volontiers que le fait qu'un artiste avait l'intention de produire une œuvre cohérente ou sereine n'a pas de lien fondamental avec la question de savoir si elle est effectivement cohérente ou sereine. Mais il ne faudrait pas que cette considération nous amène à penser qu'*aucune* intention n'est pertinente.

Les propriétés esthétiques ne peuvent donc pas être découvertes de manière aussi directe dans les œuvres elles-mêmes que les couleurs, les formes, les hauteurs de son et les rythmes. Mais je ne veux pas nier par là que nous percevions des propriétés esthétiques dans les œuvres d'art. Je vois la sérénité d'une peinture et j'entends la cohérence d'une sonate, même si la présence de ces propriétés dans une œuvre d'art dépend aussi partiellement des circonstances de son origine — circonstances que je ne peux pas percevoir (maintenant). L'état civil de John fait partie des faits pertinents en vertu desquels il est célibataire — s'il l'est —, et nous ne saurions découvrir cet état civil simplement en dévisageant l'homme, bien que de cette manière nous puissions déterminer son sexe. Je pense donc que le fait d'être célibataire n'est pas une propriété que nous puissions percevoir en lui. Mais les propriétés esthétiques d'une œuvre dépendent d'une tout autre manière des faits historiques que le fait du célibat de John ne dépend de son état civil. Cela ne veut pas dire que les faits historiques (ou la question de savoir quelles sont les catégories dans lesquelles une œuvre est correctement perçue, ou lesquelles de ses propriétés sont standard, variables ou contre-standard) ont une fonction de *fondement*, en un des sens habituels du terme, pour les jugements esthétiques. En eux-mêmes, ils ne parlent en général ni en faveur ni en défaveur de la présence d'une propriété esthétique particulière. Et ils ne font pas non plus partie d'un corpus plus vaste d'informations (qui comprendrait également les données qui résultent de l'examen direct de l'œuvre) à partir desquelles il s'agirait de déduire ou de dériver ses propriétés esthétiques. Nous devons apprendre à *percevoir* l'œuvre dans les catégories correctes, déterminées en partie par des faits historiques, et nous devons la juger d'après ce que nous y percevons alors. Si les faits historiques aident à déterminer si une peinture est, par exemple, sereine, c'est *uniquement* en déterminant quelle manière de la percevoir doit révéler cette qualité pour que celle-ci puisse lui être véritablement attribuée.

Il ne faudrait cependant pas croire qu'on peut juger une œuvre simplement en décidant de la percevoir correctement, dès lors que la manière correcte de la percevoir a été établie. Car en général on ne saurait percevoir une œuvre dans un ensemble spécifique de catégories simplement en décidant de le faire. Il me serait impossible, par un simple acte de volonté, de voir *Guernica* comme un *guernica* plutôt que comme une peinture, ou d'entendre une succession de bruits de la rue dans quelque catégorie arbitraire que quelqu'un aurait imaginée, même si ces catégories m'avaient été expliquées en détail. (Et je ne peux pas non plus imaginer, ou alors uniquement de manière plutôt vague, en quoi consisterait le fait de voir *Guernica* comme un *guernica*.) Il ne suffit pas de décider qu'on va réagir de manière appropriée à une œuvre — qu'on va être choqué, irrité ou surpris par ceux de ses traits qui sont contre-standard (dans l'absolu), qu'on va trouver familiers ou coutumiers ses traits standard et réagir encore d'une autre manière à ses traits variables — une fois les catégories correctes connues. La capacité de percevoir une œuvre dans une catégorie particulière ou dans un ensemble de catégories doit être acquise par la pratique, et à mon avis le contact avec un grand nombre d'autres œuvres de la ou des catégories en question représente en général une part importante de cet apprentissage. (Mais celui-ci peut être facilité par des efforts volontaires, et, une fois que la capacité est acquise, on peut décider librement si on veut percevoir ou non l'œuvre dans telles ou telles catégories.) Cela a des conséquences importantes quant à savoir quelle est la meilleure manière d'aborder des œuvres d'art appartenant à des genres qui sont nouveaux pour nous — des œuvres contemporaines utilisant un langage nouveau, des œuvres provenant de cultures étrangères ou appartenant à un passé lointain et venant juste d'être découvertes. Il ne sert à rien de nous plonger tout simplement dans une œuvre particulière, même si nous savons dans quelles catégories elle est correctement perçue, car, à elle seule, cette manière de procéder ne nous permettra pas de percevoir l'œuvre en question dans ces catégories. Nous devons nous familiariser avec une variété considérable d'œuvres apparentées.

Lorsque nous sommes confrontés à des œuvres appartenant à des genres qui nous sont plus familiers, nous n'avons généralement pas besoin de nous exercer de manière délibérée afin de pouvoir les percevoir dans les catégories correctes (sauf peut-être lorsque certaines de celles-ci sont relativement subtiles). Mais je pense que, s'il en est ainsi, c'est presque toujours parce que nous avons fait cet apprentissage sans nous en rendre compte. Il me semble que même la capacité de voir une peinture comme une peinture a dû être acquise par notre contact répété avec un grand nombre de peintures. Il faut donc que le critique d'art aille au-delà de l'œuvre qu'il a devant lui lorsqu'il veut la juger esthétiquement, non seulement pour découvrir les catégories correctes, mais aussi pour être à même de la percevoir dans celles-ci. Cette dernière capacité ne requiert pas la prise en compte de faits historiques, ni celle de faits tout courts, mais elle exige néanmoins qu'on porte son attention sur des choses autres que l'œuvre en question.

Personne sans doute ne nierait que *sous une forme ou une autre* quelque apprentissage perceptif est nécessaire dans beaucoup sinon dans tous les cas pour saisir la sérénité, la cohérence ou d'autres propriétés esthétiques d'une œuvre d'art. Et, bien entendu, la nécessité d'un apprentissage ne se limite pas à la perception des propriétés *esthétiques*. Mais le type d'apprentissage nécessaire à la perception des propriétés esthétiques (et peut-être également de quelques autres) n'a pas été correctement compris. Pour que nous apprenions à distinguer différentes variétés de mouettes, ou encore à reconnaître le sexe des poussins ou l'écriture d'une personne donnée, il faut en général qu'on nous montre des mouettes appartenant à ces diverses variétés, des poussins des deux sexes ou des échantillons de l'écriture de la personne en question, que nous nous exercions à les reconnaître et qu'on nous corrige lorsque nous nous trompons. Mais l'apprentissage — dont j'ai parlé auparavant — grâce auquel nous devenons capables de découvrir la sérénité ou la cohérence d'une œuvre d'art est de nature différente (bien que l'autre type d'apprentissage pourrait également être important). L'acquisition de la faculté de percevoir une œuvre sereine ou cohérente dans les catégories correctes ne dépend pas du fait qu'on nous a montré des objets sereins ou cohérents ou que nous nous sommes exercés à les reconnaître. Ce qui importe, ce n'est pas (ou pas seulement) le contact que nous avons pu avoir avec d'autres objets sereins ou cohérents, mais notre contact avec d'autres objets appartenant aux catégories appropriées.

Une grande partie de l'argumentation de cet article était dirigée contre l'idée, apparemment de bon sens, selon laquelle les jugements esthétiques concernant les œuvres d'art doivent se fonder uniquement sur ce qu'on peut percevoir en elles, sur ce qu'elles donnent à voir ou à entendre. Je soutiens que cette idée est erronée pour deux raisons bien distinctes. Je ne nie pas qu'il faille juger les peintures et les sonates uniquement d'après ce qu'on peut y voir ou entendre — lorsqu'elles sont perçues correctement. Mais l'examen perceptif d'une œuvre ne peut en lui-même nous apprendre ni quelle est la manière correcte de la percevoir ni comment la percevoir de cette manière.

Traduit de l'anglais par Claude Hary-Schaeffer

[A l'occasion d'une reprise de cet article dans une anthologie (*Philosophy looks at the Arts*, Joseph Margolis [éd.], Philadelphie, Temple University Press, 1987), K. Walton ajouta la remarque suivante : « Depuis la publication originale de cet article, j'ai changé d'opinion concernant la question de la ressemblance dans l'art représentationnel. Voir mon article " Pictures and Make-Believe ", *The Philosophical Review*, vol. 82, 1973. »]

Luis J. Prieto

Le mythe de l'original

L'original comme objet d'art et comme objet de collection *

I

Il y a un peu plus d'un an j'ai vu, exposée dans un musée de Berlin-Est, une machine à écrire : une Erika portable d'un modèle courant des années 30, laquelle, selon l'étiquette attenante, avait été utilisée dans les imprimeries clandestines de la résistance au nazisme. Peut-être ce qui était écrit sur l'étiquette n'était-il pas vrai, mais de toute façon j'en ai été ému. Le dimanche précédent, en revanche, j'avais vu, sur l'inventaire d'un marchand des Puces de Berlin-Ouest, une machine à écrire de la même marque et plus ou moins du même modèle, et bien que, à vrai dire, je n'eusse aucune raison de penser que cette machine n'avait pas servi elle aussi aux résistants (ni, certes, non plus, de penser le contraire), le fait est qu'elle me laissa totalement indifférent. Je dois reconnaître que j'ai peut-être trop tendance à faire confiance aux conservateurs de musée et que jamais il ne me vient en tête l'idée

* Publié originellement sous le titre « Il Mito dell'originale », dans *Museo dei Musei,* catalogue de l'exposition du même nom, Florence, 1988 ; traduction française par l'auteur, *Poétique* 81, février 1990. L'auteur a publié un autre article sur les mêmes problèmes, en italien, dans *Studi di estitica,* vol. 13, fasc. 2, Bologne, 1985 (« Sull' identità dell' opera d'arte ») et, en anglais, dans *Versus,* 46, Milan, 1987 (« On the Identity of the Work of Art »).

que ce qui est écrit sur les étiquettes puisse être un mensonge ni même une erreur. Puisque, par ailleurs, je suis plutôt pessimiste quant à la possibilité de trouver des trésors historiques (ou autres) sur les éventaires des Puces, mes réactions devant l'une et l'autre machine à écrire s'expliquent facilement. Mettons cependant à ma place quelqu'un de moins influencé que moi par ses préjugés favorables ou défavorables ; quelqu'un donc qui n'ait cure, par exemple, ni de ce qui est dit à propos d'un objet ni de l'endroit où il le trouve, mais seulement de ce qu'il peut observer dans l'objet lui-même pour s'émouvoir ou non devant celui-ci : aurait-il été possible à ce disciple de Didyme, procédant de la sorte, de se rendre compte si l'une ou l'autre machine à écrire ou toutes deux avaient été effectivement utilisées par les antinazis ? Lui aurait-il été possible, en d'autres termes, d'établir par l'observation s'il avait affaire à d'*authentiques* machines à écrire utilisées dans la Résistance ? Le problème que je me propose d'examiner dans la première partie de cet article est justement celui d'établir en quoi consiste en général l'authenticité d'un objet et dans quelle mesure celle-ci peut être vérifiée par l'observation.

Supposons que, aux Puces, le marchand m'ait dit : « C'est la même machine à écrire qu'utilisait le groupe de résistants dont faisait partie mon père. » Il aurait pu vouloir dire, par cette phrase, deux choses très différentes : soit que la machine à écrire qu'il offrait en vente était de la même marque et du même modèle que celle des résistants, soit que la machine en question était, *en tant qu'objet individuel*, celle qu'ils utilisaient. Dans le premier cas, le marchand se serait référé, avec l'adjectif « même », à une *identité spécifique* dont étaient pourvues et la machine à écrire qu'il offrait en vente et, d'après ce qu'il affirmait, celle des résistants. Si ce qu'il voulait dire était au contraire que la machine à écrire qu'il cherchait à vendre était en tant qu'objet individuel la même machine à écrire que celle utilisée par les antinazis, avec l'adjectif « même » il aurait fait référence non à une identité spécifique de la machine à écrire, mais à son *identité numérique*, qui aurait été la même identité numérique que celle d'une des machines à écrire utilisées par les résistants[1].

Ces deux façons d'« être le même », c'est-à-dire être le même spécifiquement ou être le même numériquement, duplicité propre d'ailleurs aux seuls objets matériels, sont à distinguer soigneusement. Une identité spécifique dont un objet est pourvu peut être définie comme une caractéristique ou un ensemble de caractéristiques qu'il présente. Puisqu'un objet présente toujours une infinité de caractéristiques, il est toujours pourvu d'une infinité d'identités spécifiques distinctes (bien que, évidemment, jamais contradictoires entre elles). Un objet, par ailleurs, peut *se transformer*, c'est-à-dire perdre et acquérir des caractéristiques et, par conséquent, perdre et acquérir des identités spécifiques. Du moment, enfin, qu'une caractéristique que présente un objet peut toujours figurer parmi les caractéristiques que présente un autre objet, chacune des identités spécifiques dont est pourvu un objet peut toujours être l'identité spécifique dont est pourvu un autre objet et, par conséquent, un objet peut être spécifiquement identique à une infinité d'autres objets. Quant à l'identité numérique, on peut dire, pour en fournir une idée approximative,

1. Si l'on dit *Le cheval est un mammifère,* le signe *le cheval* se réfère à un objet déterminé certes du fait qu'il est pourvu de l'identité spécifique « cheval », mais indéterminé en tant qu'individu. Si l'on dit en revanche *Le cheval est dans le pré,* le signe *le cheval* se réfère également à un objet déterminé par le fait qu'il est pourvu de l'identité spécifique « cheval »; non, cependant, à n'importe quel objet qui en serait pourvu, mais à un objet déterminé en tant qu'individu, c'est-à-dire pourvu d'une certaine identité numérique. Le terme traditionnel « identité numérique » doit donc être entendu dans le sens d' « identité individuelle ». Le nombre des objets déterminés en tant qu'individus, c'est-à-dire numériquement déterminés, auxquels fait référence un signe est toujours un nombre déterminé. La détermination numérique des objets auxquels se réfère éventuellement un signe et la nécessaire détermination du nombre de ces objets sont cependant deux choses très différentes qu'il convient de distinguer soigneusement.

qu'elle est ce qui fait qu'un objet est un certain objet déterminé en tant qu'individu et non pas un autre. Un objet, d'une part, possède une unique identité numérique, qui est immuable, puisque les transformations que l'objet peut subir concernent exclusivement ses identités spécifiques. Un objet, d'autre part, ne partage son unique identité numérique avec aucun autre objet et, par conséquent, un objet ne saurait être numériquement identique qu'à lui-même.

La distinction que l'on vient d'établir entre deux types d'identité est indispensable pour qu'on soit en mesure de préciser ce qu'est l'authenticité d'un objet. En effet, est dit *authentique* l'objet numériquement déterminé ou chacun des objets numériquement déterminés qui, seuls parmi tous ceux *qui possèdent une certaine identité spécifique*, sont dans un rapport déterminé avec un autre objet, lui aussi numériquement déterminé, et, éventuellement, avec une détermination temporelle de cet objet[2], l'*authenticité* étant l'effectivité du rapport en question. Par exemple, parmi tous les objets pourvus de l'identité spécifique « machine à écrire », c'est-à-dire qui présentent l'ensemble de caractéristiques qui définit cette identité spécifique, constituent d'authentiques machines à écrire utilisées par les résistants seulement les objets, forcément déterminés du point de vue numérique, qui ont effectivement été dans ce rapport avec eux. Au contraire de ce qui se passe pour l'identité numérique, que, comme nous l'avons vu, un objet ne partage avec aucun autre, l'authenticité dont est pourvu un objet — pour autant que cet objet peut ne pas être le seul à se trouver, à l'égard d'un autre objet, dans le rapport dont résulte l'authenticité en question — peut être partagée avec d'autres objets. Rien n'empêchait, par exemple, que l'Erika des Puces tout aussi bien que celle du musée fussent d'authentiques machines à écrire utilisées par les résistants. Un objet, par ailleurs, peut être

2. Seul un objet numériquement déterminé est susceptible de détermination temporelle.

authentique ou non de plus d'un point de vue ; en fait, d'autant de points de vue qu'il y a d'objets numériquement déterminés avec lesquels l'objet en question peut se trouver en rapport. La machine à écrire vendue aux Puces, par exemple, était ou non une authentique machine à écrire utilisée par les résistants selon qu'elle avait été ou non effectivement utilisée par eux. Mais, authentique ou non de ce point de vue, elle pouvait être une authentique Erika portable modèle 1930, c'est-à-dire être un des objets pourvus des caractéristiques qui définissent l'identité spécifique « Erika portable modèle 1930 », produits dans les années 30 par le fabricant de cette marque.

Bien entendu, la machine à écrire pouvait être aussi une *fausse* Erika portable modèle 1930, c'est-à-dire être un objet pourvu des caractéristiques qui définissent l'identité spécifique « Erika portable modèle 1930 » mais non un objet produit par la fabrique Erika ou un objet produit dans les années 30. En effet, en plus des objets authentiques d'un certain point de vue, c'est-à-dire des objets pourvus d'une certaine identité spécifique, qui se trouvent dans un certain rapport avec un autre objet numériquement déterminé, il peut toujours y avoir des objets *pourvus également de l'identité spécifique en question* qui ne sont pas authentiques de ce point de vue, c'est-à-dire qui ne se trouvent pas dans le rapport mentionné[3]. Ce n'est là qu'une conséquence du fait, déjà signalé, que chacune des identités spécifiques dont est pourvu un objet peut se retrouver dans une infinité d'autres objets. Même la production d'objets pourvus d'une identité spécifique donnée (production obtenue par transformation d'objets qui ne sont pas pourvus de cette identité spécifique) n'est nécessairement liée à aucun objet numériquement déterminé ni, par conséquent, à aucune détermination tempo-

3. La *fausseté* à laquelle je me réfère lorsque je parle ci-dessus d'une « fausse Erika portable modèle 1930 » ne concerne donc pas l'identité spécifique de l'objet en question, mais son identité numérique.

relle. Il n'est donc pas à exclure qu'un atelier de la banlieue de Paris, par exemple, produise de nos jours des objets pourvus de *toutes* les caractéristiques qui définissent l'identité spécifique « Erika portable modèle 1930 » — mais qui ne seraient pas, bien entendu, d'authentiques Erika portables modèle 1930.

Deux erreurs, que l'on encourt souvent quant à l'identité numérique des objets, sont à éviter si l'on veut répondre à la seconde partie de la question que nous nous sommes posée, c'est-à-dire à la question d'établir dans quelle mesure l'observation permet de vérifier l'authenticité d'un objet. La première de ces erreurs consiste à penser que l'identité numérique d'un objet n'est rien d'autre que son identité spécifique « absolue », c'est-à-dire l'identité spécifique de l'objet qui serait déterminée par la « totalité » de ses caractéristiques. Laissons de côté la question de savoir si cela a un sens de parler d'une telle « totalité ». De toute façon, si une caractéristique que présente un objet peut toujours figurer parmi les caractéristiques que présente un autre, on ne voit pas pourquoi la même chose ne pourrait avoir lieu pour la « totalité » des caractéristiques d'un objet et pourquoi, par conséquent, deux objets numériques distincts ne pourraient être tous les deux pourvus de la même identité spécifique « absolue ». Cela n'empêche, bien entendu, que plus est précise l'identité spécifique reconnue à un objet, c'est-à-dire plus nombreuses sont les caractéristiques qui la définissent, moins il est probable que cette identité spécifique se retrouve dans un objet numériquement distinct : nous verrons même que ce fait joue un rôle considérable lorsqu'il s'agit de vérifier l'authenticité d'un objet ou, en général, chaque fois que l'on prend en considération son identité numérique.

La seconde des erreurs mentionnées consiste à considérer que l'identité numérique d'un objet, c'est-à-dire le fait d'« être cet objet déterminé en tant qu'individu », constitue une de ses caractéristiques, laquelle serait cependant exceptionnelle puisque, au contraire de toutes les autres, elle ne saurait se retrouver dans aucun autre objet. Admettons que ce soit le cas. Il suffirait alors, pour vérifier l'identité numérique d'un objet, de constater la présence ou l'absence en lui de la caractéristique « être tel objet déterminé en tant qu'individu » sans qu'il soit besoin de tenir compte d'aucune autre. Or, la façon dont on procède, et à laquelle on est certes obligé, est exactement l'inverse. Dans le film de Daniel Vigne, *Le Retour de Martin Guerre*, par exemple, fondé sur un procès en usurpation d'identité (numérique, bien entendu) qui eut effectivement lieu au Moyen Âge, lorsqu'il s'agit d'établir si l'homme qui arrive au village et affirme être Martin Guerre, parti guerroyer dix ans auparavant, est vraiment Martin Guerre, les arguments allégués en faveur de l'une ou l'autre hypothèse se fondent tous sur des caractéristiques telles que la taille de ses pieds (dont le savetier a gardé la forme en bois) ou la présence d'une cicatrice dans le cou (dont une tante se souvient). Jamais il n'est question de la caractéristique que constituerait le fait d'« être Martin Guerre », dont la considération aurait cependant suffi pour établir si l'on avait affaire à Martin Guerre ou à un imposteur. On verra plus tard pourquoi les personnages du film cherchent à vérifier la présence ou l'absence, chez le nouveau venu, de caractéristiques comme celles que j'ai mentionnées. La raison pour laquelle les villageois ne cherchent en tout cas pas à établir si le nouveau venu présente ou non la caractéristique « être Martin Guerre » est que, même s'il s'agissait là effectivement d'une caractéristique, la présence ou l'absence, dans un objet, d'une caractéristique de ce genre n'est jamais vérifiable par l'observation.

L'observation d'un objet ne permet de vérifier la présence ou l'absence dans cet objet que de caractéristiques définissant des identités *spécifiques* dont il est pourvu. En tenant compte de ces caractéristiques et, donc, des identités spécifiques des objets, on réussit cependant, grâce à l'expérience que l'on a des conditions dans lesquelles la réalité matérielle se transforme (ou ne se transforme pas), à calculer la *probabilité* que l'objet auquel on a affaire à un moment donné soit ou non un certain objet numériquement déterminé. Les personnages de Vigne, par exemple, en tenant compte de certaines identités spécifiques dont est pourvu l'objet (l'homme) auquel ils ont affaire au moment où se déroule l'action, peuvent calculer la probabilité que cet objet soit ou non l'objet (l'homme) numériquement déterminé qui dix ans auparavant était connu sous le nom de Martin Guerre. La probabilité ainsi calculée peut être plus ou moins grande, mais elle peut être totale seulement pour l'hypothèse négative. En effet, on peut être sûr que si un objet présente (ou ne présente pas) une caractéristique donnée cet objet *n'est pas* un certain objet numériquement déterminé, mais ni la présence ni l'absence dans un objet d'une caractéristique quelle qu'elle soit ne peut jamais garantir que cet objet *est* un certain objet numériquement déterminé. Admettons, par exemple, que le coin supérieur droit de la page 47 de l'exemplaire du *Capital* possédé par la bibliothèque universitaire de Genève, après avoir été longtemps plié, ait fini par se détacher. Si un jour on vole ce livre et que quelques semaines plus tard apparaît aux Puces un exemplaire du *Capital* dont la page 47 a tous ses coins, on peut être certain que cet exemplaire n'est pas celui de la bibliothèque. En revanche, de l'absence, dans l'exemplaire trouvé aux Puces, du coin supérieur droit de la page 47 on peut déduire seulement la probabilité, certes assez élevée dans ce cas, qu'il s'agisse là de l'exemplaire volé mais, au moins théoriquement, on ne saurait totalement exclure la possibilité contraire[4].

4. Un bel exemple de l'irréductibilité de l'identité numérique d'un objet (dans ce cas, d'une personne) à une quelconque identité spécifique, même la plus précise, nous est fourni par le Dr Escoffier-Lambiotte dans un article de vulgarisation scientifique publié dans *Le Monde* du 1er juillet 1987, où elle discute les méthodes d'identification *numérique* des personnes au moyen de leur identification génétique, qui est, bien entendu, une identification *spécifique*. Les particularités génétiques des tissus organiques, affirme l'auteur,

Ce qui vient d'être dit explique la façon dont travaillent les *experts* et les limites dans lesquelles ils sont en mesure d'atteindre leur but. Même si le problème auquel ils font face est d'établir si l'identité *numérique* d'un objet donné est ou non celle du seul objet authentique ou celle d'un des divers objets authentiques d'un certain point de vue, les experts, comme les personnages du film de Vigne et comme quiconque se pose un problème de ce genre, fondent forcément leurs conclusions sur la présence ou l'absence, dans l'objet en question, de certaines caractéristiques et, par conséquent, sur le fait qu'il présente ou non une certaine identité spécifique. Ces caractéristiques sont celles dont la présence dans l'objet ou dans les objets authentiques est considérée comme sûre ; les caractéristiques, donc, dont l'ensemble définit l'*identité spécifique la plus précise* dont la présence dans un objet est considérée comme une condition nécessaire, quoique jamais suffisante, pour que cet objet soit authentique. Si, par conséquent, les caractéristiques mentionnées ne se retrouvent pas toutes dans un objet donné, celui-ci peut être déclaré non authentique, mais il ne saurait en revanche être déclaré authentique du seul fait qu'il les présente toutes. Dans ce cas l'authenticité de l'objet peut être considérée seulement comme probable, et d'autant plus probable qu'il est moins probable de retrouver l'ensemble des caractéristiques en question dans un objet non authentique. Dans l'hypothèse de l'exemplaire du *Capital* trouvé aux Puces, la présence en lui d'une caractéristique dont on sait qu'était pourvu l'exemplaire de la bibliothèque, du genre de l'absence d'un coin d'une certaine page, ou encore d'une tache d'encre à un certain endroit, etc., rend

---

« confèrent à chaque être humain un caractère *quasi* unique » et permettent ainsi d'établir l'identité numérique d'une personne « avec une probabilité *qui frise* la certitude (99,9%) ». (C'est moi qui souligne.) Ces particularités, donc, pour le dire dans mes termes, déterminent une identité spécifique dont « presque un unique » être humain, numériquement determiné, est pourvu.

pratiquement sûr qu'on a affaire, dans les deux cas, au même exemplaire. Le degré élevé de probabilité avec lequel le *Capital* trouvé aux Puces peut être déclaré l'*authentique* exemplaire propriété de la bibliothèque dérive du fait qu'il est très improbable qu'un autre exemplaire du *Capital* pourvu des caractéristiques mentionnées se soit produit spontanément ou que quelqu'un se soit donné la peine de le produire. Mais la situation ne se présente pas toujours dans des conditions aussi favorables. Il est, par exemple, pratiquement impossible qu'un objet pourvu de l'identité spécifique la plus précise dont un objet doit être pourvu pour pouvoir être une authentique Erika portable modèle 1930 se soit produit par génération spontanée, mais il n'est pas du tout à exclure que quelqu'un se soit chargé de le produire afin de le faire passer pour authentique. La probabilité qu'un tel objet soit une authentique Erika portable modèle 1930 est pour cette raison beaucoup plus faible que dans le cas du *Capital* volé à la bibliothèque. On a enfin affaire à un cas qui se place à l'opposé de ce dernier avec l'exemple dont nous sommes partis, celui de la machine à écrire ayant appartenu à des résistants. En principe, peut être une machine à écrire utilisée par les résistants au nazisme toute machine à écrire qui a été en usage en Allemagne dans les années 30 ou 40. L'identité spécifique la plus précise dont la présence dans un objet est une condition nécessaire (bien que, dans ce cas, particulièrement insuffisante) pour que cet objet soit une authentique machine à écrire utilisée par les résistants est, par conséquent, la même identité spécifique dont un objet doit être pourvu pour pouvoir être une authentique machine à écrire en usage en Allemagne dans les années 30 ou 40. Le nombre des objets qui sont ou non d'authentiques machines à écrire en usage en Allemagne dans les années 30 ou 40, mais en tout cas pourvus de l'identité spécifique nécessaire pour l'être, est évidemment beaucoup plus élevé que le nombre des objets — bien entendu, pourvus tous de l'identité spécifique mentionnée — qui sont des machines à écrire utilisées par les antinazis. Par conséquent, le degré de probabilité avec lequel on peut établir, prenant en considération les caractéristiques d'un objet, et donc au moyen de l'observation, que cet objet constitue une authentique machine à écrire utilisée par les résistants au nazisme est pratiquement nul.

Dans la définition d'authenticité proposée ci-dessus intervient, comme on s'en souvient, une certaine identité spécifique : les objets authentiques d'un point de vue déterminé sont en effet des objets qui figurent parmi ceux qui sont pourvus d'une certaine identité spécifique. On ne saurait donc se demander si un objet est authentique ou non du point de vue en question que s'il est déjà pourvu de cette identité spécifique. La question, par exemple, de savoir si une certaine machine à écrire est ou non une authentique machine à écrire utilisée par les antinazis peut se poser à propos d'une machine à écrire modèle 1930, mais non à propos d'une machine à écrire modèle 1950. L'identité spécifique qu'un objet doit présenter pour que la question se pose de son authenticité d'un certain point de vue peut cependant varier pour une personne et pour une autre, et elle est, dans la plupart des cas, plus précise pour les experts que pour les personnes qui ne sont pas des experts. On pourrait discuter sur le rapport logique qui relie, d'une part, l'identité spécifique dont un objet doit être pourvu pour que la question se pose de son authenticité d'un certain point de vue et, d'autre part, l'identité spécifique sur laquelle on se fonde pour répondre à cette question, c'est-à-dire l'identité spécifique la plus précise dont la présence dans un objet est considérée comme une condition nécessaire pour qu'il soit authentique. Il me semble que les possibilités ne peuvent être que deux, à savoir la coïncidence ou l'inclusion. Il est par exemple fort probable que l'identité spécifique dont un objet doit être pourvu pour qu'un expert se demande à son propos s'il est une authentique Erika portable modèle 1930 coïncide avec l'identité spécifique sur laquelle il fonde sa réponse, c'est-à-dire avec l'identité spécifique définie par l'ensemble des caractéristiques qu'un objet doit présenter pour être authentique. En revanche, l'identité spécifique dont doit être pourvu un objet pour qu'un expert se demande à son propos s'il est ou non l'authentique exemplaire de *Das Kapital* qui a appartenu à Engels est probablement incluante à l'égard de l'identité spécifique sur laquelle l'expert se fonde pour répondre : en effet, la première de ces identités spécifiques est probablement celle dont un objet doit être pourvu pour être un authentique exemplaire d'une certaine édition de *Das Kapital,* tandis que la dernière est l'identité spécifique que définissent, outre les caractéristiques qui définissent la première, des caractéristiques du type de celles qui, dans l'exemple discuté ci-dessus, permettaient de reconnaître, dans l'exemplaire du *Capital* trouvé aux Puces, l'exemplaire volé à la bibliothèque. On retrouve en tout cas les limites dans lesquelles l'expert est en mesure de répondre à la question de l'authenticité d'un objet : l'expert ne peut pas établir si un objet est authentique ou non, mais seulement s'il remplit ou non les conditions pour l'être. Plus il est probable que ces conditions soient remplies par des objets non authentiques (produits intentionnellement ou non), moins il est probable qu'un objet qui les remplit soit effectivement authentique.

Il est pourtant fréquent que l'authenticité d'un objet d'un certain point de vue soit considérée comme sûre même dans des cas comme celui de la machine à écrire des résistants, dans lesquels le fait de constater qu'un objet remplit les conditions pour pouvoir être authentique ne permet nullement d'affirmer, avec un degré de probabilité acceptable, qu'il l'est effectivement. Pour expliquer ce fait il faut tenir compte de ce que l'on peut considérer comme une sorte de tradition, ou de *pedigree,* et que manifeste le *discours* qui accompagne l'objet. Ce discours, puisque l'observation permet éventuellement de conclure à la non-authenticité d'un objet, mais jamais à son authenticité, joue forcément un rôle chaque fois qu'un objet est considéré comme authentique. L'importance de ce rôle peut cependant varier beaucoup d'un cas à un autre : plus la condition nécessaire pour que l'objet en question soit authentique est insuffisante pour qu'il le soit effectivement, plus est important le rôle du discours qui l'accompagne. Si, par exemple, le musée de Berlin-Est peut présenter l'Erika portable qu'il expose comme une authentique machine à écrire par les antinazis, c'est en définitive grâce au *pedigree* de cette machine, révélé par le discours de celui qui l'a vendue ou donnée au musée, discours éventuellement fondé à son tour sur un autre discours — celui, par exemple, d'un résistant, et ainsi de suite. Et c'est, en ce qui me concerne, également un discours, représenté par l'étiquette attenante à la machine à écrire du musée, et seulement ce discours, qui explique que je me sois ému en la regardant.

II

Une œuvre d'art n'est à mon avis qu'un cas particulier d'*invention.* Une invention n'est pas constituée par un *objet*, mais par un *concept*, c'est-à-dire par une identité spécifique, celle dont, de l'avis de l'inventeur, doit être pourvu un objet afin qu'il soit efficace pour atteindre un certain but. Un objet « réalise » une invention déterminée lorsqu'il est pourvu de l'identité spécifique qui constitue cette invention. L'identité numérique d'un objet ne compte donc nullement pour que cet objet soit ou non une réalisation d'une certaine invention et, par conséquent, deux objets numériquement distincts, à la seule condition qu'ils soient tous les deux pourvus de l'identité spécifique qui constitue une invention, sont tous les deux, et au même titre, des réalisations de celle-ci. L'inventeur est le créateur de l'identité spécifique qui constitue une invention ; un exécutant est quelqu'un qui réalise l'invention, c'est-à-dire qui produit un objet pourvu de l'identité spécifique qui la constitue. L'inventeur peut évidemment être lui-même un exécutant, mais il n'a pas besoin de l'être pour être l'inventeur. D'ailleurs, on peut évidemment être un exécutant d'une invention sans en être l'inventeur.

Le radiorécepteur inventé par Marconi, par exemple, n'est pas constitué par un objet ; il n'est en particulier pas constitué par les objets produits par Marconi (à supposer qu'il en ait produit lui-même), avec lesquels il réussissait à capter les ondes hertziennes, mais par une certaine identité spécifique dont ces objets étaient pourvus et qui les rendait efficaces pour capter les ondes hertziennes. En produisant ces objets, Marconi procédait non en inventeur, mais en exécutant de son invention, et il en aurait de toute façon été l'inventeur même s'il ne les avait pas produits. N'importe quel objet, d'ailleurs, à condition qu'il soit pourvu de l'identité spécifique créée par Marconi (comme l'est, par exemple, mon petit transistor), constitue, quel que soit celui qui l'a produit et au même titre que les radiorécepteurs produits par Marconi lui-même, une réalisation de son invention.

Or, l'auteur d'une œuvre d'art ne procède pas de façon différente de celle dont procède un (autre) inventeur (quel qu'il soit), aussi bien dans les cas où il réalise lui-même son œuvre que dans les cas où il délègue cette tâche à un exécutant autre que lui. Lorsqu'il exécute lui-même son œuvre, l'auteur ne semble chercher rien d'autre que la production d'un objet qui présente certaines caractéristiques et qui soit donc pourvu d'une certaine identité spécifique. En particulier, l'identité numérique de l'objet à produire ne semble pas du tout l'intéresser, et, une fois un objet produit, ce n'est jamais l'identité numérique de cet objet qui détermine que l'auteur le reconnaisse ou non comme une réalisation réussie de son œuvre. L'identité spécifique de l'objet à produire semble également être la seule chose qui compte pour l'auteur dans les cas où il délègue la réalisation de l'œuvre. Dans ce cas l'auteur doit de toute façon produire lui-même un objet dont l'exécutant puisse se servir pour mener à bien sa tâche : il doit produire soit un *signal*, tel que la partition d'une œuvre musicale, le projet d'une œuvre d'architecture, l'ébauche d'une fresque, etc., soit une *matrice*, comme le moule d'une sculpture, le négatif d'une œuvre photographique, etc. Or, le signal produit par l'auteur indique à l'exécutant certaines caractéristiques, donc une certaine identité spécifique, dont l'objet à produire doit être pourvu pour constituer une réalisation de l'œuvre, mais il n'indique rien — et ne saurait en aucun cas rien indiquer — sur l'identité numérique de cet objet. Quant à la matrice, qui est peut-être toujours accompagnée de signaux, elle peut garantir à l'auteur que l'exécutant produit en l'utilisant un objet pourvu d'une certaine identité spécifique, mais non un objet pourvu d'une identité numérique déterminée.

Il est à remarquer par ailleurs que la production d'un objet matériel pourvu d'une certaine identité spécifique se fait toujours par transformation et que la transformation ne concerne, justement, que l'identité spécifique d'un objet, c'est-à-dire que, dans la transformation, un objet, *restant nécessairement le même du point de vue numérique*, change d'identité spécifique. Si, par conséquent, l'auteur ou l'exécutant cherchaient à produire un objet pourvu non seulement d'une identité spécifique déterminée, mais aussi d'une identité numérique déterminée, ils ne pourraient réussir à le produire que par une transformation de l'objet qui possède déjà, *avant la transformation*, l'identité numérique mentionnée, et ils devraient donc commencer par la recherche de cet objet. Or, il me semble évident que ce n'est jamais ainsi qu'ils procèdent[5].

Nous avons vu que l'identité spécifique qui constitue une invention est celle dont l'inventeur considère qu'un objet doit être pourvu afin d'atteindre un certain but. Or, il est certes toujours délicat de parler de but en matière de

5. Sans doute, l'auteur ou l'exécutant choisissent l'objet à transformer en tenant compte d'une certaine identité spécifique qu'il présente. Mais ils le font non pas pour calculer à partir de cette identité spécifique la probabilité qu'ils aient affaire à un objet pourvu d'une certaine identité numérique, mais parce que seul un objet pourvu d'une identité spécifique déterminée peut être transformé de façon qu'il en acquière une autre identité spécifique déterminée.

création artistique, mais il me semble que, avec l'objet qu'il produit (ou fait produire), l'auteur, comme l'inventeur, se propose lui aussi d'atteindre quelque chose et a donc en vue un but au sens large du terme[6] : l'identité spécifique dont doit être pourvu l'objet à produire ne serait ainsi que l'identité spécifique dont un objet doit être pourvu pour servir à atteindre un tel but. Cela serait confirmé par une autre analogie que l'on peut déceler entre les façons de procéder respectives de l'inventeur et de l'auteur. Il est évident, en effet, que l'efficacité d'une invention pour atteindre un certain but ne peut être appréciée que dans la mesure où cette invention est *réalisée*. C'est là la raison des parcours pendulaires que l'inventeur fait souvent entre l'invention et la réalisation de celle-ci : l'inefficacité, ou bien l'efficacité limitée, pour atteindre le but, révélée par une réalisation de l'invention porte à la modification de celle-ci, c'est-à-dire à la modification de l'identité spécifique qui la constitue ; ainsi modifiée, l'invention est de nouveau mise à l'épreuve à travers une nouvelle réalisation, qui se montrera à son tour plus ou moins efficace pour atteindre le but, et ainsi de suite. Or, des parcours semblables entre « ce que l'auteur conçoit » et l'exécution de « ce qu'il conçoit » sont fréquents dans la création artistique.

Exactement comme la réalisation d'une invention, la seule condition que doit remplir un objet pour être une réalisation d'une œuvre d'art serait donc d'être pourvu d'une certaine identité spécifique. *L'œuvre d'art, comme l'invention en général, ne serait par conséquent constituée*

6. Rien ne change à cela le degré de *conscience* que l'auteur a de ce but et, donc, de la raison de l'identité spécifique dont il considère que l'objet à produire doit être pourvu. Sur ce point, la création artistique s'écarte sans doute de l'invention, puisque pour l'inventer le but est toujours explicite (la découverte fortuite n'est pas l'invention dont nous nous occupons ici). Par ailleurs, l'identité spécifique dont doit être pourvu l'objet à produire est certainement analysée en caractéristiques beaucoup plus souvent par l'inventeur que par l'auteur d'une œuvre d'art.

par aucune de ses réalisations, ni, en particulier, par la réalisation, souvent unique, produite par l'auteur lui-même, mais par une identité spécifique dont ces réalisations sont pourvues. Guernica, par exemple, ne serait constituée ni par l'objet peint par Picasso et exposé depuis quelques années au Prado ni par aucun autre objet, mais par une identité spécifique dont sont pourvus l'objet exposé au Prado et éventuellement d'autres objets. En peignant lui-même l'objet exposé au Prado, Picasso procédait non en auteur de *Guernica*, mais en exécutant, c'est-à-dire qu'il aurait pu de toute façon être l'auteur de cette œuvre même s'il n'avait pas peint l'objet exposé au Prado ni aucun objet pourvu de l'identité spécifique en question. N'importe quel objet, par ailleurs, à la seule condition qu'il soit pourvu, comme l'est certainement l'objet exposé au Prado, de l'identité spécifique qui constitue l'œuvre d'art appelée *Guernica*, est à considérer, qui que ce soit qui l'ait produit, comme une réalisation de cette œuvre au même titre que l'est l'objet produit par Picasso et exposé au Prado.

Les points de vue que je viens de formuler ne sont qu'en partie en désaccord avec ce qui est habituellement admis à propos des œuvres d'art. En effet, lorsque l'œuvre d'art dont il s'agit est une œuvre musicale ou, en général, une œuvre dont les réalisations se développent dans le temps (une œuvre donc chorégraphique, théâtrale, cinématographique, etc.), personne ne semble mettre en doute que n'importe quel objet, à condition qu'il présente certaines caractéristiques et soit donc pourvu d'une certaine identité spécifique, constitue une réalisation de l'œuvre en question. La position courante est en contradiction avec celle que je soutiens seulement à propos des œuvres d'art qui réalisent des objets dans lesquels la dimension temporelle n'intervient pour rien (un tableau, une gravure, une sculpture, une œuvre architecturale, etc.) Dans ces cas, en effet, seuls sont admis comme réalisation de l'œuvre un ou plusieurs objets *numériquement déterminés,* à savoir l'objet numériquement déterminé ou les objets numériquement déterminés qu'on appelle l'unique « original » (d'un tableau, par exemple) ou les divers « originaux » (d'une gravure, par exemple).

Il ne saurait y avoir de doute que le caractère différent des réalisations d'une œuvre, (spatio-)temporel dans un cas, purement spatial dans l'autre, joue un rôle dans cette attitude différente que l'on adopte d'habitude quant à ce qui est admis comme une telle réalisation, selon l'art auquel appartient l'œuvre. Non, cependant, comme j'espère le montrer, qu'une œuvre ne soit toujours constituée par une identité spécifique, et une réalisation d'une œuvre d'art par n'importe quel objet qui soit pourvu de l'identité spécifique qui la constitue, mais l'intervention du temps dans les réalisations des œuvres relevant de certaines formes d'art a empêché l'extension à ces réalisations d'un phénomène ou, plutôt, d'une certaine forme d'un phénomène qui n'a, avec l'art, aucun lien intrinsèque : le phénomène constitué par le *collectionnisme.*

La forme de collectionnisme à laquelle je me réfère est celle qui attribue une valeur à un objet en rapport avec sa *rareté*, dont l'*unicité* constitue le degré extrême. Cette unicité, comme on le laisse déjà entendre en la définissant comme un degré de rareté, n'est pourtant pas celle, inhérente à chaque objet, qui résulte du fait que l'identité numérique d'un objet ne se retrouve dans aucun autre objet. L'unicité et la rareté qui intéressent le collectionnisme sont celles de l'objet ou des objets *authentiques* dans le sens qu'on a défini ci-dessus : un objet est *unique,* dans le sens que le collectionnisme donne à ce terme, lorsqu'il est le seul à être authentique d'un certain point de vue, et il est plus ou moins *rare* lorsqu'il est un des objets respectivement moins ou plus nombreux qui partagent une certaine authenticité. Or, seuls parmi toutes les réalisations d'une œuvre d'art, les originaux de celle-ci (éventuellement son unique original) possèdent une certaine authenticité qui leur permet, à condition que n'intervienne pas en eux la dimension temporelle, de devenir des objets de collection. Un *original* d'une œuvre d'art est en effet un objet, forcément déterminé numériquement, qui a été produit ou non par l'auteur, mais dont la production a été en tout cas décidée par lui et qu'il a reconnu comme étant une réalisation réussie de cette œuvre, c'est-à-dire comme un objet effectivement pourvu de l'identité spécifique qui la constitue[7]. Il y a donc une authenticité que possède le seul original ou que partagent les divers originaux d'une œuvre et de laquelle sont au contraire dépourvues les autres réalisations : l'authenticité qui résulte du fait d'être, parmi toutes les réalisations de l'œuvre, la seule réalisation (ou les seules réalisations) dont la production a été décidée par l'autre lui-même et qu'il a reconnue(s) comme constituant effectivement une (ou des) réalisation(s) de l'œuvre.

Cette authenticité se retrouve certainement aussi bien dans les originaux d'une œuvre dont les réalisations se déroulent dans le temps que dans les originaux d'une œuvre que réalisent des objets où la dimension temporelle est absente. Cependant, comme je l'ai déjà signalé, le fait de se dérouler dans le temps empêche les premiers de devenir des objets de collection. En effet, une condition nécessaire pour qu'une portion de la réalité matérielle apparaisse à un sujet comme constituant un objet est qu'elle soit reconnue *dans ses limites* soit spatiales, soit temporelles, soit enfin à la fois spatiales et temporelles. Les réalisations d'une œuvre d'art dont les réalisations se déroulent dans le temps sont constituées justement par des portions de la réalité qui apparaissent comme des objets du fait qu'elles sont reconnues dans des limites *temporelles* : dans des limites seulement temporelles dans le cas, par exemple, des réalisations d'une œuvre musicale, et dans des limites à la fois spatiales et temporelles dans le cas, par exemple, des réalisations d'une œuvre cinémato-

7. Comme il était déjà arrivé à propos d'autres problèmes, l'exigence de rigueur, toujours présente, de mon ami et ancien collaborateur Fabio Cesareo m'a amené à une définition d' « original » plus satisfaisante, à ce qu'il me semble, que celle que j'avais proposée précédemment.

graphique. Le fait que l'objet qui constitue la réalisation d'une œuvre d'art apparaisse comme constituant un objet grâce à des limites temporelles dans lesquelles il est reconnu implique pourtant que, dès le moment où il parvient à être pleinement cette réalisation, et parce qu'il parvient à l'être, il cesse d'exister. L'original d'une œuvre d'art dont les réalisations se déroulent dans le temps est donc une portion de la réalité matérielle qui, dès le moment où elle parvient à apparaître comme l'objet qui constitue cet original, n'existe plus. Il ne serait par conséquent pas juste de dire que le collectionnisme ne s'intéresse pas aux originaux des œuvres d'art dont les réalisations se déroulent dans le temps du fait que ces originaux manquent de valeur de collection : ces originaux sont tout simplement inimaginables comme objets de collection[8], et, par conséquent, la question de leur valeur en tant qu'objets de collection ne se pose même pas.

Pour ce qui concerne les originaux des œuvres d'art que réalisent des objets dans lesquels la dimension temporelle n'intervient pas[9], ils peuvent certes devenir des objets de collection et être pourvus, en tant que tels, de la valeur que leur confère, parmi d'autres, l'authenticité — soumise bien entendu à toutes les incertitudes qui s'attachent à une authenticité quelle qu'elle soit — résultant de leur rapport avec l'auteur respectif. Un objet, pourtant, n'est pas une

8. Il y a sans doute des personnes qui collectionnent, par exemple, des œuvres musicales enregistrées sur disques. Mais on a affaire, dans ce cas, à une forme différente de collectionnisme, puisque aucune forme d'authenticité n'est demandée ni aux disques eux-mêmes ni aux objets sonores qu'on produit par leur moyen. En revanche, si quelqu'un collectionne, par exemple, des disques appartenant à des éditions déterminées, il demandera que ces disques soient d'authentiques disques appartenant à ces éditions, et l'on aura par conséquent affaire à la forme de collectionnisme qui nous intéresse ici. Mais, évidemment, les objets qui composeraient la collection seraient alors les disques eux-mêmes et non les œuvres musicales enregistrées.

9. Cela bien entendu veut dire non pas que les réalisations en question ne sont pas dans le temps, mais qu'elles n'apparaissent pas comme des objets parce qu'elles sont reconnues dans des limites temporelles.

réalisation d'une œuvre d'art déterminée parce que sa production a été décidée par l'auteur, ni parce que celui-ci l'a reconnu comme étant effectivement une telle réalisation, mais parce qu'il est pourvu de l'identité spécifique qui constitue l'œuvre en question. Un original n'est par conséquent pas plus qu'un autre objet quel qu'il soit qui, comme lui, est pourvu de l'identité spécifique qui constitue l'œuvre, une réalisation de celle-ci [10]. En particulier, un original, puisque son efficacité à l'égard du but que s'est proposé l'auteur dépend seulement du fait qu'il est pourvu de l'identité spécifique qui constitue l'œuvre, n'est pas plus efficace, à l'égard de ce but, que n'importe quel autre objet pourvu également de cette identité spécifique.

Non, certes, en tant qu'objet de collection, mais en tant qu'objet d'art, chaque réalisation d'une œuvre, qu'elle soit ou non un original, est donc équivalente à toute autre : à mon avis, seule la confusion, entretenue peut-être pour des raisons de marché, entre objet de collection et objet d'art, explique la sorte de mythe qui s'est créé autour des originaux [11]. En admettant, au nom de ce mythe, les originaux comme les seules réalisations des œuvres d'art et, donc, comme les seuls objets pourvus de l'efficacité qui permet d'accéder, pour ainsi dire, à ces œuvres, on limite leur jouissance aux seules personnes résidant dans les métropoles culturelles ou disposant de moyens pour s'y

10. Un objet pourvu de l'identité spécifique qui constitue une œuvre d'art déterminée mais qui n'en est pas un original serait, si on prétendait le faire passer pour un original, faux en tant qu'original, mais non en tant que réalisation de l'œuvre. (Voir ci-dessus, note 3.)

11. Des œuvres comme le *Porte-Bouteilles* de Marcel Duchamp, par exemple, présentent à l' « état pur » ce mythe de l'original, mettant ainsi en lumière son aspect absurde : des divers porte-bouteilles en vente au Bazar de l'Hôtel de Ville de Paris, parmi lesquels l'auteur aurait probablement été incapable de reconnaître une quelconque différence, celui qu'il choisit, et seulement celui qu'il choisit, multiplie plusieurs milliers de fois sa valeur de marché par le simple fait d'être le porte-bouteilles numériquement déterminé choisi par Duchamp et d'être ainsi devenu l'*authentique* original de son *Porte-Bouteilles*.

rendre. Rien ne devrait pourtant empêcher que, de même qu'il y a ou qu'il peut en tout cas y avoir partout dans le monde des bibliothèques qui permettent d'acquérir sur place une culture littéraire, il y ait aussi des musées permettant de devenir familier des arts plastiques.

Bien entendu, en tant qu'objet d'art, n'importe quelle réalisation d'une œuvre d'art vaut l'original *à condition cependant qu'elle en soit effectivement une réalisation*, c'est-à-dire qu'elle soit un objet effectivement pourvu de l'identité spécifique qui constitue cette œuvre. C'est là le seul aspect du problème, à part la valeur de collection dont peut être pourvu l'original d'une œuvre, susceptible d'expliquer la préférence accordée à celui-ci sur toute autre réalisation de cette œuvre. L'auteur de l'œuvre, en effet, puisqu'il est lui-même celui qui l'a créée, sait forcément quelle est l'identité spécifique qui la constitue. Par conséquent, l'original, qui, par définition, a été reconnu par l'auteur comme étant pourvu de cette identité spécifique, en est certainement pourvu et constitue certainement une réalisation de l'œuvre. Cela, cependant, ne justifie nullement que l'on nie *a priori* la possibilité qu'un objet, sans être l'original d'une œuvre, puisse en être de plein droit une réalisation. Dans deux cas, au moins, un objet qui n'est pas l'original d'une œuvre peut être considéré, avec autant de certitude que s'il l'était, comme une réalisation de cette œuvre : d'une part, lorsque l'auteur a indiqué au moyen de signaux (par exemple, au moyen d'un projet d'architecture) l'identité spécifique qui constitue l'œuvre et que l'objet en question est pourvu de cette identité spécifique ; d'autre part, lorsque l'objet en question a été produit en utilisant une matrice (par exemple, un moule) produite par l'auteur lui-même et en tenant compte des signaux qui, à mon avis, accompagnent toujours une telle matrice.

Ce n'est cependant pas dans les cas comme ceux-ci que se pose vraiment la question de savoir si une réalisation non originale d'une œuvre d'art est ou non pourvue de l'identité spécifique qui constitue celle-ci, mais dans les cas, par ailleurs les plus fréquents, où l'auteur n'a produit ni signal ni matrice mais une et une seule réalisation (originale, bien entendu) de son œuvre. Dans les cas de ce genre, la production d'une réalisation non originale de l'œuvre ne peut évidemment se fonder que sur l'utilisation de son unique original. Or, il y a deux procédés très différents pour produire une réalisation non originale d'une œuvre d'art en utilisant pour cela son original.

Le premier, pratiqué depuis toujours, est celui que l'on connaît sous le nom de *copie* et qui consiste à se servir de l'original comme *signal* dont on tire des informations sur l'identité spécifique qui constitue l'œuvre [12]. Ce procédé implique une *interprétation* de l'original de la part du *copiste*. En effet, le copiste doit déterminer quelles sont, de l'infinité de caractéristiques que présente l'original, celles qui définissent l'identité spécifique qui constitue l'œuvre et qui doivent donc se retrouver dans l'objet à produire pour qu'il soit effectivement une autre réalisation de celle-ci. Le copiste doit, en d'autres termes, déterminer quelles sont les caractéristiques grâce auxquelles l'original constitue une réalisation de l'œuvre et qui sont de ce fait *pertinentes* [13]. Or, la détermination de ces caractéristiques

12. Lorsqu'on produit une réalisation non originale d'une œuvre musicale en la jouant « d'oreille », on se sert d'une autre réalisation de cette œuvre comme signal dont on obtient des informations sur l'identité spécifique qui la constitue. On ne procède donc pas différemment de celui qui fait une copie d'une œuvre relevant des arts plastiques. Seulement, il est peu fréquent que la réalisation qui sert de signal à celui qui joue « d'oreille » soit un original.

13. L'interprétation du copiste consiste donc dans la tentative d'établir l'identité spécifique grâce à laquelle l'original est une réalisation de l'œuvre. Ce type d'interprétation ne diffère de l'interprétation que fait le simple spectateur que par l'utilisation « projectative » que le copiste — mais certainement pas le simple spectateur — fait ensuite de l'identité spécifique ainsi établie lorsqu'il se propose de *produire* un objet qui la présente. L'interprétation du copiste est en revanche très différente de ce qu'on entend couramment par « interprétation » lorsqu'on parle de l'interprétation qu'un musicien fait d'une œuvre musicale. Le musicien ne part pas d'un original mais d'une partition. Celle-ci est certes interprétée par le musicien, puisqu'il doit reconnaître ses traits pertinents (c'est-à-dire les traits pertinents *de la partition,* qui renvoient à des caractéristiques que doit

ne peut être qu'hypothétique, et, par conséquent, il sera aussi hypothétique qu'un objet produit par ce procédé — objet que, comme le procédé lui-même, on appelle une

---

présenter la réalisation de l'œuvre mais ne sont évidemment pas à confondre avec ces caractéristiques). Ce n'est pourtant pas cette interprétation de la partition qui constitue ce qu'on appelle l'interprétation de l'œuvre. En principe, le musicien, quelle que soit la façon dont il interprète l'œuvre, produit un objet sonore qui présente toutes les caractéristiques indiquées par la partition mais aussi, nécessairement, une infinité d'autres caractéristiques. Or, c'est parmi ces caractéristiques-ci que se trouvent les caractéristiques pertinentes pour l'interprétation du musicien en question, c'est-à-dire les caractéristiques qui permettent de reconnaître cette interprétation et la distinguent de l'interprétation d'autres musiciens.

Le musicien peut prétendre (et souvent ne s'en prive pas) que les caractéristiques de l'objet qu'il produit, pertinentes pour son interprétation et qui ne sont pas indiquées dans la partition, sont malgré cela des caractéristiques pertinentes pour l'œuvre elle-même mais que la partition, du fait de l'insuffisance du code dont elle relève, est incapable d'indiquer. Cette attitude, à part les cas tout à fait respectables où elle se fonde sur des études philologiques sérieuses, n'est pas à mon avis soutenable. Plus intéressant me semble en revanche de considérer l'objet produit par le musicien comme la réalisation commune de *deux* œuvres musicales distinctes, créées l'une par l'auteur et l'autre par l'interprète. Ces œuvres seraient constituées bien entendu par des identités spécifiques distinctes, mais en rapport logique d'inclusion entre elles, grâce à quoi elles pourraient être toutes deux réalisées par un même objet. L'identité spécifique qui constitue l'une de ces œuvres, celle portant le titre (par exemple, *Symphonie fantastique*), est définie par les caractéristiques indiquées dans la partition : celles-ci sont en tout cas les seules que l'on puisse légitimement considérer comme intervenant dans cette définition. Dans la mesure, donc, où l'objet produit par le musicien les présente toutes, il constitue une réalisation de l'œuvre en question. Mais le musicien — l'*interprète* — est l'*auteur* d'une *autre* œuvre, que l'objet qu'il produit réalise également. Cette autre œuvre — qui est, justement, ce qu'on appelle l'*interprétation* faite par tel ou tel musicien de l'œuvre portant le titre — est constituée par une identité spécifique que définissent, outre la totalité des caractéristiques pertinentes pour l'œuvre portant le titre, encore d'autres caractéristiques ; par une identité spécifique donc qui se trouve, à l'égard de l'identité spécifique qui constitue l'œuvre portant le titre, en rapport logique d'inclusion comme terme inclus (se rappeler qu'une classe incluse est incluse dans l'*extension* de la classe incluante), ce qui rend possible que l'objet produit par le musicien, qui est en principe une réalisation de l'œuvre portant le titre, réalise

copie — constitue effectivement une réalisation de l'œuvre[14].

Le second procédé, beaucoup plus récent, désigné, de même que les objets qui en résultent, par le terme *reproduction*, consiste à utiliser la réalisation originale d'une œuvre comme *matrice*, c'est-à-dire comme *moyen*

---

en même temps l'œuvre que constitue son interprétation. Ce point de vue est renforcé par ce qui se passe dans les genres de musique populaire tels que le jazz ou le tango, où l'identité spécifique qui constitue l'œuvre portant le titre est en général très sommaire (elle n'est souvent définie que par quelques intervalles) : pour peu que l'objet produit par l'interprète soit pourvu de cette identité spécifique, il réalise l'œuvre portant le titre, mais il reste à l'interprète une ample marge pour faire aussi de l'objet en question une réalisation de sa propre œuvre.

14. Les œuvres *littéraires* sont réalisées par des *textes* qui, à mon avis, sont en tout cas des *objets matériels,* graphiques ou phoniques *selon l'œuvre dont il s'agit.* Lorsque les réalisations d'une œuvre littéraire sont des textes *écrits* (c'est le cas, par exemple, d'un roman), l'auteur produit lui-même une première réalisation (le manuscrit), et les autres réalisations sont produites ensuite soit par copie soit par reproduction (offset, photocopie) à partir de la réalisation originale ou d'une autre. Lorsque les réalisations d'une œuvre littéraire sont des textes *oraux* (c'est souvent le cas, par exemple, des poèmes), elles ont le même caractère éphémère que les réalisations des œuvres musicales, et ce qu'on appelle son « texte » n'est qu'un signal qui joue le même rôle que joue, en musique, la partition. Elles sont produites soit par lecture du « texte », soit encore par copie d'une autre réalisation (orale, bien entendu), originale ou non. La production d'une réalisation d'une œuvre littéraire par copie d'une autre réalisation ne pose cependant aucun problème d'interprétation du type de celui auquel doit faire face le copiste d'une œuvre d'art plastique. En effet, les caractéristiques d'un texte (oral ou écrit) pertinentes par rapport à l'œuvre ne sont en général que les traits *linguistiquement* pertinents de ce texte, c'est-à-dire les traits pertinents pour le code hautement institutionnalisé qu'est la langue. Même dans les cas de transmission orale, c'est-à-dire dans les cas où une réalisation d'une œuvre que réalisent des objets phoniques est produite en en copiant une autre, ce n'est pas un problème d'interprétation de cette dernière qui se pose au copiste, mais un problème de mémoire, résultant du caractère éphémère de ces réalisations. Pour des raisons semblables, la « haute fidélité » sans discrimination du pertinent et du non-pertinent que l'on cherche à juste titre à obtenir dans la reproduction des œuvres plastiques (ou musicales, mais cela est un autre problème) n'est pas de mise dans la reproduction d'un texte.

matériel pour produire des réalisations non originales. Nous avons vu que la copie implique l'interprétation de l'original. Dans la reproduction, au contraire, il n'y a pas d'interprétation, puisque, avec elle, on cherche à produire un objet dans lequel se retrouvent le plus possible de caractéristiques de l'original, sans aucun égard au fait qu'elles soient ou non pertinentes : plus il y a de caractéristiques de l'original qui se retrouvent dans la reproduction, moindre est le risque que des caractéristiques pertinentes en soient absentes. Certes, dans la reproduction il y a quelque chose qui approche d'une interprétation dans la mesure où les appareils grâce auxquels, associés à l'original utilisé comme matrice, on produit une reproduction sont préparés pour être « sensibles » seulement à certains « paramètres » de l'original [15] : dans le cas d'une œuvre picturale, par exemple, les appareils utilisés pour la reproduire à partir de l'original ne sont probablement pas prévus pour produire des objets dans lesquels on retrouve la caractéristique de l'original constituée par son poids. Cette sorte de « sélection » des « paramètres » ne se fonde cependant pas sur ce qui serait une hypothèse concernant les « paramètres » qui sont en général pertinents dans les œuvres relevant d'un certain art. Le degré de sophistication auquel sont parvenus les appareils de reproduction actuels — c'est-à-dire, d'une part, le nombre de « paramètres » (pertinents ou non) auxquels ces appareils sont sensibles et, d'autre part, la précision des classes (pertinentes ou non) qu'ils sont capables de « reconnaître » sur chacun de ces « paramètres » — est de toute façon tel qu'il rend pratiquement totale la probabilité que les reproductions obtenues par leur moyen comportent toutes les caractéristiques de l'original et, donc, constituent effectivement des réalisations de l'œuvre.

15. Je préfère dire, en faisant un emploi élargi du terme, certaines *dimensions* de l'original. Voir mes *Études de linguistique et de sémiologie générales,* Genève, Droz, 1975, p. 25, et, dans une présentation plus détaillée et récente du problème, « Caractéristique et dimension », *Cahiers Ferdinand de Saussure,* n° 42, 1988, p. 25-63.

Charles L. Stevenson

« *Qu'est-ce qu'un poème ?* »*

I

Lorsqu'un enfant demande « Qu'est-ce qu'un poème ? », la question nous trouble rarement. Mais lorsqu'elle est posée par un philosophe, et qu'elle est associée à des questions du genre « Qu'est-ce que l'art ? », ou « Qu'est-ce que la beauté ? », il se peut qu'elle nous semble épineuse, voire profonde.

Il est indéniable que la version philosophique de la question a donné lieu à des discussions portant sur des problèmes importants. Quant à sa simplicité apparente, elle semble à première vue parler en sa faveur ; ou du moins, si poser des questions compliquées en des termes simples est une faute, on la tolère plus facilement que le défaut opposé. Cependant, dans le cas présent, je pense que la question est formulée de manière beaucoup *trop simple.* Ce qu'on prend pour une seule question risque d'être en fait une série de questions tout à fait différentes, confondues les unes avec les autres. D'où la conséquence suivante, dont le schéma n'est que trop familier : l'embrouillamini qui résulte du fait que nous tentons de répondre simultanément à plusieurs questions différentes nous amène à penser qu'il s'agit d'un problème particulièrement profond. Et, pendant ce temps-là, les problèmes

* Publié originellement sous le titre « On " What is a Poem ? " » dans *The Philosophical Review,* vol. 66, 2, juillet 1957, p. 328-362 ; traduction française, *Poétique* 83, septembre 1990.

légitimes liés aux différentes questions prises une à une restent sans réponse : or, ces questions, même si elles sont un peu moins « profondes », présentent peut-être néanmoins un intérêt véritable.

C'est pour cela que je vais diviser ici la question : « Qu'est-ce qu'un poème ? » en une série de questions partielles relativement faciles à manier. J'essaierai de répondre à celles qui sont simples. Quant à celles qui se révéleront compliquées, je me bornerai à les énoncer et à les clarifier. En effet, mon but n'est pas tant de donner des réponses aux différentes questions partielles que de montrer qu'il faut les distinguer.

II

Dans la philosophie contemporaine on identifie couramment les questions de la forme : « Qu'est-ce que... ? » à des requêtes d'ordre définitionnel. Les définitions peuvent rester assez proches de la signification commune des termes, mais en même temps elles sont censées les clarifier et les rendre plus utiles. Ainsi, « Qu'est-ce qu'un poème ? » devient « Que veut dire le terme “ poème ” ? ». Cette reformulation sauvegarde au moins une partie, et peut-être même une grande partie, de la valeur sémantique de la question initiale. Je la prendrai donc comme point de départ.

Nous ne tarderons pas à voir que la question ainsi reformulée est encore trop vaste, puisque, selon le contexte, le terme « poème » peut avoir des significations légèrement différentes qui posent, chacune, des problèmes spécifiques. Mais, si l'on excepte les emplois manifestement métaphoriques du terme, toutes ses significations doivent avoir en commun quelque chose qui le rend apte à désigner une œuvre littéraire, en tant qu'elle est différente, par exemple, d'un tableau ou d'une symphonie. On peut donc admettre que la formulation suivante est un premier pas vers une définition du terme :

(1) *L'expression « un poème » dénote une séquence de mots...*

Bien entendu, cette formulation ne nous fournit qu'une définition très large par le genre proche qui ne tient pas compte des différences spécifiques (grâce auxquelles un poème se distingue non seulement d'une œuvre en prose, mais aussi de n'importe quelle autre séquence de mots, telle la liste de tous les verbes anglais irréguliers). Mais, au niveau qui est le sien, elle semble acceptable.

Cependant, dès ce premier pas, le problème est déjà un peu plus complexe qu'on ne pourrait le supposer. C'est que le terme « mot » est ambigu en lui-même, puisqu'il peut désigner soit ce que C. S. Peirce appelle un *mot-token,* soit ce qu'il appelle un *mot-type*[1]. Donc, si nous définissons le terme « poème » en référence partielle à des mots, comme c'est le cas dans notre formule (1), nous redoublons cette ambiguïté. Plus précisément, la *séquence* de mots en question peut être soit un token soit un type. Dans le premier cas il s'agit d'une marque écrite (ou d'une suite sonore) complexe et individuelle, composée d'éléments spatiaux ou temporels qui sont des mots-token ; dans le second cas il s'agit d'un type particulier de classe (donc d'un « type » au sens d'une « espèce » ou d'un « genre ») qui a de telles marques écrites (ou suites sonores) complexes et individuelles comme membres. Ainsi le terme « poème » peut-il référer soit à un poème-token, soit à un poème-type, en sorte que l'ambiguïté notée par Peirce est tout simplement transférée à une unité linguistique supérieure. Nous devons donc nous demander si oui ou non il convient de l'éliminer.

Il est vrai que, lorsque nous voulons parler d'un token, nous avons un certain nombre d'autres termes à notre disposition. Ainsi nous pouvons parler du « manuscrit

1. *Collected Papers of Charles Sanders Peirce,* Charles Hartshorne et Paul Weiss (éd.), Cambridge (Mass.), 1933, t. IV, § 537.

d'un poème », de la « copie d'un poème », de la « récitation d'un poème », et ainsi de suite. On pourrait donc penser qu'il conviendrait de réserver le terme « poème » au type correspondant. Cette solution évacuerait l'ambiguïté et elle rendrait raison du fait que nous disons que les copies, etc., sont des copies *du* poème. Elles *en* sont des copies au sens où différents individus sont dits être *de* la même espèce, la relation pertinente étant celle de l'appartenance à une classe.

Il me semble pourtant que ces avantages sont annulés par un désavantage évident : l'acceptation de cette solution n'entraînerait pas d'appauvrissement de notre vocabulaire total, mais elle aurait des conséquences tellement embarrassantes et contraires à nos façons de parler usuelles qu'elle se révélerait inapplicable. Je le montrerai à l'aide d'un exemple.

Il n'y a pas de doute qu'en parlant de poèmes nous nous référons *souvent* à des poèmes-type. C'est le cas, par exemple, lorsque nous disons : « Beaucoup de poèmes traitent de la mythologie classique » ; en effet, l'*Ulysse* de Tennyson, bien qu'il en existe de nombreuses copies (entités-token), ne comptera que comme un de ces poèmes. Mais il suffit de prendre en considération un contexte différent, par exemple la question « Quand le poème a-t-il été écrit ? », pour se rendre compte que le terme se réfère parfois à un token. Car ce qui a été *écrit* (du moins, si on prend le terme en son sens le plus usuel), c'est un *manuscrit* ou quelque chose de ce genre. Or, un manuscrit n'est pas un type, mais un *token* particulier *d'*un type. De même la phrase « Tu trouveras le poème sur le rayon supérieur de ma bibliothèque » se réfère à un *token d'*un type. Certes, on peut éviter ces contextes grâce à des développements des phrases en question, ce qui nous donnera : « Quand le *manuscrit* original du poème a-t-il été écrit ? », et : « Tu trouveras une *copie du* poème sur le rayon supérieur de ma bibliothèque. » De ce fait, le terme « poème » se référera à un poème-type. Mais dans le parler courant nous ne nous limitons pas à de tels contextes développés, et d'ailleurs le gain en clarté ne compenserait pas l'embarras que cela impliquerait.

En fait, les usages idiomatiques du terme sont plus enchevêtrés que je ne l'ai indiqué. Prenons par exemple les deux assertions suivantes, qui pour l'essentiel disent la même chose :

(a) *Chaque étudiant était censé coucher par écrit une copie du même poème que celui dont le professeur présentait une récitation orale.*

(b) *Chaque étudiant était censé coucher par écrit le même poème que celui que récitait le professeur.*

L'assertion (a) tente de référer le terme « poème » uniquement à un poème-type : elle y réussit, mais le résultat est d'une grande maladresse stylistique. L'assertion (b) ne tente rien de tel, d'où sa simplicité stylistique. Il faut remarquer surtout que la simplicité extérieure de (b) résulte du fait qu'elle impose un double sens au terme « poème ». En effet, en tant que modifié par l'expression adjectivale « le même », ce terme dénote un poème-type, alors qu'en tant qu'objet de l'expression verbale « coucher par écrit » ou (cela revient au même) du verbe « récitait », il dénote quelque token d'un poème-type. Il s'agit donc d'un contexte (il en existe une multitude du même ordre) dans lequel l'ambiguïté type-token donne naissance à une équivoque *(a pun)* commode, à fonction sérieuse *(humorless)*. Or, il me semble que personne ne voudrait que des phrases telles que (b) soient exclues de la langue. Car leur utilité fait plus que compenser les risques de confusion éventuelle qu'elles pourraient causer[2].

2. On n'est pas obligé de dire que (b) impose une double tâche au mot « poème », en opposition aux autres mots de la phrase. On peut dire que le poids du double sens pèse sur « coucher par écrit » et « récitait » ; car nous pouvons soutenir que le contexte global transforme ces expressions en des abréviations pour « coucher par écrit quelque token » et « récitait quelque token ». Ainsi, le mot « poème » n'aura plus de double référence : il dénotera seulement un poème type. Mais dans la mesure où cette simplification de la

Donc, l'ambiguïté entre type et token est avantageuse. C'est la raison pour laquelle je suggère que nous utilisions le terme « poème » de telle façon qu'elle soit préservée, et que nous fassions confiance aux divers contextes dans lesquels il intervient pour résoudre son ambiguïté. Cela revient à dire que (pour le moment) la première étape de ma définition, c'est-à-dire la détermination par le genre proche, qui réfère le terme « poème » à une séquence de mots, n'a pas besoin d'être amendée.

Comme les constatations précédentes semblent aller de soi, le lecteur se demandera peut-être pourquoi je ne les ai pas considérées comme admises d'avance. Mais, ce faisant, j'aurais traité beaucoup trop cavalièrement l'ambiguïté entre type et token : ce problème apparemment mineur peut, si on ne l'aborde pas avec précaution, donner lieu à des conceptions étranges. L'exemple suivant en est sans doute une illustration.

Au début du chapitre traitant du « mode d'existence » de l'œuvre littéraire, Austin Warren et René Wellek affirment qu'un poème n'est ni un ensemble individuel de marques sur papier (ou sur parchemin, etc.) ni un ensemble individuel de sons physiques[3]. Et ils ont bien entendu raison, dans la mesure où le terme « poème » ne saurait désigner exclusivement des poèmes-token. Mais ensuite ils pensent qu'ils se sont assez occupés des *mots*. Autrement dit, ils n'envisagent pas la possibilité que le terme

---

signification du mot « poème » n'est possible que si on introduit une complexité référentielle ailleurs dans la phrase, on n'a rien gagné. Par ailleurs, cette solution alternative nous force malgré tout à admettre que dans la phrase (b) le mot « poème » aide à donner une double fonction aux expressions verbales, double fonction que « coucher par écrit » par exemple n'a pas dans (a). Or, en soutenant que le terme se réfère uniquement à un poème type, on ne rend pas compte de ce fait. La situation est donc inchangée : soit nous devons rejeter les phrases idiomatiques du genre de (b), ce qui est très incommode, soit nous devons accepter que « poème » possède une signification relativement compliquée.

3. René Wellek et Austin Warren, *Théorie de la littérature* (1942), trad. fr. Paris, Éd. du Seuil, 1971, p. 196-213.

« poème » puisse référer aux poèmes-token *ou* aux poèmes-type (ou aux deux ensemble, comme dans mon exemple qui considère que le terme « poème » donne lieu à une équivoque à fonction sérieuse). Pour avoir négligé cette alternative non sophistiquée, ils sont amenés à en défendre une qui est extrêmement sophistiquée. Ils soutiennent en effet que le terme « poème » désigne une *structure de normes*. Je n'examinerai pas ici les raisons qui les ont conduits à cette définition ; je voudrais seulement faire remarquer que, contrairement à ce que suggère leur argumentation, ils n'étaient pas forcés de l'adopter sous prétexte qu'il n'existerait pas d'alternative opérationnelle moins sophistiquée. Ils ont donné congé prématurément à la nature verbale de la poésie. Et je soupçonne qu'ils auraient moins insisté sur leur définition s'ils avaient été plus attentifs à la distinction bien connue entre type et token.

III

Mon premier pas vers une définition du terme « poème » ne nous a pas encore menés bien loin, mais, avant de quitter cet aspect du problème, je voudrais l'examiner encore d'un peu plus près. Afin d'adapter ma formule aux différentes locutions idiomatiques du parler ordinaire, il me faut en effet introduire un certain nombre de spécifications.

Avant d'entrer dans le vif du sujet, je poserai d'abord comme hypothèse que la prochaine étape de la définition aura trait à la *signification* de la séquence de mots en question. Il s'agit là d'une hypothèse exagérément simpliste, mais pour le moment elle nous suffit. On peut donc admettre que la définition à venir sera plus ou moins de la forme suivante (toujours incomplète) :

(1) *L'expression « un poème » dénote une séquence de mots qui exprime telle ou telle signification.*

Je voudrais examiner maintenant si cette formulation est préférable ou non à la transformation suivante :

(2) *L'expression « un poème » dénote telle ou telle signification qui est exprimée par une séquence de mots.*

La transformation est minime : « une séquence de mots », qui était l'expression nominale principale de l'assertion (1), passe dans la subordonnée, tandis que l'inverse est vrai pour « signification ». Mais je pense qu'elle mérite qu'on s'y arrête, et cela pour les raisons suivantes.

Nous avons l'habitude de dire d'un poème qu'il peut être écrit, publié, lu, mémorisé, récité, analysé par rapport à son mètre et à ses rimes, etc. Et nous avons également l'habitude d'employer les mêmes locutions pour décrire une séquence de mots. La formulation (1) tient compte de ce fait, car, en faisant de l'expression « une séquence de mots » la locution nominale principale de la définition du terme « poème », elle suggère que les deux termes peuvent accepter les mêmes prédications *(modifiers)*. En revanche (2) semble être inexacte en ce point. D'après sa structure grammaticale, ce seraient plutôt les termes « poème » et « signification » qui pourraient accepter les mêmes prédicats. Or, il semble forcé de dire d'une signification qu'elle est écrite, récitée, etc. Pour autant que nous jugions d'après les contextes que j'ai indiqués, nous aurons donc sans doute tendance à rejeter (2) comme risquant de nous induire en erreur.

Mais il suffit d'examiner d'autres cas pour être tentés au contraire d'inverser cette décision. Car nous disons également d'un poème qu'il est profond, pénétrant, raffiné, etc. Or, il est plus idiomatique d'employer ces termes pour décrire une signification que pour décrire une séquence de mots ; donc, dans des contextes de ce genre, contrairement à ceux que j'ai mentionnés plus haut, le sens du terme « poème » semble s'adapter plus facilement à la formulation (2) qu'à la formulation (1).

Peut-être serons-nous tentés de conclure que nous pouvons (une fois de plus) nous accommoder de cette ambiguïté en employant le terme de « poème » soit dans un sens soit dans l'autre, suivant le contexte. Il est certain que cette possibilité nous est offerte. Mais elle ne nous est nullement imposée, car (en dépit de ce que semblent impliquer les exemples que nous venons de voir) nous pouvons tout aussi bien retenir exclusivement ou bien (1), ou bien (2). Je voudrais expliquer la situation un peu plus en détail, car elle constitue un exemple intéressant de la flexibilité de la langue.

Examinons un contexte comme « Son poème est profond », qui semble favoriser le modèle (2). Même dans cet exemple nous pouvons affirmer, si nous le désirons, que le terme « poème » suit le modèle (1). En effet, on peut soutenir que le contexte confère un sens spécial non pas au substantif « poème », mais à l'adjectif « profond » : il suffit d'admettre qu'il l'institue en raccourci pour l'expression « profond du point de vue de sa signification ». Une telle explication s'accorde parfaitement avec d'autres locutions idiomatiques du même ordre. Ainsi, une phrase comme « Il prononça des paroles profondes » nous oblige virtuellement à reconnaître l'existence d'un tel sens étendu de l'adjectif « profond ». Si nous attribuons des sens similaires à un certain nombre d'autres termes qui peuvent modifier « poème », rien ne nous interdit de garder (1) et d'éliminer définitivement (2).

D'un autre côté, prenons un contexte tel que celui de la phrase « Il a publié son poème », qui semble favoriser la formulation (1). En inversant le procédé que nous venons d'utiliser, nous pourrons dire que le terme « poème » suit le modèle (2), c'est-à-dire qu'il se réfère à une signification. En effet nous pouvons considérer « a publié » comme un raccourci pour « a publié une expression verbale de ». Dans ce cas encore, c'est le sens des termes mis en relation grammaticale avec « poème » que nous étendrons, plutôt que la signification de ce terme lui-même. Mais, alors que précédemment nous étendions le sens des termes qui semblaient exiger la formulation (2), nous ferons ici l'inverse. Si nous appliquions la même procédure à « mémoriser », « analyser le rythme de », etc., nous aurions peut-être l'impression de forcer la langue. Et pourtant, à part quelques exceptions mineures, une telle façon de procéder est parfaitement réalisable, de sorte qu'on peut éliminer (2) en faveur de (1).

Autrement dit, nous avons un triple choix : soit accepter l'ambiguïté, soit la résoudre en faveur de (1), soit la résoudre en faveur de (2)[4]. Et à mon avis il est plus important de savoir qu'un choix existe que de choisir effectivement une fois pour toutes une solution déterminée. On peut s'attendre que tous les auteurs ne fassent pas le même choix. Si nous voulons comprendre l'existence de ces choix différents, nous devons nous rappeler qu'aucune des alternatives que j'ai proposées n'est la seule possible, bien que chacune impose ses propres conditions quant à la façon dont nous pouvons définir les termes grammaticalement liés à « poème ».

Je devrais peut-être développer l'une après l'autre les deux alternatives. Mais pour des raisons de brièveté je me concentrerai surtout sur la formulation (1). J'admettrai que la manière dont on pourrait développer (2) sera

4. Mon analyse n'est nullement exhaustive. Ainsi, dans notre *definiens,* nous pourrions conférer le même statut à « séquence de mots » et à « signification », ce qui nous donnerait par exemple :

(3) *L'expression « un poème » dénote une séquence de mots et telle ou telle signification, la première exprimant la seconde.*

Cette formulation convient bien à certains contextes dans lesquels nous voulons qu'un même adjectif s'applique à la fois aux mots et à la signification, par exemple lorsque nous parlons de poèmes « intéressants ». Mais d'autres contextes, par exemple lorsque nous parlons de poèmes « publiés » (etc.) ou de poèmes « profonds » (etc.), posent problème : si nous voulons laisser leur sens normal à ces adjectifs, il nous faut introduire une règle grammaticale qui soit capable de garantir que dans (3) chacun des deux ne modifie que le substantif auquel il peut s'appliquer de manière sensée, et non les deux. J'ai volontairement négligé cette possibilité dans mon texte, car elle aurait compliqué mon analyse sans introduire d'élément véritablement nouveau.

évidente par implication. Cela dit, vers la fin de mon étude, je serai obligé de revenir à (2) et de l'examiner de façon un peu plus détaillée, car nous verrons alors qu'elle pose un problème spécifique.

Passons maintenant à un autre point, apparenté à ceux déjà discutés, par rapport auquel (1) mérite d'être examiné. Nous avons vu que le terme « poème » est pour ainsi dire enchevêtré avec le contexte dans lequel il intervient. Un cas particulièrement intéressant de cet enchevêtrement est sans doute celui de la traduction d'un poème.

Lorsque deux hommes lisent un poème écrit dans une langue étrangère, mais que le premier le lit dans la langue originale et le second en traduction, on peut dire soit :

(a) *Les deux hommes lisent des poèmes différents, bien que ces poèmes expriment plus ou moins la même signification dans des langues différentes.*

Ou alternativement, et de manière plus ou moins équivalente :

(b) *Les deux hommes lisent le même poème, bien qu'ils le lisent dans des langues différentes.*

Comme on le voit, la phrase (a) est en accord avec la formulation (1), puisqu'elle n'asserte rien concernant le poème qu'on ne pourrait dire aussi d'une séquence de mots. Cela n'est pas le cas (du moins pas de manière évidente) pour (b) : ici le poème est censé être le même alors que les langues (et donc, par implication, les mots) ne sont pas les mêmes. Voici donc de nouveau un contexte auquel (1) semble mal adaptée.

Nous pourrions nous contenter d'admettre que « le même » possède ici une signification spéciale, c'est-à-dire que nous pourrions réintroduire (1), selon la procédure esquissée plus haut. Nous dirions ainsi que, dans (b), « le même » est un raccourci pour « le même... eu égard à la signification ». Mais dans le cas présent je trouve cette solution moins intéressante que celle, toute différente, qui consiste à admettre que le terme « poème » présente ici une version plus étendue de l'ambiguïté type-token.

Pour expliquer ce que je veux dire, permettez-moi d'abord de compléter le couple « token » et « type » par un troisième terme, à savoir « mégatype ». Deux unités-token appartiendront au même mégatype si, et seulement si, elles possèdent approximativement la même signification. Il n'est donc pas nécessaire que les deux unités-token appartiennent à la même langue ni qu'elles soient liées par une relation de similarité de forme ou de son, telle celle qui fait qu'elles appartiennent au même type. Ainsi, n'importe quel token de « table » et n'importe quel token de « *mensa* », bien qu'ils n'appartiennent pas au même type, appartiendront au même mégatype. Bien entendu, on n'est pas obligé de restreindre la distinction à des mots isolés : elle peut être étendue à des unités linguistiques plus vastes, y compris à des poèmes[5]. Nous pouvons donc expliquer (b) en disant que dans le contexte de cette phrase le terme « poème », plutôt que de manifester simplement l'ambiguïté habituelle entre type et token, est lié à une forme spécifique de l'ambiguïté entre type et mégatype[6]. Car, en tant que complément d'objet de

5. Je devrais peut-être préciser que je ne prétends nullement avoir donné un sens très précis à « mégatype ». Il s'agit simplement d'un terme nouveau pour une vieille notion et dont l'intérêt réside dans le fait qu'il forme un couple oppositionnel avec « type ». Bien entendu, le terme n'est pas plus clair que le terme « signification » qui entre dans sa définition.

6. Si je parle d' « une forme spécifique » de l'ambiguïté entre type et mégatype, c'est pour la raison suivante. Conçu comme mégatype, un poème est une classe de poèmes-token ; et ses membres ne sont pas seulement les poèmes-token qui sont du même type que, par exemple, le manuscrit original, ainsi que ceux qui en sont des traductions dans des langues étrangères, mais aussi certains poèmes-token qui en sont des paraphrases peu déviantes, c'est-à-dire qui ont été obtenues en substituant aux termes du manuscrit original des termes approximativement synonymes pris dans la même langue. En toute rigueur, dans des contextes comme celui de (b), le terme « poème » n'est pas affecté par cette forme globale de l'ambiguïté entre type et mégatype, mais seulement par une forme plus restreinte qui exclut les paraphrases.

l'expression verbale « lisent », le terme « poème » se réfère à un token d'un mégatype, alors que, lorsqu'il est modifié par la locution adjectivale « le même », il se réfère au mégatype lui-même. Nous avons déjà vu que l'ambiguïté entre type et token permet des « équivoques à fonction sérieuse » de ce genre : il n'est donc pas étonnant qu'il en soit de même pour l'ambiguïté entre type et mégatype.

Lorsque nous analysons les expressions métalinguistiques, nous nous rendons compte que leur attitude envers l'ambiguïté entre mégatype et token est très diverse. « Terme » et « assertion », par exemple, s'y prêtent facilement. C'est peut-être la raison pour laquelle ces deux notions jouent un si grand rôle dans la logique contemporaine, qui cherche des règles qui soient communes à de nombreuses langues. Mais « mot » et « phrase » y résistent fortement. (Ainsi, si nous pouvons dire de « table » et de « *mensa* » qu'il s'agit du même *terme* dans des langues différentes, ce serait forcer l'usage linguistique que de dire qu'il s'agit du même *mot* dans des langues différentes.) Quant à « poème », il résiste partiellement à l'ambiguïté, bien que nous ayons vu qu'il se rapproche davantage de « terme » ou d' « assertion » que de « mot » ou de « phrase ». Mais on ne saurait dire que « poème » dénote une séquence de termes ou d'assertions : cela risquerait d'exagérer les similarités entre poésie et science, vu les liens intimes que les expressions « terme » et « assertion » entretiennent avec la science. C'est la raison pour laquelle, lors de la discussion de la formulation (1), j'ai dit que « poème » dénote une séquence de mots. Mais de ce fait il est nécessaire d'ajouter la précision que je viens d'introduire, à savoir que « poème » se prête assez facilement à l'ambiguïté entre mégatype et token alors que ce n'est pas le cas pour l'expression « séquence de mots ».

Je pense avoir pris en compte toutes les spécifications nécessaires pour rendre opératoire la formulation (1). Mais au début de cette section j'ai fait remarquer que, en la sélectionnant comme formule définitoire du terme

« poème », nous ne devrions pas oublier qu'il existe d'autres possibilités et qu'elle nous oblige à étendre le sens d'un certain nombre de termes dès lors qu'ils sont prédiqués de « poème ». J'ai ensuite montré que dans certains contextes il peut être utile d'étendre la signification du terme tel qu'il est défini par (1), c'est-à-dire de le doter aussi d'une ambiguïté entre mégatype et token, et non pas simplement entre type et token. Je sais bien que, si je prenais en compte des contextes moins usuels, il me faudrait accepter la nécessité d'autres spécifications. Mais cela montre simplement que les usages idiomatiques de « poème », comme de bien d'autres termes, sont irréductibles à quelque brève formule. Heureusement, ces particularités idiomatiques ne sont pas toutes importantes, et la recherche d'une définition qui ne tient compte que des aspects les plus caractéristiques peut donc s'avérer avantageuse.

IV

Je suis parti de l'idée que la question « Qu'est-ce qu'un poème ? » revient à demander ce que signifie le terme « poème ». J'ai donné une réponse partielle en disant que, en un sens important du terme, et à condition qu'on introduise un certain nombre de spécifications indispensables, « poème » se réfère à une séquence de mots. Mais cela ne nous donne que la définition du genre proche et ne nous apprend rien sur les différences spécifiques (mes remarques concernant l'expression de telle ou telle signification n'avaient qu'une fonction illustrative). Il faut donc essayer maintenant de la compléter.

C'est un problème particulièrement intéressant, et il importe de se rendre compte que toute solution qui se veut simple risque fort d'être beaucoup trop simple. Je vais donner quelques exemples.

Dans de nombreux cas on reconnaît la poésie à la présence de rythmes réguliers et de rimes. Mais je suppose que nous sommes d'accord pour considérer que le vers libre fait lui aussi partie de la poésie : or, il ne possède aucune des deux propriétés énumérées. Donc, si nous en faisons des propriétés définitoires nécessaires, nous aboutirons à une définition trop restreinte de la poésie. On ne peut pas non plus spécifier le terme en disant qu'un poème est quelque chose qui nous invite à nous concentrer sur la pure sonorité des mots (indépendamment de la question du rythme et des rimes), ou à lire les mots à voix haute et avec une inflexion stylisée : bien qu'il s'agisse là de traits caractéristiques de bon nombre de textes que nous appelons poèmes, ils ne sont pas toujours présents et on les trouve aussi parfois dans des textes de prose. De même, on ne peut manifestement pas dire qu'un poème doit être écrit en lignes mesurées, et ainsi de suite : ce serait non seulement accorder trop d'attention à une contingence notationnelle mais cela reviendrait aussi à exclure la poésie populaire orale.

Si nous abandonnons l'aspect pour ainsi dire purement sensoriel des mots et que nous nous tournons vers leur signification, nous rencontrons une situation presque similaire. Ainsi, on pourrait être tenté de dire que la poésie doit se limiter à un domaine restreint de sujets ou d'incidents — par exemple, ceux qui sont les corrélats objectifs d'émotions puissantes, ou ceux qui ont une action particulièrement vivifiante sur l'imagination —, ou encore que sa signification doit résulter d'une exploration des nuances de la langue, menée à l'aide de métaphores et d'autres expressions figurées. Mais ces propriétés, comme celles retenues plus haut, ne sont caractéristiques que d'*une grande partie* de la poésie. Je ne pense pas que nous serions prêts à y voir des traits essentiels de toute poésie, ou à considérer qu'ils sont suffisants pour distinguer entre un poème et une œuvre en prose écrite dans un style expressif, imaginatif et figuré. Autrement dit, les propriétés énumérées ne sauraient être utilisées pour expliquer une fois pour toutes la signification du terme « poème ».

Il n'en reste pas moins que des propriétés du genre de

celles que j'ai énumérées sont très étroitement liées à la poésie. Et il est difficile d'admettre que le terme « poème » devrait être défini par des traits radicalement différents. Il se pourrait donc que les problèmes rencontrés plus haut résultent de la présupposition tacite que seulement une, ou deux, ou trois des propriétés énumérées peuvent être pertinentes. Peut-être qu'une définition adéquate doit se référer à *toutes* les propriétés. Et il se peut qu'il faille les considérer non pas comme des éléments spécifiés par conjonction, mais plutôt comme déterminant des *ressemblances de famille* (pour reprendre la métaphore bien connue de Wittgenstein) entre poèmes[7]. Il s'agit sans conteste d'une possibilité intéressante, et je me propose de l explorer un peu plus profondément.

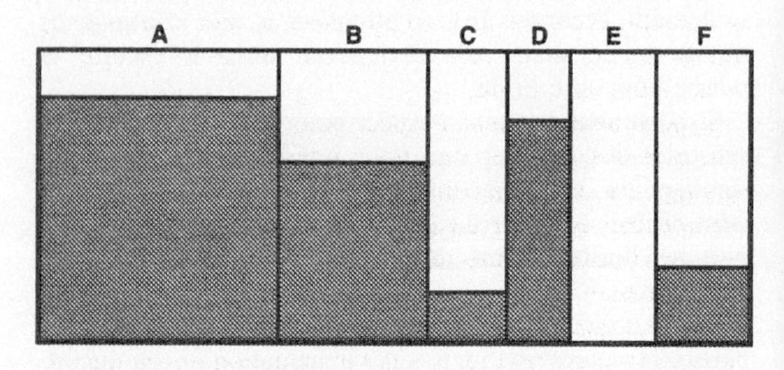

Le diagramme qui précède m'aidera à expliquer de quoi il est question[8]. Il s'agit certes d'un graphique artificiel en

7. Ludwig Wittgenstein, *Investigations philosophiques,* I, 66 et 67. Mes réflexions ne prétendent pas être une exposition ou une application des conceptions wittgensteiniennes. Il s'agit simplement d'un point de vue parent du sien. Pour une approche esthétique peut-être plus wittgensteinienne que la mienne, et certainement moins conservatrice, voir Morris Weitz, « The Role of Theory in Aesthetics », *Journal of Aesthetics and Art Criticism,* vol. 15, 1956-1957, p. 27-35 ; trad. fr. *in* Danielle Lories (éd.), *Philosophie analytique et esthétique,* Paris, Méridiens-Klincksieck, 1988, p. 27-40.

8. Mon diagramme est en accord avec le point de vue défendu par Abraham Kaplan, il y a quelques années de cela (peut-être en 1941),

ce qu'il promet davantage de précision que le cas présent n'en permet ; il n'en est pas moins utile. Chaque colonne représente une des propriétés précédemment mentionnées. Ainsi la colonne A représente le rythme régulier et la colonne B les rimes. Si elles sont plus larges que les autres colonnes, c'est afin d'indiquer que les propriétés correspondantes sont particulièrement importantes pour la signification du terme « poème ». Les colonnes restantes représentent les autres propriétés énumérées (les deux dernières, qu'on aurait facilement pu transformer en trois ou quatre, représentent des facteurs sémantiques). Il faut préciser que chacune des propriétés est variable en degré. Ainsi le degré de rythme régulier peut être conçu comme variant en proportion inverse des irrégularités de scansion, une irrégularité extrême étant considérée comme relevant de la prose et non de la poésie. Et ainsi de suite pour les autres colonnes.

Voici comment le diagramme doit être utilisé pour stipuler les différences spécifiques de « poème ». Étant donné une séquence de mots qui prétend au label de poème, nous devons d'abord estimer à quel degré elle possède chacune des propriétés constituantes en question et ensuite créer dans chaque colonne une zone ombrée qui correspond au taux atteint. Lorsque la surface ombrée totale excède un certain pourcentage (disons 30 %) de la surface globale du diagramme, la séquence de mots en question sera dite être un poème ; dans le cas contraire, elle n'en est pas un.

Ainsi notre exemple représente-t-il un véritable poème. Ses valeurs sont faibles en ce qui concerne la structure phonique (et ainsi de suite), le sujet et l'usage des figures

---

lors des séances d'un groupe de discussion qui se réunissait à New York. Pour des travaux publiés allant dans le même sens, voir son article « Definition and the Specification of Meaning », *Journal of Philosophy*, vol. 43, 1946, p. 281, ainsi que « A Calculus for Empirical Classes », écrit en collaboration avec H. F. Schott, in *Methodos*, III, 1951, p. 165-190.

rhétoriques (colonnes C, E et F) ; mais, dans la mesure où il compense ce manque par des valeurs élevées dans les domaines de la régularité du rythme, des rimes et dans sa typographie (colonnes A, B et C), il a clairement droit à la dénomination « poème ». Bien entendu, un autre exemple nous aurait donné une répartition différente des zones ombrées. Ainsi, dans le cas d'une œuvre en vers libres, les colonnes A et B resteront pratiquement vierges ; mais si ce manque est compensé par des pourcentages élevés de zones ombrées dans les autres colonnes, on aura raison de la considérer comme un poème. Il y aura évidemment (est-il besoin de l'ajouter ?) d'autres exemples dans lesquels la somme des zones ombrées sera inférieure à la quantité requise ; ces textes n'auront pas droit à la dénomination « poème », même s'ils possèdent une valeur élevée dans telle ou telle colonne individuelle.

Il faut noter que cette procédure définitionnelle permet au terme « poème » de référer à des œuvres qui peuvent présenter de grandes différences entre elles, y compris en ce qui concerne les propriétés individuelles que nous avons sélectionnées pour définir le terme. Ainsi, les deux poèmes que j'ai mentionnés diffèrent quant au rythme, quant aux rimes, quant au thème, et ainsi de suite. Il est donc tentant de dire que la procédure ne fait que systématiser l'ambiguïté du terme — qu'elle ne le ramène pas à un sens spécifique, mais nous permet de l'appliquer à des œuvres qui « ont vraiment peu de chose ou rien en commun ». Bien que cette objection ne soit pas dépourvue d'intérêt (comme nous le verrons plus tard), elle risque d'être fallacieuse. Selon notre définition du terme, tous les poèmes doivent avoir une propriété en commun — celle représentée par la spécification d'un pourcentage minimal de zones ombrées dans le diagramme. Bien qu'elle ne soit pour ainsi dire que la moyenne pondérée des pourcentages atteints par les autres propriétés, et qu'elle ne se présente guère de manière intuitive comme « une » propriété, elle satisfait à tous les réquisits de la logique. Rien ne saurait nous interdire de l'inclure parmi les propriétés qui sont

« connotées » (au sens de Mill[9]) par un terme ni de la mentionner dans le cadre d'une définition traditionnelle par genre proche et différences spécifiques.

Je ne suggère évidemment pas par là que les remarques ci-dessus suffisent pour achever la définition du terme « poème ». Je veux simplement attirer l'attention sur le modèle plutôt compliqué selon lequel une définition plus complète, si elle s'avérait vraiment nécessaire, pourrait être élaborée. En effet, comme je l'ai dit plus haut, je me propose surtout de décomposer la question : « Qu'est-ce qu'un poème ? » en un nombre maniable de questions partielles. La différence spécifique à laquelle le terme « poème » renvoie (de même que la détermination du genre proche traitée auparavant) soulève une de ces questions partielles. Dans ma réponse schématique je voulais simplement montrer qu'il s'agit effectivement d'une question maniable et accessible au modèle analytique général que j'ai présenté.

V

Examinons un peu plus en détail la fonction de modèle du diagramme, pour nous assurer qu'il est utile plutôt que trompeur.

Il n'y a aucun doute qu'il est trop précis. Ainsi, la hauteur des zones ombrées dans les différentes colonnes de même que leur largeur comparative peuvent être mesurées par les moyens ordinaires, mais les facteurs que les colonnes *représentent* — à savoir, le degré de présence

9. La connotation au sens de Mill est équivalente au sens *(Sinn)* chez Frege. Elle s'oppose à la dénotation conçue comme relation de référence *(Bedeutung)*. Tel qu'il est utilisé par Stevenson, le terme ne se réfère donc pas à un « sens second », c'est-à-dire qu'il faut le distinguer de la connotation telle qu'elle est définie par Hjelmslev ou Barthes ; il rejoint plutôt ce que ces auteurs appellent la « dénotation ». Dans la mesure où la terminologie introduite par Hjelmslev et Barthes s'est imposée en France, nous traduirons dorénavant *connotation* (au sens de Mill) par « dénotation ». (N.d.T.)

des rimes, des thèmes spécifiques et ainsi de suite, mais aussi leur importance comparative pour déterminer la dénotation du terme « poème » — ne pourraient être mesurés qu'en ayant recours à des conventions spéciales qui seraient sans grande valeur dans notre champ. De même, ma spécification (établie à des fins de simple illustration), d'après laquelle le diagramme ne représente un véritable poème que si le pourcentage total des zones ombrées « dépasse 30 % », est excessivement précise. L'usage normal du terme « poème » n'atteint jamais une telle précision et il n'est guère raisonnable d'espérer la trouver dans tel ou tel usage plus spécifique qu'on peut utilement lui substituer.

Un autre trait artificiel réside dans le fait que le diagramme ne représente que les six propriétés constituantes que j'ai mentionnées. Le caractère vague de l'usage du terme m'aurait permis tout aussi facilement de les spécifier différemment ou de mentionner encore d'autres propriétés (en ajoutant de nouvelles colonnes).

Mais comme le diagramme n'est censé être qu'un modèle schématique et n'est pas destiné à être utilisé directement, de manière quasi lexicographique, il me semble que sa précision extrême pourrait bien être un de ses mérites. Je veux dire que cette précision, du moins si on l'interprète correctement, n'est pas condamnée à masquer le caractère vague du terme « poème » : elle peut au contraire aider à le faire apparaître plus clairement. Ainsi une carte peut-elle bien représenter une région uniquement à l'aide de figures régulières, tels des triangles et des rectangles ; ce faisant, elle n'est pas condamnée à dissimuler les irrégularités de la région (pour autant que celle-ci nous soit familière) : au contraire, elle peut nous aider à nous les rappeler par contraste.

Il ne faut jamais oublier que, quelle que soit la procédure définitionnelle utilisée, « poème » restera un terme vague. Mais il faut se dire aussi que ce caractère vague, une fois qu'il est reconnu et pris en compte, ne risque guère d'être dommageable. La plupart des œuvres que nous appelons poèmes sont des cas évidents qui se situent loin des frontières où ce caractère vague devient manifeste ; ce n'est que dans quelques cas limites que nous sommes obligés d'en tenir compte. Par ailleurs, ce caractère a aussi des côtés positifs : il nous permet de prendre le terme en des acceptions spéciales réservées à des desseins spécifiques, ce en quoi il contribue au principe d'économie linguistique [10].

Le diagramme ne livre donc pas un idéal de précision dont la signification du terme « poème » serait censée s'approcher progressivement. Il nous donne plutôt un modèle fictif, et la signification courante du terme est plutôt censée s'en *écarter*. Il nous fait voir par contraste selon quelles manières différentes ces écarts naissent. Et il possède la fonction supplémentaire de nous rappeler que, hormis l'imprécision ordinaire de notre langage, qui n'est pas toujours source de complications et qui peut parfois être bénéfique, aucun autre manque de clarté n'est nécessairement impliqué (mais il faudra revenir sur ce point plus tard).

Lorsque, en revanche, nous abandonnons la question de la précision du diagramme pour nous tourner vers celle de sa complexité, la situation change du tout au tout : car, sur ce point, il prétend être fidèle à la signification de « poème ». En fait j'ai présupposé que la signification du terme n'était *pas moins* compliquée que je l'ai indiqué ; j'ai aussi tenu pour acquis qu'elle était fondamentale et que toute signification nouvelle, semi-technique, n'avait besoin de s'en écarter que sur des points relativement mineurs. Je ne pense pas qu'il s'agisse de présuppositions

10. Pour une discussion générale de ce problème, voir Bertrand Russell, « Vagueness », *Australian Journal of Psychology and Philosophy,* vol. 1, 1923, p. 84, et Max Black, « Vagueness », *Philosophy of Science,* vol. 4, 1937, p. 427. Pour une discussion de problèmes un peu différents, mais liés à celui-ci, voir F. Waismann, « Verifiability », *Logic and Language,* 1re série, A.G.N. Flew (éd.), Oxford, 1952, p. 122 ; voir aussi P. Nowell-Smith, *Ethics,* New York, 1954, *passim,* pour une discussion de l'implication contextuelle.

irréfléchies, mais, comme on peut les critiquer en toute loyauté, je voudrais ajouter quelques mots pour leur défense.

Nous avons vu que notre définition (du moins si elle était complétée au-delà de son aspect schématique actuel) spécifie une propriété que tous les poèmes doivent partager. Mais nous avons vu aussi que cette propriété est une sorte de moyenne pondérée de la présence d'autres propriétés et qu'elle est inusitée en ce qu'elle ne nous apparaît pas intuitivement comme étant « réellement une ». On pourrait objecter que, tel étant le cas, elle n'est pas d'une grande utilité. Même si elle ne rend pas le terme ambigu, ce à quoi elle aboutit n'est guère différent ; par conséquent (pourrait-on continuer à objecter), on ne comprend pas en quoi elle pourrait isoler un trait discursif intéressant. Peut-être serait-il approprié de définir le terme par quelque autre propriété, plus usuelle — une propriété que j'aurais omise et qui, une fois reconnue, rendrait mieux compte de notre tendance à considérer qu'il s'agit d'un terme important.

C'est une possibilité qui mérite d'être examinée, et pourtant on voit mal quelle pourrait être cette propriété « plus usuelle ». Jusqu'à ce que nous soyons capables de spécifier de quoi il s'agit (pour ma part je suis incapable de le faire), il paraît tout à fait raisonnable d'accepter la propriété « inusuelle ». Aussi longtemps que cette dernière s'avère être extensionnellement équivalente à la première, la question n'est guère importante, dans la mesure où la plupart des choses que nous avons à dire concernant la poésie sont trop frustes pour que des distinctions aussi fines que celle entre équivalence extensionnelle et équivalence intensionnelle puissent être utiles.

En attendant, j'ai l'impression que la difficulté qu'il y a à rendre compte de l'importance de la propriété « inusuelle » n'est pas aussi grande qu'elle semble à première vue. Nous n'avons pas besoin (comme ce serait le cas pour les termes clefs d'une science exacte) de montrer comment le terme « poème », lorsqu'il est défini en référence à cette propriété, peut donner lieu à des généralisations importantes, car en fait il n'y a que peu de généralisations importantes qu'on puisse faire concernant la poésie. Normalement, nous parlons de *quelques* poèmes ou de *la plupart* des poèmes, plutôt que de tous les poèmes : dans tous ces cas l'utilité de la signification que j'ai proposée paraît évidente. Ou alors nous faisons des généralisations concernant tous les poèmes de *tel ou tel genre* : le terme sera alors probablement déterminé par la possession commune de quelque propriété « usuelle », représentée par l'une ou l'autre des colonnes du diagramme, plutôt que par la possession de la propriété « inusuelle » représentée par le diagramme dans sa totalité. Nous pouvons donc limiter notre attention à des contextes moins généraux, tels ceux qui sont impliqués lorsque nous parlons d'un livre sur la poésie, ou d'un intérêt porté à la poésie, et ainsi de suite. Peut-être que l'importance du terme, ainsi utilisé, peut alors être expliquée de la façon suivante.

De nombreux poèmes sont « typiques », au sens où ils ont des valeurs élevées dans chaque colonne du diagramme. Donc, lorsque nous apprenons à apprécier, à critiquer ou à écrire des poèmes, nous devons développer une sensibilité spécifique pour chacune des propriétés correspondantes. Si nous ne devenions sensibles qu'à certaines d'entre elles, aux dépens des autres, nous nous comporterions de manière peu productive, car nous passerions à côté de certains aspects des poèmes typiques qu'autrement nous aurions pu apprécier, au prix d'un effort supplémentaire minime. Ainsi, les propriétés constituantes représentées par le diagramme (ou celles qu'il représenterait s'il était complet) en arrivent à être associées à un ensemble de sensibilités établies, et, ne serait-ce que pour cette raison, nous finissons par considérer qu'il s'agit d'un groupe de propriétés importantes.

Dès lors que cet ensemble de propriétés fait partie de notre bagage intellectuel, il s'avère vite qu'on peut s'en servir encore autrement : il nous livre une sorte de matrice à l'aide de laquelle nous pouvons générer d'autres ensembles, ou des ensembles plus restreints, de propriétés. Il nous aide notamment à tenir compte des propriétés intéressantes et souvent esthétiquement pertinentes qu'on trouve dans les poèmes « atypiques » (c'est-à-dire ceux qui n'auraient des valeurs élevées que dans quelques-unes des colonnes du diagramme). Ainsi, nous considérons que tel ou tel poème atypique ressemble à un poème typique, sauf qu'il n'a pas de rimes (ou pas de thème imaginatif, et ainsi de suite), c'est-à-dire que nous déterminons ses propriétés par une sorte de soustraction. L'activité soustractive est particulièrement bien venue ici, puisqu'elle nous montre que l'ensemble plus restreint de propriétés que nous isolons ne comporte pas d'exigences supplémentaires à l'égard de notre sensibilité : ses exigences sont déjà prises en compte par les divers types de sensibilités qu'il nous a fallu développer pour apprécier l'ensemble complet des propriétés retenues. Autrement dit, une fois que nous avons développé les types de sensibilités qui sont nécessaires pour l'appréciation des poèmes typiques, nous découvrons du même coup (*cum grano salis*, bien entendu) que nous sommes capables de nous en servir d'une manière qui est appropriée aux poèmes qui sont atypiques. Le développement des sensibilités qui sont nécessaires pour les premiers inclut celui des sensibilités appropriées aux seconds. Ainsi, bien que les poèmes atypiques se distinguent de différentes manières (parfois en ce qui concerne les rimes, d'autres fois en ce qui concerne le rythme, et ainsi de suite) des poèmes typiques, nous pouvons légitimement les regrouper avec ces derniers et les référer à un domaine unifié pour lequel le terme « poème » constitue un nom utile.

Bien que cette explication soit sans conteste incomplète, elle suffit pour nous montrer qu'une explication complète ne serait pas impossible. Je pense donc qu'il n'y a guère de raison de considérer que la signification examinée ici, et fondée sur des « ressemblances de famille », soit condamnée à être triviale, ce qui voudrait dire qu'elle procéderait d'une analyse fautive. On peut discuter quant à savoir si elle est acceptable, mais il existe au moins une présomption en sa faveur.

VI

Bien que j'aie fait un certain nombre d'observations concernant la variabilité des usages du terme « poème », il me reste à parler de ce qui est peut-être son ambiguïté la plus impressionnante : dans certains contextes, il implique une évaluation esthétique favorable, dans d'autres pas. Ainsi, lorsque nous parlons d'un écrivain dont nous méprisons les vers, nous pouvons être enclins à dire : « Ses prétendus poèmes ne sont pas des poèmes » ; mais nous pouvons dire aussi bien : « Ses poèmes ne sont pas bons. » Dans la première locution, le terme « poèmes » possède un sens évaluatif : il n'est pas appliqué aux poèmes de notre exemple parce qu'ils sont supposés être dépourvus de tout mérite. Dans la seconde locution, le terme est utilisé en un sens plus large, neutre : lorsqu'il est appliqué aux exemples en question, la locution indique leur manque de mérite esthétique par une expression supplémentaire, en l'occurrence « pas bons ».

Réservons l'expression « poème (N) » pour le sens neutre, le seul auquel je m'étais intéressé dans les sections précédentes ; quant au sens évaluatif, désignons-le par le terme « poème (E) ». Nous pouvons distinguer et mettre en rapport les deux sens de différentes façons, selon la signification précise que nous donnons à « poème (E) ». Un procédé consiste à obtenir le sens évaluatif à partir du sens neutre, cela grâce à l'extension du diagramme présenté dans la section IV. On peut par exemple faire en sorte que les colonnes pour « poème (E) » redoublent celles qui définissent « poème (N) », tout en incluant une nouvelle colonne représentant la valeur esthétique. Le choix de différentes largeurs pour cette nouvelle colonne nous donnerait autant de significations différentes, mais proches l'une de l'autre, du terme « poème (E) », dont la composante évaluative serait, selon les cas, plutôt forte ou plutôt faible. (Cela dit, il ne faut pas que la largeur dépasse un certain seuil : sinon la totalité de la surface ombrée nécessaire pour que le texte soit un poème pourrait être atteinte indépendamment des autres facteurs, c'est-à-dire que « poème (E) » pourrait se référer à une œuvre en prose de qualité exceptionnelle.) Une procédure alternative consiste à introduire l'élément évaluatif de manière indépendante, en ajoutant un élément au sens neutre du terme. Autrement dit, nous pouvons spécifier que « X est un poème (E) » a le même sens que « X est un poème (N) et X est esthétiquement valable ». Cette solution nous donne une composante évaluative particulièrement forte : la valeur esthétique est une condition nécessaire pour que X puisse être un poème (E) et non pas, comme précédemment, un facteur dont l'absence doit être compensée par d'autres propriétés. Dans ce qui suit je me référerai exclusivement à cette seconde alternative et je la traiterai comme si elle était *le* sens évaluatif du terme. Il ne s'agit évidemment que d'un artifice pour simplifier l'exposition du problème, car, à strictement parler, le terme n'a pas une seule signification évaluative (ni d'ailleurs une seule signification neutre), mais plutôt un ensemble de significations très proches les unes des autres.

S'il était nécessaire de faire disparaître cette ambiguïté, nos préférerions certainement abandonner le sens évaluatif du terme plutôt que le sens neutre. Les termes de l'esthétique sont si constamment liés à des évaluations positives ou négatives que nous sommes tentés d'évaluer prématurément : il est donc bien de préserver autant de termes neutres que possible. La fonction évaluative peut alors rester indépendante et être déléguée à des termes spécialement réservés à cette fin. Par ailleurs, le sens neutre nous permet plus facilement de nous poser des questions d'évaluation sans préjuger de leur réponse. Il nous permet par exemple de nous demander : « Sa poésie est-elle bonne ou mauvaise ? », alors que le sens évaluatif nous imposerait le recours à quelque phraséologie maladroite, du genre : « Est-ce que sa supposée poésie est réellement de la poésie, ou est-elle trop mauvaise pour être considérée comme telle ? » Cela dit, je pense que les deux sens font si fermement partie de l'usage linguistique établi qu'il est vain de penser qu'on peut en laisser tomber un.

On notera que j'ai examiné le sens évaluatif à partir de ce qu'on pourrait appeler un point de vue *macroscopique.* J'ai considéré que les expressions du genre « esthétiquement bon » et « esthétiquement valable » étaient assez claires pour pouvoir servir de points de butée d'une définition. Grâce à elles j'ai pu introduire « poème (E) » simplement en le mettant en relation avec « poème (N) ». Si en revanche mon analyse avait été d'ordre microscopique — si je m'étais demandé comment les expressions « esthétiquement bon » et « esthétiquement valable » peuvent être définies à leur tour —, mon problème aurait pris des proportions énormes. Pour une grande part il aurait relevé de la théorie générale de la valeur, dont les philosophes débattent depuis longtemps (et dont les enjeux ne sont pas moins compliqués en esthétique qu'en éthique).

Ce que j'ai à dire concernant les enjeux à ce niveau microscopique devra cependant attendre la section prochaine ; vu l'espace limité dont je dispose, il ne pourra d'ailleurs s'agir que de remarques fragmentaires. En attendant, l'analyse macroscopique possède sa légitimité propre. Car je rappellerai que je me propose surtout de formuler les diverses questions partielles auxquelles on peut avantageusement réduire la question : « Qu'est-ce qu'un poème ? », et que je ne me préoccupe qu'en second lieu de leur trouver des réponses. A cet égard, les expressions « esthétiquement bon » et « esthétiquement valable », bien qu'elles soient souvent embarrassantes et source de confusion, indiquent suffisamment quelles seront les implications probables des étapes ultérieures de l'analyse. Elles nous permettent de nous demander comment leur signification peut être clarifiée, et de nous le demander de façon à isoler ce problème autant que faire se peut des autres questions que nous avons abordées. Et pour le moment nous n'avons pas besoin d'en attendre davantage.

Dans notre domaine actuel il est particulièrement important de séparer les questions, comme le montrent les considérations suivantes. Supposons qu'un écrivain se pose la question : « Qu'est-ce qu'un poème ? » et qu'il l'interprète implicitement comme faisant appel à une définition de « poème (E) ». S'il refusait de définir l'expression à l'aide du qualificatif « bon », arguant du fait qu'une telle analyse est trop macroscopique pour mériter qu'on s'y arrête, il se pourrait fort bien qu'à la fin il en arrive tout simplement à le paraphraser, sans même s'en rendre pleinement compte. Il risquerait de procéder avec trop de désinvolture, comme si la signification de « bon » était au-delà de toute controverse philosophique, et de mélanger cet aspect de son problème avec d'autres aspects qui n'ont rien à voir avec la problématique de l'évaluation. Si en revanche il se donnait la peine d'introduire le terme « bon », comme étape temporaire, pour ensuite examiner sa signification, il pourrait difficilement rester insensible au fait que cet aspect du problème nécessite une réflexion circonspecte et indépendante. Ajoutons que dans ce cas il pourrait se demander avec profit s'il veut vraiment poursuivre aussi loin la question « Qu'est-ce qu'un poème ? » ; ou, s'il se décidait pour l'affirmative, il pourrait avec non moins de profit se demander s'il est vraiment possible de se débarrasser de la question : « Qu'est-ce qu'un poème ? » en quelques brefs paragraphes, comme on le fait si souvent.

VII

Jusqu'à maintenant j'ai considéré que la question « Qu'est-ce qu'un poème ? » était une requête pour une définition du terme « poème » ; si je l'ai divisée en plusieurs questions plus petites, c'est simplement parce que la définition (ou l'ensemble des définitions) est liée à un enchevêtrement de problèmes différents qui doivent être traités un par un. Mais il ne faudrait pas croire que cela suffit pour répondre à la question « Qu'est-ce qu'un poème ? ». Elle soulève souvent des problèmes plus vastes — des problèmes qu'il est certes possible de formuler de telle manière qu'on puisse y répondre par des définitions, mais qui à mon avis deviennent plus clairs si on les formule autrement. Aussi vais-je clore cette étude en expliquant quels peuvent être ces problèmes additionnels.

Je ne saurais examiner ces questions qui font partie de la théorie générale de la valeur, ou qui s'en approchent, sans présupposer des positions philosophiques plus larges. Je dois donc m'appuyer en grande partie sur mes publications antérieures : bien qu'elles traitent de l'éthique, leur problématique peut être adaptée aux questions esthétiques[11].

On peut aborder la première question dans la foulée de mes remarques concernant le « poème (E) ». Avant de la formuler, j'introduirai quelques distinctions préparatoires.

Supposons donc que nous ne nous contentions plus de préserver la fonction évaluative de « poème (E) » simplement en utilisant le terme « bon » (et ainsi de suite), mais que nous voulions l'examiner à un niveau plus microscopique. A mon avis, il faut noter en premier lieu que la fonction évaluative n'est présente que dans des contextes où la proposition « X est un poème » tend à exprimer une

11. Stevenson est un des principaux représentants du courant « émotiviste » en méta-éthique : son *Ethics and Language* (New Haven, Yale University Press, 1944) est un des grands classiques de la philosophie analytique dans le domaine éthique. L'« émotivisme » soutient que les propositions éthiques expriment des attitudes et servent à provoquer des attitudes, autrement dit qu'elles sont, du moins en grande partie, non cognitives. (N.d.T.)

attitude favorable du locuteur à l'égard de X et à provoquer une attitude correspondante chez le (ou les) auditeur(s). En d'autres termes, elle est réservée à des contextes qui activent ce que j'ai coutume d'appeler la « signification émotive favorable du terme " poème "[12] ». La deuxième chose qu'il faut noter est que, en ce qui concerne ses autres significations, le terme est totalement indéterminé — pour autant que ces significations vont au-delà de celles impliquées par « poème (N) », c'est-à-dire appartiennent à l'expression « poème (E) ». Parfois, la valeur évaluative du terme semble résulter partiellement du fait qu'il dénote certaines propriétés que « poème (N) » ne dénote pas — des propriétés communément aussi admirées que l'unité, la retenue, la profondeur, la subtilité, la sobriété expressive, la vivacité des images, et ainsi de suite. Rappelons-nous cependant que le terme « poème » n'entretient pas de relations invariables avec ces propriétés. Donc, même dans des contextes où le terme est marqué comme « poème (E) », nous aurons intérêt à éviter de dire qu'il dénote ces propriétés (aussi longtemps que nous nous intéresserons à sa signification dans une visée descriptive plutôt que prescriptive) ; il vaudra mieux dire qu'il les *suggère*, ce terme désignant une relation plus faible, moins sujette à des règles linguistiques fixes établies sur un plan intersubjectif[13].

Les deux facteurs mentionnés — une signification de type émotif et un large spectre de propriétés suggérées — font que le terme « poème » peut donner lieu à ce que j'ai coutume d'appeler des « définitions *persuasives*[14] ». Pour expliquer ce que j'entends par là, le mieux est peut-être de prendre un exemple quelque peu artificiel.

Supposons que deux écrivains proposent des définitions différentes de « poème (E) ». Ils précisent tous les deux

12. Pour une discussion de la signification émotive, voir le chapitre 3 de mon *Ethics and Language, op. cit.*
13. *Ibid.*, p. 67-71.
14. *Ibid.*, chap. 9, 10 et 13.

que le terme doit dénoter certaines propriétés spécifiques au-delà de celles dénotées par « poème (N) ». Ajoutons (pour donner une valeur générale à l'exemple) que tous les deux affirment que parmi ces propriétés additionnelles se trouve la propriété G, mais que l'un inclut aussi les propriétés H et I, alors que l'autre les exclut et les remplace par les propriétés J et K. (Les lettres remplacent des propriétés telles que l'unité, la retenue et les autres que j'ai mentionnées plus haut.) Aucun des deux écrivains n'accepte donc que les propriétés pertinentes soient simplement suggérées par le terme ; chacun veut que celles qu'il retient soient strictement dénotées. Nous avons vu que la flexibilité de l'utilisation courante du terme n'aboutit pas à une relation aussi forte, sans pour autant l'exclure expressément comme un usage linguistique incorrect au sens fort du terme. La conséquence qui en découle, bien qu'elle puisse apparaître triviale à première vue, est en fait d'une grande importance. Car, malgré l'insistance sur la valeur dénotationnelle du terme, sa signification émotive restera substantiellement la même : elle continuera à être présente dans le *definiendum,* même si elle n'est pas prise en compte dans le *definiens*. Donc, dans tout contexte qui active la signification émotive de « poème », chaque écrivain la lie aux propriétés de son choix ; en s'y référant par un nom laudatif il fait un premier pas pour nous encourager à (ou nous conseiller de, ou nous amener à, et ainsi de suite) les admirer. Le premier écrivain nous encourage à admirer un poème (N) uniquement s'il possède les propriétés H et I : en effet, dès lors que nous acceptons sa définition, elle nous amène à n'accoler le nom laudatif « poème (E) » à l'œuvre en question que si elle possède les propriétés exigées. Le second écrivain nous encourage à la même attitude, mais cette fois-ci par rapport à J et K. Et les deux, bien entendu, nous encouragent à une attitude positive en ce qui concerne G, puisque leurs définitions s'accordent quant à cette propriété. Il s'agit donc de définitions persuasives en un sens semi-technique, mais qui pourtant reste plutôt familier :

en liant l'ancienne signification émotive à une nouvelle signification dénotative ou descriptive, elles ne reflètent pas seulement les attitudes (en l'occurrence, les préférences littéraires) de ceux qui les proposent, mais tendent à changer l'usage linguistique de façon à amener d'autres personnes à partager ces attitudes.

Dans ce qui précède j'ai présupposé que les propriétés G, H, I, J et K sont spécifiées par conjonction dans le *definiens* ; mais cette présupposition n'est pas essentielle pour ma conclusion. Ainsi un écrivain pourrait-il tout aussi bien introduire certaines de ces propriétés comme éléments d'une propriété plus complexe, du type « ressemblances de famille », c'est-à-dire qui aurait la même forme (mais pas le même contenu) que le diagramme élaboré pour « poème (N) ». Supposons qu'il appelle « P » cette propriété plus complexe : il pourrait alors définir l'expression « poème (E) » en disant qu'elle équivaut à « poème (N) qui possède P ». Sa définition n'en resterait pas moins persuasive ; car, en incluant H et I, par exemple, comme éléments de P (éléments que d'autres pourraient rejeter) et en les liant à la signification émotive favorable de « poème (E) », il se sert de la dénomination laudative pour faire leur éloge. Certes (contrairement au cas précédent), il ne nous propose pas d'accepter H ou I comme une condition nécessaire pour avoir une attitude favorable ; mais il nous propose néanmoins de voir dans chacune de ces deux propriétés une condition qui contribue à notre attitude favorable, et dont l'absence éventuelle doit être compensée par un autre facteur.

Permettez-moi d'expliquer pourquoi j'ai examiné ce problème. Bien que les définitions persuasives soient tout à fait utiles — le besoin que nous avons d'influencer les autres n'est pas moindre lorsqu'il concerne nos préférences, et plus généralement nos attitudes, que lorsque ce sont nos croyances qui sont en jeu —, elles ne le sont que par rapport à un but bien spécifique qui est tout à fait différent de celui que poursuit en général l'analyse philosophique. Donc, si, pris dans les rets de la question

« Qu'est-ce qu'un poème ? », nous confondions ces définitions avec celles qu'appelle l'analyse philosophique, nous pourrions facilement nous retrouver avec le type de difficultés que j'essaie de réduire ici et qui naissent lorsqu'on tente de répondre à plusieurs questions sans les séparer.

On peut le voir à l'aide d'un exemple plus simple, qui concerne la question de savoir si oui ou non un bon poème, c'est-à-dire un poème (E), exprime toujours la remémoration tranquille d'une émotion[15]. L'analyse philosophique telle que je la conçois se bornera à formuler cette question de manière plus claire. Elle tâchera d'éviter que l'analyse implique une réponse à la question ; vu l'intérêt qu'il y a à traiter les difficultés une par une, elle laissera à la critique littéraire le soin de trouver une réponse. (Je prends la notion de critique littéraire en un sens très vaste ici, c'est-à-dire en tant qu'elle implique des principes d'évaluation qui ont souvent été défendus par des philosophes autant que par des critiques ; mais même dans ce cas elle reste distincte de la philosophie analytique.) Je viens d'esquisser une telle analyse neutre : en effet, en suggérant qu'une éventuelle réponse affirmative exprimerait une attitude favorable à la remémoration tranquille d'une émotion (en relation à la poésie), je n'ai ni exprimé ni rejeté une telle attitude, ce qui veut dire que mon analyse de la question ne préjuge pas de la réponse. En revanche, le recours à une définition persuasive va au-delà de cette tâche de clarification bien circonscrite. En effet, supposons que l'expression « poème (E) » soit spécifiée par une définition persuasive qui lui fait dénoter la remémoration tranquille d'une émotion. Une telle définition tendra à faire l'éloge de cette propriété en l'associant à un terme de louange. En fait, elle jugera que la propriété en question est essentielle pour la valeur

15. Il s'agit bien sûr de la célèbre définition de la poésie donnée par Wordsworth (N.d.T.).

du poème. Donc, au lieu de nous aider à trouver une formulation neutre pour notre question, elle nous donne une réponse ; de ce fait elle nous mène au-delà de l'analyse philosophique de la critique littéraire, dans le champ même de cette critique. Autrement dit, dans la mesure où la définition équivaut à une conclusion évaluative, elle ferme toute perspective évaluative ultérieure ; de ce fait, aussi longtemps que nous l'acceptons, nous ne pouvons donner qu'une réponse positive à la question et ajouter que notre réponse est de l'ordre d'un truisme.

Afin d'éviter qu'on ne confonde les deux problèmes — celui qui relève de la philosophie analytique et celui qui appartient à la critique littéraire (au sens large du terme) —, je propose que nous les formulions, du moins temporairement, de manière ouvertement différente. Peut-être pouvons-nous laisser tomber complètement l'expression « Qu'est-ce qu'un poème ? », en arguant qu'elle est trop ambiguë pour être d'un secours quelconque. La question qui relève de l'analyse philosophique peut alors être formulée comme suit : « Quelle définition expliquera, de manière non persuasive, ce que veut dire l'expression “ poème (E) ” ? » Quant à la question qui appartient à la critique littéraire, elle peut être formulée comme suit : « Quelles sont les *sources* de la valeur poétique ? » Sa signification peut être explicitée de la façon suivante : dire d'une propriété S qu'elle est une « source de valeur poétique » revient à dire : 1) que S ne doit pas être considérée comme une des propriétés définitoires de la notion de « valeur poétique » ; et 2) que S est néanmoins intimement *corrélée* à la valeur poétique. Cette corrélation peut être diverse, correspondant à différents types de sources de valeur poétique : on peut la spécifier, par exemple, par la proposition « Un poème ne possède de valeur (positive) que s'il possède la propriété S », ou par la suivante : « Un poème possède une valeur (positive) s'il possède la propriété S », ou encore par d'autres propositions postulant des corrélations plus faibles ou plus fortes que les deux précédentes. Mais il n'est pas nécessaire d'examiner davantage la question, puisque le seul point important est que les jugements concernant les sources de la valeur poétique sont des jugements ordinaires, synthétiques — c'est-à-dire des jugements qui ne sont pas vrais par définition et donc, *a fortiori*, pas vrais par définition persuasive.

Ce faisant, je propose en fait que nous évitions temporairement toutes les définitions persuasives dans notre étude de la poésie ; j'aimerais que nous nous en abstenions dans l'analyse parce qu'elles lui sont étrangères ; j'aimerais aussi que nous les évitions dans la critique littéraire pour la raison toute différente qu'elles risquent de nous cacher le fait que, dans ce champ, les problèmes relèvent de l'évaluation. Par la suite, bien entendu, nous aurons peut-être envie d'y retourner : ce serait véritablement absurde de nous priver de leur utilité. Mais comme exercice temporaire permettant de séparer les différents problèmes, la tentative d'éviter les définitions persuasives me semble être tout à fait viable. Car cette façon de procéder n'implique aucune méconnaissance des problèmes en jeu. Certes, l'utilisation d'une définition persuasive convenablement choisie transformerait (comme nous l'avons vu) la proposition « Un poème (E) exprime toujours la remémoration tranquille d'une émotion » en un jugement supposé être vrai par définition. Il n'empêche que, si nous voulons justifier cette proposition, nous devons en fait souscrire à la définition persuasive, puisque c'est elle qui la *rend* vraie. Cela étant le cas, nous pouvons tout aussi bien nous passer de la vérité par définition, et dire plus simplement : « L'expression de la remémoration tranquille d'une émotion est une source indispensable de la valeur poétique. » La fonction évaluative de cette assertion sera la même que celle de la proposition précédente, puisqu'elle n'attribue de valeur élogieuse à un poème (N) que pour autant qu'il possède la propriété en question. La défense requise pour légitimer notre assertion reste aussi la même : simplement, alors que dans l'autre cas elle était requise pour légitimer la définition persuasive présupposée, elle l'est ici pour l'assertion elle-même [16].

Les problèmes liés à la question des sources de la valeur poétique sont un aspect très important de la critique littéraire. Il suffit de les aborder dans une perspective générale pour être confronté à un problème ardemment débattu, celui de la recherche d'un *standard* de la valeur poétique. Du moins en est-il ainsi si on prend le terme « standard » dans ce qui me semble être son sens le plus familier. Un écrivain qui dirait qu'une certaine propriété (sans doute très complexe) est *la* source de la valeur poétique — ce qui revient à dire que le degré de valeur esthétique d'un poème dépend strictement du degré de présence de cette propriété — proposerait un standard en ce sens du terme. Le principe proposé serait en effet un principe ultime : sa relation avec la critique de la poésie serait à peu près la même que celle du principe utilitariste ou de l'impératif catégorique avec l'éthique.

On voit sans peine que la formulation et la légitimation d'un tel standard sont extrêmement difficiles. On comprendrait fort bien qu'un écrivain trouve l'entreprise au-dessus de ses forces et se confine à des problèmes d'évaluation plus sectoriels — ce que font d'ailleurs, en pratique, la plupart des critiques. Mais, quelque vaste que paraisse le problème, la question apparemment innocente « Qu'est-ce qu'un poème ? » y mène parfois. Lorsque par-dessus le marché le véritable enjeu de la question est dissimulé — ce qui se passe lorsqu'on introduit des définitions persuasives, trop facilement confondues avec les définitions purement classificatoires appropriées à l'analyse —, les difficultés, qui de toute manière sont grandes, deviennent insurmontables.

16. Pour une discussion du type de défense qui serait possible, voir mon étude « Interpretation and Evaluation in Aesthetics », in *Philosophical Analysis*, Max Black (éd.), New York, Ithaca, 1950, p. 341-383.

VIII

Il pourrait sembler que, arrivés ici, nous ayons suffisamment survolé les divers aspects de la sémantique capricieuse de « Qu'est-ce qu'un poème ? ». En fait, la question cache encore un autre problème ; il est d'une telle importance qu'il nous faut l'examiner. Je le formulerai d'abord en mes propres termes, et ensuite j'expliquerai comment — car la connexion n'est pas évidente — la question « Qu'est-ce qu'un poème ? » en arrive à être comprise comme y menant.

Pour l'essentiel, la question est celle de l'interprétation correcte d'un poème. Je pense que ce que j'entends par là est assez clair, mais mieux vaut néanmoins ajouter quelques remarques explicatives. J'utilise le terme « poème » au sens de « poème (N) » tel que je l'ai schématiquement défini plus haut. Cette définition schématique suffira ici, car je me bornerai en gros à présupposer que le terme désigne quelque séquence de mots. Par « interprétation » d'un poème, je me réfère à un type de réactions face à cette séquence de mots qui promet d'être, pour le moins, esthétiquement pertinent. (A l'occasion, « interprétation » se référera aux expériences, etc., induites par cette réaction, plutôt qu'à la réaction elle-même.) Pour une grande part, l'interprétation consiste donc à saisir le sens des mots, mais j'aimerais y inclure aussi (par une petite extension de la signification du terme) la prise en compte des rimes, rythmes, assonances, tonalités, évocations, etc. Il n'est pas aussi facile d'indiquer ce que j'entends par une interprétation « correcte » ; mais en tout cas, comme j'ai tenté de le montrer ailleurs, on passerait à côté des usages normaux du terme si on oubliait qu'il possède, au moins en partie, une valeur émotive et fonctionne souvent à la manière d'un « à accepter[17] ».

Le problème de l'interprétation correcte de la poésie est

17. Ce point est abordé plus en détail in *ibid.*

intimement lié à celui de la valeur esthétique. Ainsi, lorsqu'un critique révise son interprétation d'un poème — par exemple, parce qu'il est d'avis qu'auparavant il avait été aveugle à certaines allusions ou qu'il avait « importé » des significations faussant son caractère naïf *(simplicity)* —, il est probable qu'il révisera aussi son évaluation, puisque la nouvelle interprétation lui aura révélé sans doute aussi une nouvelle source de valeur poétique. En outre, en nous disant que sa nouvelle interprétation est « correcte », il nous suggère, dans une visée évaluative, de lire le poème de la même manière. Mais, bien que le problème de l'interprétation et celui de l'évaluation soient intimement liés, il faut néanmoins les distinguer. Ainsi, lorsque nous nous demandons si l'interprétation correcte d'un poème va révéler qu'il possède un certain type de simplicité sémantique, notre question d'ordre interprétatif concerne un élément qui peut être une source de valeur esthétique positive ; mais lorsque nous nous demandons si cette simplicité, lorsqu'elle est présente, est effectivement une source de valeur esthétique positive (au lieu d'être simplement indifférente, voire une source de valeur négative), nous allons au-delà du problème de l'interprétation vers une autre question, liée de manière plus intime et plus révélatrice à la problématique de l'évaluation.

Essayons d'expliquer maintenant comment une question qui touche à l'interprétation peut en arriver à devenir une composante du méli-mélo de notre question « Qu'est-ce qu'un poème ? ». Pour cela, il faut rappeler une ambiguïté du terme « poème » que j'avais mentionnée au début de la section III, sans y revenir par la suite. J'avais constaté que ma manière de définir le terme, qui commence ainsi :

(1) *L'expression « un poème » dénote une séquence de mots...*

n'est pas la seule définition qui soit compatible avec son usage linguistique courant. Il existe une formulation alternative qui débute ainsi :

(2) *L'expression « un poème » dénote la signification d'une séquence de mots...*

J'avais reconnu que (2) aussi semble donner une signification acceptable à « poème », à condition de tenir compte de certaines réserves que je n'ai pas besoin de rappeler ici. Chacune des deux formulations implique bien entendu une référence à la signification des mots, mais dans la formulation (1) elle n'intervient que plus tard, au moment de la détermination des différences spécifiques, alors que dans (2) elle est introduite d'entrée de jeu, au niveau de la détermination du genre proche.

La formulation (2) peut être développée de différentes façons. Supposons donc, pour les besoins de notre analyse, qu'un écrivain, ayant posé la question « Qu'est-ce qu'un poème ? », y réponde par la version suivante de (2), plus élaborée que la mienne :

(a) *L'expression « un poème » dénote la signification que nous assignons à une séquence de mots lorsque nous l'interprétons correctement – à condition toutefois que la signification et les mots remplissent les conditions additionnelles C.*

Si nous le voulons, nous pouvons admettre que « C » se réfère à quelque propriété complexe fondée sur des « ressemblances de famille », à la manière de celle de notre diagramme de la section IV ; mais c'est un problème qui ne nous concerne pas ici. Ce qu'il est important de noter, c'est que la signification à laquelle (a) se réfère est celle qui résulte d'une interprétation correcte ; de ce fait, les considérations présentées lors de la discussion du problème de l'interprétation sont aussi pertinentes ici. Autrement dit, la connexion entre la question « Qu'est-ce qu'un poème ? » et la problématique de l'interprétation n'est plus aussi ténue qu'il pouvait sembler à première vue.

Cela dit, ce que j'aimerais mettre en évidence va beaucoup plus loin. Je veux montrer que, si on développe un peu plus la définition (a), elle n'est plus seulement *liée* à une question d'interprétation, mais peut devenir une *réponse* à une telle question. Dans ce contexte, le terme « correctement », tel qu'il intervient dans (a), prend une grande importance. En effet, notre écrivain peut penser que ce terme, dès lors qu'il l'utilise, implique à son tour une définition. Or, s'il en donne une définition persuasive, nous retrouverons la situation de la section précédente, bien qu'appliquée à un cas différent. Analysons cela plus en détail.

Il se peut évidemment que la définition de « correctement » donnée par notre écrivain soit non persuasive ; dans ce cas, sa réponse ne sera pas une réponse à une question d'interprétation. Mais supposons qu'elle soit persuasive. Admettons par exemple qu'il avance l'assertion suivante :

(b) *Dire qu'une séquence de mots est « correctement » interprétée revient à dire que son interprétation est telle qu'elle serait acceptée par le plus grand nombre de critiques.*

Il s'agit d'une définition persuasive, car, sans faire référence explicitement à la valeur élogieuse de « correctement », elle tend à s'en servir. Plus précisément, elle réserve la valeur élogieuse du terme, pour les contextes concernés, aux interprétations que la plupart des critiques accepteraient : elle recommande donc les interprétations en question. En d'autres termes, elle tend à promouvoir une sorte de règle démocratique dans le domaine critique, puisqu'elle accorde un prestige majoré (tel qu'il est conféré par le terme élogieux) aux jugements interprétatifs soutenus par une majorité absolue ou relative de critiques, et qu'elle refuse ce prestige aux jugements qui ne sont soutenus que par une minorité dissidente.

Dès lors qu'on a compris cela, il est facile de voir que notre écrivain *répond* en fait à une question d'interprétation. C'est comme s'il avait demandé : « Quelle est la manière correcte d'interpréter des mots poétiques ? », et avait donné la réponse générale suivante : « La manière correcte est toujours celle que la plupart des critiques accepteraient. » Bien entendu, sa réponse est vraie par définition : elle n'en donne pas moins des avis ou des conseils, et n'est pas à l'abri de toute objection. Car la définition qui la rend vraie, à savoir (b), est persuasive, et on peut légitimement émettre des objections à son égard.

Il est donc justifié de dire que la question « Qu'est-ce qu'un poème ? » peut parfois et en partie être d'ordre interprétatif ; car son orientation peut être telle qu'un jugement interprétatif, bien que sans doute d'ordre général et formulé dans le langage typique des définitions, peut être proposé comme une réponse pertinente. Si on ne développe la réponse que jusqu'au niveau (a), on ne se rend pas compte de ce fait ; mais, dès lors qu'on va jusqu'à (b) et qu'on se souvient que cette formulation, avec la définition persuasive qu'elle implique, constitue un développement, une continuation apparente de la définition non persuasive du terme « poème » donnée par (a), on découvre qu'il peut exister une connexion directe entre la question « Qu'est-ce qu'un poème ? » et telle ou telle question d'ordre interprétatif.

Pour les besoins de mon analyse j'ai introduit un auteur imaginaire à qui j'ai fait défendre une conception (celle d'une sorte de règle démocratique dans le domaine critique) qui ne trouve sans doute que peu de défenseurs sérieux. Mais mon cas imaginaire n'est pas sans parallèles dans la réalité ; je me permettrai d'en examiner brièvement un exemple, qu'on trouve dans les *Principles of Literary Criticism,* de I. A. Richards[18].

S'étant posé la question « Qu'est-ce qu'un poème ? », Richards commence par dire que l'expression « un poème » dénote certaines expériences que nous pouvons avoir lorsque nous lisons certains mots. Ces expériences sont clairement celles qui accompagnent la compréhension

18. I. A. Richards, *Principles of Literary Criticism,* Londres, 1924. Voir le chapitre 30.

des mots : on peut donc considérer qu'elles sont des analogues de la notion de signification telle que je l'ai introduite dans l'exemple précédent. Par la suite, il devient cependant évident que Richards ne veut laisser référer le terme de « poème » qu'à *un certain nombre* de ces expériences. En effet, il parle constamment comme s'il ne pensait qu'à une classe relativement restreinte parmi ces expériences, celle qui est liée à l'*interprétation correcte* des mots en question. Sa démarche, à ce niveau, est parallèle à celle de notre formulation (a). Ensuite il identifie cette classe, dont il nous rappelle qu'elle inclut toutes les expériences correctes, avec la classe dont les membres ne diffèrent que de façon minimale de l'expérience qui avait été celle du poète au moment où il notait les mots de son poème. Cette étape est comparable à notre formulation (b) et implique en fait une définition persuasive. En effet, pour tout contexte d'ordre interprétatif, cette seconde étape de la démarche définitoire de Richards nous encourage à rechercher une expérience proche de celle du poète. Elle accorde donc un prestige spécial à la conception que le poète a de son œuvre, de même que (b), dans l'exemple précédent, tendait à accorder un prestige spécial à la conception de la majorité des critiques. Donc, lorsqu'il demande : « Qu'est-ce qu'un poème ? », Richards se demande en fait : « Quand les mots d'un poème sont-ils correctement interprétés ? » ; et il répond : « Si et seulement si la personne qui les lit a une expérience qui se rapproche de celle du poète. » Cette réponse peut évidemment être discutée. Ceux qui accordent beaucoup d'importance en esthétique aux intentions de l'artiste l'accepteront sans doute ; à l'inverse, ceux qui insistent beaucoup sur l'« illusion de l'intention » (comme l'ont appelée W. K. Wimsatt et M. C. Beardsley, bien que l'illusion postulée prenne ici une forme légèrement différente de celle sur laquelle ils insistent [19]) vont sans doute

19. Voir leur article « The Intentional Fallacy », *Sewanee Review*, vol. 54, 1946, p. 468-487 ; trad. fr. in *Philosophie analytique et*

la rejeter. Mon but cependant n'est pas d'entrer dans ce débat ; je veux simplement montrer comment il en arrive à être lié à la question ambiguë « Qu'est-ce qu'un poème ? ».

IX

Mon analyse n'est en aucune manière exhaustive[20] ; mais comme j'ai abordé les points les plus à même de donner lieu à des confusions, je ne la développerai pas davantage. Aussi vais-je clore par un bref résumé.

J'ai divisé « Qu'est-ce qu'un poème ? » en trois sous-questions : la première appartient à la philosophie analytique et les deux autres (en gros) à la critique littéraire.

Parfois, la question « Qu'est-ce qu'un poème ? » cherche simplement une définition explicative du terme « poème » — une définition qui ne veut pas résoudre les problèmes de la critique littéraire, mais se borne à tenter de les clarifier. J'ai abordé longuement (sections II-VI) cet aspect de la question, parce que je voulais montrer, d'une part, que le terme « poème » est ambigu et, d'autre part, que sa différence spécifique, dans la plupart de ses sens du moins, réside sans doute dans quelque propriété plus complexe qu'il pourrait sembler à première vue — une propriété qui rappelle les « ressemblances de famille » de Wittgenstein et que j'ai représentée (de manière trop précise bien entendu) comme une sorte de moyenne pondérée résultant de la présence d'autres propriétés.

---

esthétique, op. cit., p. 223-238. Voir aussi mon commentaire dans « Interpretation and Evaluation in Aesthetics », art. cité, particulièrement note 4, p. 350.

20. Ainsi pourrait-on poser la question « Qu'est-ce qu'un poème ? » de façon à mettre l'accent sur « un », c'est-à-dire qu'on pourrait se demander, par exemple, jusqu'à quel point un poème peut être revu (supposons, pour une deuxième édition) sans devenir un nouveau poème, un poème différent.

D'autres fois, « Qu'est-ce qu'un poème ? » demande quelles sont les sources de la valeur poétique ou, de manière plus générale, quel est le standard d'après lequel la poésie doit être jugée. Dans ce cas, le terme « poème » est censé avoir une signification qui se limite aux « bons » poèmes ; il possède alors (à mes yeux) une signification active, élogieuse, émotive. Donc, lorsque la réponse est du type « Un poème est quelque chose de l'ordre de S », et que le terme S se réfère à une quelconque propriété esthétique qu'on est censé admirer en poésie, elle revient en fait à faire l'éloge de S en l'associant à un nom élogieux. Elle garde cette caractéristique même lorsqu'elle est présentée comme une définition ou comme une assertion qui est vraie par définition. En effet, dans la mesure où la définition est persuasive, elle est, en pratique, identique à un jugement de valeur : il ne s'agit pas simplement d'un procédé pour *formuler* une question évaluative, il s'agit d'une manière d'y *répondre*.

Dans d'autres cas encore, « Qu'est-ce qu'un poème ? » est à la recherche d'un jugement, normalement de caractère plutôt général, portant sur la manière correcte d'interpréter les mots poétiques. « Poème » se réfère alors non pas aux mots poétiques, mais plutôt à quelque signification ou à quelque expérience, liées à leur interprétation correcte. La question mène à une définition persuasive du terme « correct », tel qu'il est utilisé dans ce contexte. Si la réponse affirme : « Un poème, c'est-à-dire une interprétation correcte de mots poétiques, est quelque chose de l'ordre de M », et si M se réfère à la signification accordée aux mots par la plupart des critiques, ou par le poète, etc., elle revient en fait à faire l'éloge des interprétations de type M, puisqu'elle les associe avec un terme positivement valorisé, le terme « correct ». Il faut noter que, dans cette définition persuasive, la fonction évaluative, bien que présente, ne concerne que la valeur qu'il s'agit d'accorder à une certaine manière d'appréhender ou de comprendre un poème, et non pas celle qu'il s'agit d'accorder au poème lui-même. La réponse reste donc distincte de la réponse évaluative (en un sens plus restreint) mentionnée dans le paragraphe précédent.

Je n'ai tenté de répondre qu'à la première de ces trois questions, et, même là, ma réponse n'a été que partielle et schématique. Je n'ai pas répondu à la deuxième ni à la troisième question, qui sont trop vastes pour qu'on puisse les résoudre dans un espace aussi restreint ; je me suis borné à les distinguer de la première et à les différencier entre elles. Cette manière de procéder est en accord avec mes remarques introductives : mon but a été moins de répondre aux questions que de les séparer les unes des autres.

D'une manière générale, l'importance de ce but, bien qu'il soit limité, apparaît évidente. Pour répondre à des questions il faut apprendre à les poser une à la fois. Et nous découvrirons alors probablement que de cette manière nous pouvons procéder plus économiquement, sans avoir à « postuler » telle ou telle « entité » ésotérique ou exceptionnelle.

Quant aux distinctions spécifiques que j'ai introduites, elles me semblent mériter une attention spéciale ; voici pour quelle raison. D'une certaine manière, ma décision de traiter la question « Qu'est-ce qu'un poème ? » est arbitraire. J'aurais pu tout aussi bien examiner les questions « Qu'est-ce qu'une peinture ? », ou « Qu'est-ce qu'une symphonie ? », ou encore « Qu'est-ce qu'une œuvre d'art ? », et ainsi de suite. Il me semble que dans chacun de ces cas — à part certaines exceptions évidentes et fortuites — j'aurais découvert les mêmes sous-questions et les mêmes risques de confusion que ceux que j'ai mentionnés. Donc, à moins que je ne me trompe complètement, mes distinctions sont pertinentes non seulement pour l'esthétique de la poésie, mais pour l'esthétique en général.

Traduit de l'anglais par Claude Hary-Schaeffer

Margaret Macdonald

Le langage de la fiction *

I

> Emma Woodhouse, belle, intelligente, riche, douée d'un heureux naturel, semblait réunir sur sa tête les meilleurs dons de l'existence ; elle allait atteindre sa vingtième année sans qu'une souffrance, même légère, l'eût effleurée [1].

La phrase qui ouvre *Emma,* de Jane Austen, est une phrase qui fait partie d'une fiction. *Emma* est une œuvre où l'auteur raconte une histoire dont les personnages, les lieux et les événements sont presque tous de son invention. J'appellerai « fiction » toute œuvre du même type. Car si une œuvre n'est pas largement, sinon totalement, inventée, on ne saurait lui appliquer correctement l'appellation « fiction ». Un ouvrage qui ne contient rien d'imaginaire peut s'inscrire dans le domaine de l'histoire, de la science, de la découverte ou de la biographie, mais ce n'est pas de la fiction. J'aimerais m'interroger au sujet de la manière dont un auteur utilise les mots et les phrases lorsqu'il écrit une œuvre de fiction. Cependant, mon intérêt est d'ordre logique plutôt que littéraire. Je ne me propose pas d'analyser le style ou le talent artistique de tel

* Publié originellement sous le titre « The Language of Fiction », dans *Proceedings of the Aristotelian Society,* suppl. vol. 27, 1954 ; traduction française, *Poétique* 78, avril 1979.

1. Jane Austen, *Emma,* trad. P. et E. Saint-Segond (Plon, 1933), Paris, Christian Bourgois, 1979, p. 7.

ou tel conteur. La tâche que je me suis fixée est moins exaltante : je voudrais essayer de cerner quelque peu la logique du langage fictionnel et de déterminer le statut logique de ses expressions. De quelle manière ressemblent-elles à celles qui appartiennent à d'autres contextes, et comment s'en distinguent-elles ? Que sont-elles censées transmettre ? Peut-on dire, par exemple, qu'il s'agit d'affirmations vraies ou fausses ? Si tel est le cas, au sujet de quoi sont-elles vraies ou fausses ? Sinon, quelle autre fonction remplissent-elles ? Comment sont-elles reliées entre elles ? Telles sont en gros les questions que je me propose de traiter.

Tout d'abord, il faut préciser que la notion de « fiction » est souvent utilisée de manière ambiguë : elle désigne ce qui est fictif aussi bien que l'œuvre qui en est l'exposé. Ainsi on oppose la « fiction » au « fait », comme ce qui est imaginaire à ce qui est réel. Mais il faut souligner qu'en elle-même l'œuvre de fiction n'est pas imaginaire, fictive ou irréelle. Ce qui est fictif n'existe pas : il n'y a pas de dragons au zoo. En revanche, les romans de Jane Austen existent bel et bien. Ils font heureusement partie du monde, au même titre que Jane Austen elle-même en a fait partie. Ils remplissent de nombreux rayons de bibliothèque. Les œuvres de fiction, les récits et romans enrichissent l'univers d'entités nouvelles. C'est uniquement à propos de leur sujet qu'on peut employer le terme d' « irréel [2] ».

Notons ensuite que tout le monde comprend les expressions linguistiques qu'on trouve dans les œuvres de fiction. Ou, lorsqu'il n'en est pas ainsi, cela est dû à des raisons d'ordre technique et non pas logique. Il se peut qu'on ait du mal à comprendre certaines expressions qu'on trouve chez Gertrude Stein ou dans *Finnegans Wake*, mais dans les deux cas cela tient au caractère particulièrement obscur de leur style et non pas au fait que ces expressions sont

2. Voir aussi « Art and Imagination », *Proc. Aris. Soc.*, 1952-1953, p. 219.

employées dans des œuvres de fiction. Quiconque maîtrise l'anglais saisit forcément le sens de la phrase d'*Emma* citée plus haut. Nous n'avons pas plus de difficultés à comprendre qu'Emma Woodhouse était belle, intelligente et riche que nous n'en avons à comprendre que Charlotte Brontë était dépourvue de beauté, souffreteuse et pauvre. Dans les deux cas il s'agit de phrases déclaratives qui se présentent comme fournissant des informations sur leurs sujets. Mais alors que celle qui contient le nom « Charlotte Brontë » exprime une assertion vraie qui a Charlotte Brontë comme sujet, il n'en est pas de même de celle qui contient le nom « Emma Woodhouse », puisque l'Emma de Jane Austen n'a pas existé et ne saurait donc être le sujet logique d'aucune assertion. Le nom « Emma Woodhouse » ne désigne pas, et ne saurait désigner, de fille portant ce nom et à propos de laquelle Jane Austen aurait écrit.

Cette situation a préoccupé les philosophes[3]. Si les assertions de Jane Austen qui semblent être au sujet d'Emma Woodhouse ne sont en fait au sujet de personne, alors à propos de quoi écrit-elle et comment faut-il la comprendre ? Son sujet serait-il quelque fantôme subsistant dans des limbes logiques ? Cela n'est pas une réponse satisfaisante, tout au moins sous cette forme-là. Il est certain que Jane Austen « feint » qu'une fille du nom d'Emma Woodhouse a existé, qu'elle a possédé certaines qualités et qu'il lui est arrivé certaines aventures. Selon une des thèses concernant cette question, nous comprenons Jane Austen parce que les contextes non fictionnels nous ont appris l'usage des noms propres et des termes généraux par lesquels elle décrit Emma Woodhouse et son destin. Puisqu'il n'y a pas d'Emma Woodhouse, Jane Austen n'écrit pas à son propos ; elle écrit plutôt au sujet d'un certain nombre de propriétés signifiées par les termes

3. Voir le symposium « Imaginary Objects », *Proc. Aris. Soc.*, suppl. vol. 12, 1933, avec les interventions de G. Ryle, R. B. Braithwaite et G. E. Moore.

généraux dont elle se sert, tout en affirmant qu'elles ont appartenu à quelqu'un. Comme cela n'est pas le cas, « Emma Woodhouse » est une pseudo-désignation et les propositions sont fausses, bien que non dénuées de signification. Les lecteurs d'*Emma* ne sont pas obligés de croire faussement que ses propositions sont vraies, et généralement ils ne le font pas. Une œuvre de fiction est (ou est au sujet d') « un grand prédicat composite », et, c'est ainsi que la comprennent ses lecteurs qui n'ont besoin ni de savoir ni de croire que ce prédicat a caractérisé un quelconque sujet. Cependant, si, par hasard et sans que Jane Austen en eût connaissance, une fille du nom d'Emma Woodhouse avait existé, correspondant fidèlement à toutes les descriptions du roman, les propositions de celui-ci auraient été à son sujet et auraient été vraies d'elle, en sorte que « par accident » l'auteur aurait écrit une biographie au lieu d'une œuvre de fiction[4].

Cela semble être une description un peu forcée de ce qu'est un récit fictif. Comme le dit Moore[5], nier que Jane Austen a écrit au sujet d'Emma Woodhouse, de Harriet Smith, de Miss Bates, de Mr. Knightley et ainsi de suite, et soutenir que son œuvre est en fait à propos d'un objet aussi étrange que l'est un « prédicat composite », semble être une conception fausse. C'est une idée que lui en tout cas trouve complètement inintelligible. Il est incorrect également de dire qu'une œuvre de fiction peut être « par accident » un ouvrage historique ou biographique. Car, même s'il existait dix jeunes filles s'appelant « Emma Woodhouse » et même si tout ce que Jane Austen a écrit dans *Emma* était vrai les concernant, elles ne seraient pas pour autant le sujet de son roman : ce n'est pas l'histoire de l'une d'elles qu'elle raconte, mais celle d'un sujet de son invention. De plus, il ne suffirait pas qu'Emma

4. G. Ryle, art. cité, p. 18-43.

5. G. E. Moore, « Les objets imaginaires », in *G. E. Moore et la Genèse de la philosophie analytique,* trad. Françoise Armengaud, Paris, Klincksieck, 1985, p. 168.

Woodhouse ait une réplique réelle, il faudrait également qu'une telle réplique existe pour tous les autres éléments du roman. On ne saurait séparer Emma de Highbury, ni de son entourage, ni du bal à l'auberge de la Couronne. Tout cela fait partie du récit, et il s'agirait d'une coïncidence presque miraculeuse si l'on en trouvait des répliques dans la réalité.

Ainsi Moore semble avoir raison lorsqu'il écrit :

> Je crois qu'il [Dickens] voulait dire ceci – et c'est ce que nous comprenons tous : « Il était *seulement un* homme dont il était vrai *à la fois* que *je vais vous raconter son histoire,* et qu'il s'appelait " Pickwick ", *et* que, etc. » En d'autres termes, il affirme dès le début qu'il a en vue un homme réel et un seul, dont il va nous raconter l'histoire. Ce qui est bien entendu faux, et fait partie de la fiction. Mais là réside la garantie de l'unicité de la référence pour tous les autres usages de « Monsieur Pickwick ». Et c'est pour cette même raison qu'il nous faut rejeter la suggestion de M. Ryle, que si par hasard il se trouvait qu'il eût existé un homme réel dont serait vrai tout ce qui est consigné dans le roman au sujet de Monsieur Pickwick, alors « nous pourrions dire que les propositions de Dickens étaient vraies de quelqu'un ». Car [...] *ce n'est pas son histoire que Dickens nous racontait :* ce qu'on laisse entendre en ajoutant que c'est seulement « par hasard » qu'il se trouverait qu'un tel homme eût existé[6].

Je pense que cela est exact, même dans les cas où les circonstances paraissent être en faveur de la thèse de Ryle. On sait que *Jane Eyre* et *Villette* contiennent de nombreux éléments autobiographiques. Charlotte Brontë connaissait parfaitement l'original de ses sujets romanesques, contrairement à Dickens, qui ne connaissait pas de Mr. Pickwick « coïncidant accidentellement » avec son personnage. Pourtant, *Jane Eyre* et *Villette* n'en sont pas moins des œuvres de fiction et non des biographies. Elles ne sau-

6. *Ibid.*, p. 172.

raient se substituer à *La Vie de Charlotte Brontë* par Mrs. Gaskell. Car, même si elle *se sert* des faits de sa propre vie, Charlotte Brontë n'écrit pas « à propos » d'elle-même, mais « à propos » de Jane Eyre, de Helen Burns, de Mr. Rochester, de Lucy Snowe, de Paul Emmanuel et des autres. Ou alors, si elle écrit à propos d'elle-même, c'est en un tout autre sens que celui selon lequel nous disons qu'elle écrit à propos des sujets de ses romans.

Ryle, Moore et beaucoup d'autres auteurs sont d'accord pour dire que les phrases appartenant à la fiction expriment des assertions fausses, et je pense que Moore a raison d'ajouter que, pour autant qu'elles sont fictionnelles, elles ne sauraient être vraies. Mais il est possible également de défendre un point de vue plus radical. Lorsqu'un conteur raconte ce qu'il sait être faux, n'est-il pas un imposteur et ses œuvres ne sont-elles pas des « tissus de mensonges » ? Selon une vue largement répandue, raconter des histoires est très proche de mentir, si ce n'est une forme de mensonge. « Inventer une fable » ou « débiter des histoires » sont des euphémismes usuels pour « dire un mensonge ». Un menteur connaît la vérité et c'est de manière délibérée que ses propos sont faux. Quelle différence y a-t-il avec la romancière qui feint qu'une fille appelée « Emma Woodhouse » a existé, etc., alors qu'elle sait parfaitement que cela est faux ? Le but d'un menteur est de leurrer *(deceive)* celui à qui il s'adresse, et il le leurre effectivement. N'en est-il pas de même du conteur ?

Selon Hume, « les poètes, eux-mêmes, bien que menteurs par profession, tentent toujours de donner un air de vérité à leurs fictions [7] ». Hume oppose toutes les autres expressions qu'il considère indistinctement comme mensongères ou fictionnelles à celles qui sont vraies à propos de faits réels. Il a tout à fait tort de classer la poésie comme telle parmi la fiction, bien qu'un récit fictif puisse être

7. David Hume, *Traité sur la nature humaine,* livre 1, 3e partie, sect. 10, trad. fr. A. Leroy, Paris, Aubier, 1946, p. 199.

raconté en vers. Mais il ne serait pas juste de qualifier, par exemple, les *Sonnets* de Shakespeare, les *Odes* de Keats ou *Les Quatre Quatuors* d'Eliot d'œuvres de fiction. Il ne s'agit pas non plus d'assertions de fait, mais ma tâche ici n'est pas d'en fournir une analyse. Je voudrais seulement m'élever contre la tendance générale qui consiste à mettre dans le même sac toutes les expressions non conformes au type d'assertions qu'on trouve dans les énoncés factuels. Même si elles ne font pas partie des assertions factuelles, les expressions utilisées en littérature peuvent appartenir à de nombreux types logiques différents. Cependant, il est évident que, pour Hume, raconter des histoires est une forme de mensonge. Et, en effet, un conteur ne se borne pas à avancer des assertions qu'il sait être fausses, mais se sert de tous les stratagèmes que lui offre son art pour amener le public à accepter ses chimères. Car, quel était le but des anciennes formules incantatoires par lesquelles débutaient les récits, comme « Il était une fois... » ou « Il y a très, très longtemps... », et quel est celui de leurs équivalents modernes, si ce n'est d'envoûter le public afin d'imposer silence à ses facultés critiques, de l'amener à suspendre son incrédulité et de le faire accéder à cet état d'« illusion » dont a parlé Coleridge et qu'il a rapproché du rêve[8] ? Tout ceci est vrai. Nous avons tous parfois besoin qu'on nous informe, qu'on nous instruise ou qu'on nous exhorte. Il y a des faits que nous devons connaître, il y a des attitudes que nous devons adopter. Aussi ennuyeuses soient-elles, nous sommes obligés de nous soumettre à ces opérations. Mais personne n'est obligé de prêter attention aux chimères d'un autre. Voilà pourquoi un conteur ne saurait avoir d'emprise sur un auditoire s'il n'est pas capable de le convaincre *(to convince)*. C'est ainsi qu'un de ses stratagèmes consiste à « tenter de donner un air de vérité à ses fictions ». Il ne s'ensuit pas que ce qu'il dit *est* vrai, ni qu'il est un imposteur. Il faut faire une

8. Voir ses notes sur *La Tempête* dans les *Conférences sur Shakespeare.*

distinction entre « essayer d'être convaincant » et « chercher à induire en erreur ». Le caractère convaincant d'une œuvre de fiction compte parmi ses propriétés positives. Cependant, amener quelqu'un à accepter une fiction n'implique pas nécessairement qu'on l'engage à croire qu'elle est réelle. Il est vrai qu'il existe des gens susceptibles d'être leurrés *(deceived)* par la fiction : ils ne font pas la part entre le fait d'être convaincant et celui de leurrer. C'est le cas des auditeurs qui écrivent à la BBC au sujet de Mrs. Dale ou de la famille Archer comme s'ils croyaient que les programmes de radio concernés leur présentaient le récit vécu de familles réelles. Cela ne veut évidemment pas dire que la BBC a berné de manière délibérée ces âmes simples. Enfin, un menteur peut être « démasqué ». Il tombe alors en discrédit et son mensonge devient inopérant. Par-dessus le marché, on se méfiera dorénavant de lui. Mais ce serait tout à fait absurde si quelqu'un se plaignait, puisque *Emma* est une fiction, d'avoir été abusé par Jane Austen et jurait de ne plus jamais lui faire confiance. Le caractère convaincant d'un récit est le résultat d'une conspiration mutuelle dans laquelle l'auteur et son public s'engagent en toute liberté. Un conteur ne ment pas, et normalement son public n'est pas leurré. Cependant, il existe des affinités entre la fiction et le mensonge qui excusent la comparaison. La conviction que produit l'art, et qui ne s'accompagne ni de crédulité ni d'incrédulité, ressemble à une tromperie non intentionnelle *(unwitting deception),* mais elle en est aussi très éloignée. Et s'il est vrai qu'un menteur feint lui aussi, il n'en découle pas pour autant que toute feinte soit un mensonge.

Une phrase fictionnelle n'exprime donc pas une assertion mensongère. Se pourrait-il qu'elle exprime une assertion fausse qui ne soit pas un mensonge ? En général, une assertion fausse est due à une ignorance totale ou partielle des faits. Ceux qui l'assertent croient faussement qu'elle est vraie. Il n'en va pas de même du conteur. Normalement, ni lui ni son auditoire ne croient que ses assertions sont vraies. Il est faux que Jane Austen ait écrit *Les Aventures de M. Pickwick,* mais il n'est pas absurde de suggérer que cela aurait pu être vrai. En revanche, comme nous avons déjà pu le constater, aucune découverte factuelle ne peut vérifier une assertion fictionnelle. Elle ne peut donc jamais être vraie. Ainsi, elle semblerait être nécessairement fausse ou logiquement impossible. Mais les expressions de la fiction ne sont ni contradictoires ni absurdes. Pour la plupart, elles sont parfaitement intelligibles. Lorsqu'elles ne le sont pas, c'est pour des raisons tout à fait indépendantes de la vérité et du mensonge. Ce n'est pas parce que les assertions de James Joyce sont fausses qu'elles sont inintelligibles. Car celles de Jane Austen et de Dickens ne sont pas vraies non plus, mais elles ne sont pas obscures pour autant.

On pourrait proposer la thèse alternative selon laquelle les propositions de la fiction sont fausses, mais sans être l'objet d'une croyance et sans être assertées. Leur caractère fictionnel consisterait dans le fait qu'elles sont uniquement proposées à la réflexion, comme c'est le cas pour les hypothèses : « Supposons qu'il y ait eu une fille du nom d'Emma Woodhouse, qui... » Car il est possible d'envisager *(entertain)* une proposition, même si elle est fausse. Ainsi, on pourrait dire que l'auteur avance des propositions fictionnelles fausses et que son public les soumet à sa réflexion *(consider)* sans qu'aucun des deux ne les affirme[9]. En effet, le conteur engage son public à « imaginer que... », à « faire comme si... », voire même à « supposer que... » ou à « admettre que... ». Il est rare qu'il introduise son récit précisément par ces expressions-là, mais il lance une invitation générale au lecteur à exercer son imagination. Jusqu'ici, on peut comparer son attitude à celle de quelqu'un qui proposerait une

9. Il me semble que le Pr Moore a soutenu ce point de vue lors d'une discussion qui a eu lieu en 1952. Cependant, je ne m'autorise pas de lui pour la version que je présente ici. Et d'ailleurs j'ignore s'il est toujours de la même opinion.

hypothèse dans d'autres domaines. Tout comme un mensonge ou un récit fictif, une hypothèse nécessite des capacités d'invention ; il ne s'agit pas d'un rapport de faits observés. Mais en même temps les hypothèses fictionnelles que l'auteur suggère à son public sont très différentes de toutes les autres. Une hypothèse non fictionnelle est proposée dans le but d'expliquer des faits ou des ensembles de faits : « Si le tableau est dû à Van Dyck, alors... » ; « Supposons que la malaria soit transmise par les moustiques, alors... » L'hypothèse suggère, par exemple, quelle pourrait être l'origine d'un tableau, ou en quoi pourrait résider la cause d'une maladie. Mais un récit n'a pas comme finalité la solution d'un problème de ce genre. De plus, une hypothèse non fictionnelle doit être vérifiable, ou alors il ne s'agit que d'une pure spéculation sans valeur explicative. Mais, de toute évidence, il ne saurait exister de preuve en faveur d'un récit fictionnel. Et ce qui ne peut être confirmé par un fait ne saurait pas non plus être infirmé par ce moyen. Par conséquent, si un récit consistait en des propositions qui sont envisagées à des fins de réflexion, le but envisagé serait à tout jamais hors d'atteinte, puisqu'elles ne peuvent être déclarées ni vraies ni fausses, ni probables ni improbables. J'en tire la conclusion que les énoncés fictionnels ne fonctionnent ni comme des propositions ni comme des hypothèses.

Toutefois, comme j'ai déjà eu l'occasion de le dire, il est facile de comprendre pourquoi on peut être tenté d'identifier les expressions fictionnelles aux mensonges, aux contrevérités ou aux hypothèses invérifiables. Le dictionnaire anglais, auquel il ne faut certes pas attacher plus d'importance qu'il ne convient, semble soutenir ce point de vue. D'après lui, « la fiction est l'acte de feindre, d'inventer, ou d'imaginer ; et aussi ce qui est feint, comme par exemple un récit fictif, une fable, une supercherie ou une contrevérité ». Si les quatre derniers termes sont censés être des synonymes, la définition suggère sans conteste l'idée que toute fiction est une contrevérité. Il y a eu des parents rationalistes aussi bien que religieux pour défendre à leurs enfants de lire des contes de fées et des romans, de crainte qu'ils n'adoptent des croyances fausses et immorales. Mais la différence logique entre les autres termes et la fiction semble montrer que celle-ci n'est pas une assertion fausse, mensongère ou hypothétique. Il est évident que « S feint que *p* » ne peut pas impliquer *p*. On rejoint ici la thèse selon laquelle la vérité éventuelle de *p* ne peut être due qu'à une « coïncidence ». Bien sûr, une fois que cette vérité est découverte, aucun S (ou conteur) futur ne pourra plus feindre que *p*, car on ne peut pas feindre qu'une proposition est vraie lorsqu'elle l'est réellement et lorsqu'on sait qu'elle l'est. D'un autre côté, dans une fiction, « S feint que *p* » ne peut pas non plus impliquer « non-*p* », ni même « peut-être *p* ». Les énoncés fictionnels sont donc d'un autre type que les assertions.

Une solution alternative est proposée par la théorie bien connue de la fonction émotive des expressions fictionnelles. Elle est surtout associée au nom de I. A. Richards. Je ne pourrai l'exposer que brièvement : les phrases qui figurent dans une œuvre de fiction, comme toutes celles qui se trouvent dans des contextes non informatifs, expriment un état émotif de leur auteur et tentent de le faire partager au public. Une œuvre se juge selon qu'elle réussit plus ou moins bien à accorder les émotions dont elle procède et celles qu'elle produit. Il est difficile d'évaluer cette thèse, parce qu'elle utilise le terme « exprimer » dans un sens vague. Elle tend à suggérer que les expressions fictionnelles sont des exclamations masquées telles que « Hourrah ! » ou « Hélas ! », ou que ces dernières pourraient les remplacer. Bien sûr, cela est impossible. Personne ne saurait raconter l'histoire d'*Emma* à l'aide d'une série de sourires, de soupirs, de larmes et de cris, ou à l'aide du vocabulaire limité qui traduit de telles expressions émotionnelles. La plupart des récits, il faut le répéter, sont racontés à l'aide de phrases normales qui sont communes aux assertions factuelles et à la fiction et qui sont comprises de manière appropriée. En fait, c'est exactement en cela que réside le problème. Si les énoncés de Jane Austen étaient aussi faciles à distinguer des assertions factuelles qu'une exclamation l'est d'un énoncé bien articulé, il n'y aurait de problème pour personne. Le concept d' « expression émotionnelle » doit donc être compatible avec l'existence d'un sens qui est compris[10]. Il est vrai que les relations émotionnelles jouent un grand rôle dans la plupart des fictions, mais beaucoup d'autres facteurs font de même. Il n'est pas nécessaire non plus que les sujets de la fiction coïncident avec l'expérience de l'auteur ou du public. Aucun récit, même raconté à la première personne, ne saurait être totalement autobiographique sans cesser d'être de la fiction. Qu'une œuvre de fiction utilise ou non du matériel autobiographique, l'intrusion directe, réelle ou suspectée, des sentiments personnels de l'auteur risque d'être fatale à son œuvre :

> J'ouvris *Jane Eyre* au chapitre douze et mon attention fut attirée par cette phrase : « Me blâme qui voudra… » De quoi pouvait-on blâmer Charlotte Brontë ? me demandai-je. Et je lus le récit qui montrait Jane Eyre grimpant sur le toit, pendant que Mrs. Fairfax faisait des confitures, regardant le paysage qui s'étendait au-delà des champs. « Puis je brûlai du désir (et c'est ce désir qui est blâmable) de posséder une puissance de vision qui pût dépasser cette limite [...] Je désirais aussi posséder plus d'expérience pratique que je n'en avais, avoir plus de commerce avec mes semblables [...] je croyais à l'existence d'une bonté d'un autre ordre et plus éclatante, et ce que je croyais, je souhaitais le voir. Qui donc me blâme ? Bien des gens, sans doute et l'on dira de moi que j'étais une révoltée. [...] Quand j'étais seule ainsi, il n'était pas rare que j'entendisse le rire de Grace Poole. »
> Que voici une fâcheuse interruption, pensai-je. Cela bouleverse tout que tomber ainsi soudain sur Grace Poole. Toute continuité se trouve ainsi détruite. On pourrait aller jusqu'à dire, poursuivis-je, [...] que la femme qui écrivit ces pages avait du génie [...] mais si

10. Voir aussi William Empson, *The Structure of Complex Words*, Londres, 1951, chap. 1.

> on relit ces pages en prêtant attention à la brusquerie et à l'indignation qui s'y trouvent, on voit [...] que ses livres seront déformés et tortueux [11].

En résumé, Charlotte Brontë, au lieu de raconter son histoire, se sert — ou du moins donne l'impression de se servir — de son héroïne pour exprimer de manière trop nue ses propres sentiments, cela afin de susciter une réaction émotionnelle de sympathie chez ses lecteurs. On pourrait objecter qu'elle *décrit* ses émotions plutôt qu'elle ne les exprime. Mais la situation n'est pas aussi évidente. Le passage en question reste un monologue de Jane Eyre, il n'est pas un rapport d'introspection de Charlotte Brontë. Virginia Woolf donne une interprétation du passage, ce qui ne serait pas nécessaire s'il s'agissait d'une simple description des sentiments de Charlotte Brontë. Si sa critique est fondée et si, malgré cela, le passage ne correspond pas à ce qu'on appelle une expression de l'émotion de l'auteur par la fiction, cela ne peut en tout cas pas être dû au fait qu'il s'agirait d'une simple description de faits. On pourrait objecter qu'il s'agit en l'occurrence d'un exemple d'expression manquant de finesse et qui ne prouve pas que la tâche de la fiction n'est pas d'exprimer une émotion. Lorsque l'expression de sentiments est habile, elle est impersonnelle, presque anonyme. On ne peut pas déduire des œuvres de Shakespeare ou de Jane Austen ce que leurs auteurs ont ressenti. D'où le flot de spéculations auxquelles se sont livrés les critiques. En revanche, les romans de Charlotte Brontë ne laissent que trop transpirer ses sentiments ; donc elle n'exprime pas vraiment ses émotions, elle ne fait que les épancher. Mais, s'il est si souvent impossible de dire qui ressent l'émotion ou même de quelle émotion il s'agit, à quoi cela sert-il d'affirmer que toutes les expressions fictionnelles sont d'ordre émotif ? Le critère devrait-il être uniquement celui

11. Virginia Woolf, *Une chambre à soi*, trad. fr. Clara Malraux, Paris, Gonthier, 1951, p. 93-94 (trad. revue).

de l'effet produit sur le public ? Certes, un conte peut provoquer l'amusement, la tristesse, la colère, ou émouvoir l'auditeur de toute autre manière. Mais est-ce le fait qu'*Emma* peut faire rire ou soupirer qui distingue cet ouvrage en tant qu'œuvre de fiction d'une assertion factuelle ? Certainement pas, car de nombreuses choses qui n'ont rien à voir avec la fiction ont le même effet. La réponse de la théorie en question est qu'une œuvre de fiction, comme toute œuvre littéraire, produit un effet émotionnel très particulier, un ajustement harmonieux de nos impulsions, une attitude personnelle, qu'on ne saurait provoquer d'aucune autre manière. Mais personne n'a donné de preuve indépendante attestant cet effet subtil ; pour ma part, je suis incapable d'en fournir une à partir de ma propre expérience de lecture d'œuvres de fiction. Donc, si on ne saurait distinguer la fiction de l'ordre factuel grâce aux effets émotionnels normaux que cause parfois la fiction, ni grâce aux changements subtils qu'elle est supposée causer, la théorie ne fait que reformuler la distinction sans l'expliquer.

Mais elle met le doigt sur le fait que le langage a aussi des fonctions moins terre à terre que ses usages au laboratoire, au bureau des archives, à la justice de paix ou dans les relations de tous les jours. Elle montre également que les seules qualités intellectuelles ne suffisent pas pour créer et apprécier des œuvres de fiction. La plupart d'entre elles seraient incompréhensibles à un être incapable de ressentir des émotions. On doit être à même d'accéder par l'imagination aux situations émotionnelles qui s'y présentent, bien qu'il ne soit pas nécessaire de ressentir les émotions en question. Il n'est pas indispensable d'être en proie à la jalousie pour imaginer ou pour comprendre l'attitude malveillante de Mr. Knightley envers Frank Churchill, mais quelqu'un qui n'aurait jamais connu ce sentiment pourrait trouver que la description qui en est faite n'est pas convaincante. Les auteurs diffèrent aussi par ce qu'on pourrait appeler d'une manière un peu vague le « climat » ou l' « atmosphère », deux termes qui ont une connotation émotionnelle et morale aussi bien qu'intellectuelle. Ainsi, les « mondes » de Jane Austen et de Henry James sont très différents de ceux d'Emily Brontë et de D. H. Lawrence. Par ailleurs, le langage de la fiction est en grande partie chargé émotionnellement. En effet, il dépeint des situations émotionnelles qui font partie de l'histoire racontée. Mais aucun de ces faits n'est éclairé de manière positive par une théorie qui réduit le langage de la fiction à l'expression d'une émotion transférée de l'auteur sur l'auditeur, à supposer même qu'il soit possible de comprendre véritablement comment une telle transaction peut se faire. Il ne semble pas que le sentiment dont elles procèdent ni celui qu'elles causent soient suffisants pour expliquer la différence entre l'ironie de Gibbon et celle qui caractérise Ivy Compton Burnett. De même, lorsque nous lisons *Guerre et Paix,* ce n'est pas à Tolstoï ou à nous-mêmes que nous nous intéressons en premier lieu, mais plutôt à la présentation des personnages, des actions et des situations. Considéré uniquement comme un instrument d'harmonisation émotionnelle entre Tolstoï et ses lecteurs, le vaste panorama du roman se trouve réduit à une trivialité. J'en conclus que ce qui distingue les phrases fictionnelles de celles qui assertent des faits n'est pas que les premières se borneraient à exprimer les émotions de quelqu'un, bien qu'il soit vrai que beaucoup d'entre elles entretiennent une relation vitale avec le domaine de l'émotion.

II

Lorsqu'on rapporte un fait, on est libre de choisir le langage ou le symbolisme qu'on veut employer et on peut s'en servir avec soin ou négligemment. Mais, en un sens, on ne peut pas choisir ce qu'on dira. On ne saurait énoncer une proposition vraie en affirmant que Charlotte Brontë est morte en 1890 ; qu'elle a écrit *Villette* avant *Jane Eyre,* qu'elle était grande et belle et qu'elle était une mondaine londonienne de haute volée. Aucune biographie de Charlotte Brontë ne pourrait contenir de telles affirmations et garder malgré cela son statut de biographie. Car les assertions vraies concernant Charlotte Brontë doivent correspondre à ce qu'elle a été et à la vie qui a été la sienne. En revanche, s'agissant d'Emma Woodhouse, Jane Austen n'était pas limitée par des contraintes de ce genre, puisque Emma était un produit de son imagination. Elle pouvait donc posséder toutes les qualités et vivre toutes les aventures qu'il plaisait à son auteur de lui attribuer. Il n'est même pas certain que celles-ci doivent être logiquement possibles, c'est-à-dire non contradictoires. Car certains récits, et pas les plus mauvais, sont très extravagants. En fiction, il y a de la place pour *Finnegans Wake* aussi bien que pour *Emma.* Un conteur ne choisit pas seulement les mots et le style : il fournit également, et, je pense, de concert avec ce choix, les matériaux du récit fictionnel. Je voudrais souligner le fait que, dans le domaine de la fiction, le langage est utilisé pour *créer.* Car c'est cela qui la distingue principalement de l'assertion factuelle. Un conteur réalise quelque chose ; il ne communique pas — ou du moins pas en premier lieu — des informations vraies ou fausses. Raconter une histoire, c'est donner naissance à quelque chose, et non pas rapporter des faits. Tout comme le contenu des rêves, les objets de la fiction peuvent présupposer ceux de la vie réelle, mais ils n'entrent pas en compétition avec eux. Cependant, par opposition à ceux des rêves, ils sont inventés de manière délibérée. Par conséquent ils diffèrent également des délires dus à la folie. Ce n'est pas intentionnellement qu'un fou ne respecte ni les faits ni la logique. Il pense au contraire les respecter et, aussi extravagantes que soient ses chimères, il est persuadé qu'il est dans le vrai, alors qu'il a toujours tort. Mais un conteur, même lorsqu'il est tout aussi extravagant, n'est jamais leurré. Il invente par choix délibéré et non pas accidentellement.

Comme je l'ai déjà dit, la plupart des mots et phrases utilisés par un conteur sont supposés avoir le même sens que lorsqu'ils sont utilisés dans un contexte non fictionnel. Car tous ceux qui communiquent se servent du même langage, composé principalement de termes généraux. Cependant, il est possible de se servir du langage de différentes manières afin d'obtenir des résultats différents. Lorsqu'un conteur « feint », il simule une description factuelle. Il prend l'air innocent de celui qui communique des informations. Cela fait partie de la feintise. Mais lorsqu'il feint par exemple qu'il y a eu une personne du nom de « Becky Sharp », une aventurière qui finit par tomber dans le malheur, il ne fournit pas des informations vraies ou fausses concernant une personne réelle s'appelant « Becky Sharp » ou concernant qui que ce soit d'autre : il crée Becky Sharp. Et tout public normal comprend parfaitement que c'est là ce qu'il fait. Bien entendu, ce faisant il n'accroît pas la population mondiale. Becky Sharp n'est pas inscrite au registre communal de Somerset House. Mais ce fait lui aussi est pris en compte par nos façons de parler. On ne dit pas qu'un conteur crée des personnes ou des êtres humains, mais des *personnages,* qui, ensemble avec leur décor et les situations dans lesquelles ils se trouvent, font partie d'un récit. Selon Ryle, bien qu'« il soit correct de dire que Charles Dickens a créé une histoire, il est tout à fait erroné de parler comme s'il avait créé Mr. Pickwick [12] ». Mais Dickens *a* créé Mr. Pickwick, et cela ne veut pas dire, comme le croit Ryle, qu'il a créé un « prédicat complexe ». L'idée ne viendrait à personne de dire une chose pareille. En revanche, il est tout à fait habituel et approprié de dire qu'un auteur a créé certains personnages ainsi que tout ce qui est indispensable à leur fonctionnement. « Avec Caliban, dit Dryden, Shakespeare semble avoir *créé* un être qui n'était pas dans la nature [13]. » Il n'était pas dans la nature parce qu'il faisait partie de *La Tempête.* Créer un récit, c'est se servir du langage pour créer le contenu de ce

12. G. Ryle, symposium, art. cité, p. 32.
13. Cité par Logan Pearsall Smith, S.P.E., Tract. XVII, 1924.

récit. Écrire « à propos » d'Emma Woodhouse, de Becky Sharp, de Mr. Pickwick, de Caliban et ainsi de suite, c'est « causer » *(bring about)* ces personnages et leurs mondes. Généralement, on n'emploie pas le terme de « personnage » pour désigner des êtres humains. Si cela arrive, c'est par analogie avec l'art. On dit par exemple : « J'ai rencontré un drôle de personnage l'autre jour ; il aurait pu être créé par Dickens. » Cela ne signifie pas que Dickens a écrit ou a tenté d'écrire au sujet d'une telle personne, mais simplement que de nos jours ses lecteurs voient leurs semblables à travers ses œuvres. C'est de la même manière qu'aujourd'hui il nous arrive de découvrir des tableaux de Cézanne ou de Constable dans des paysages naturels, ce qui ne se produirait pas si ces peintres n'avaient pas existé. Les personnages jouent un rôle ; les êtres humains vivent leur vie. Un personnage, comme tout autre élément purement fictionnel, se réduit à son rôle dans le récit. Même la biographie la plus longue ne saurait décrire exhaustivement une personne humaine, mais ce que Jane Austen dit d'Emma Woodhouse la décrit exhaustivement. Un personnage peut être compris complètement, alors que l'être humain même le plus simple, à supposer qu'il existe un être humain qui soit simple, demeure toujours quelque part opaque pour les autres. Un personnage ne possède pas d'autres secrets que ceux qui sont compris dans l'intervalle de cinq actes, entre les couvertures d'un livre, ou dans la durée qui sépare le dîner de l'heure du sommeil[14]. Certes, un récit peut avoir une suite, mais celle-ci est une invention nouvelle et non pas un compte rendu de ce qui aurait été omis dans l'original.

Cela peut donner lieu à des objections. Ainsi, on dira que de nombreux personnages de fiction sont aussi complexes que des êtres humains. Est-ce que les critiques ne continuent pas de se quereller sur les motifs de Iago ou le sexe d'Albertine ? En fait, lorsqu'on dit qu'un person-

14. Voir à ce propos E. M. Forster, *Aspects of the Novel* (1927), Londres, Penguin Books, 1962, chap. 3 et 4.

nage est limité à ce que le récit relate à son propos, cela ne signifie pas que tout ce qui le concerne doit toujours être parfaitement clair. Cela veut dire simplement que le seul moyen de découvrir des faits concernant un personnage, c'est de consulter le texte de l'auteur : il contient tout ce qu'il y a à découvrir. Personne ne saurait trouver des témoignages indépendants que l'auteur aurait omis. Cela vaut même pour Ernest Jones, en ce qui concerne les « complexes » d'Hamlet qu'il allègue. En admettant que le texte soit complet et authentique, il peut y avoir différentes interprétations le concernant, et donc aussi concernant tel ou tel personnage, mais il ne saurait y avoir de témoignages inédits, tels ceux qui peuvent rendre obsolète une biographie. On ne découvrira jamais un journal intime d'Hamlet ni une cache contenant des lettres à sa mère, et qui seraient capables de jeter une lumière nouvelle sur son état mental. Cela ne veut pas non plus dire qu'en l'absence de tels documents son état mental restera à tout jamais un secret. Hamlet est ce que Shakespeare nous dit qu'il est et ce que nous en comprenons à partir de son texte, et rien de plus.

Ce qui est vrai des personnages vaut aussi pour les autres éléments fictionnels d'un récit. « Barchester » ne désigne pas un lieu géographique : c'est le cadre ou le décor d'un certain nombre des personnages de Trollope. Il en va de même de l'île magique de Prospéro et de ses compagnons. Les mots qui sont utilisés pour « planter le décor » d'un récit peignent pour ainsi dire l'arrière-fond de ses événements. « Décor » est un terme d'art, un mot provenant du langage de théâtre. On dira tout à fait naturellement : « Barchester est le décor des activités de l'archidiacre Grantley », mais non pas, à moins de vouloir employer un ton histrionique : « Oxford est le décor de cette conférence. » Il serait plus normal de dire : « Cette conférence a lieu à Oxford. » Le terme « décor » n'est utilisé pour des situations naturelles que lorsqu'elles sont considérées comme des artifices. Enfin, les situations et événements d'un récit forment son intrigue. Ils obéissent à un enchaînement qui a été arrangé avec un début, un milieu et une fin — ou alors ils possèdent quelque variété moderne de cette forme. Mais la vie humaine et les événements naturels ne possèdent ni ne se conforment à aucune intrigue. Ils n'ont pas de forme arrangée.

C'est donc de cette façon que nous parlons des œuvres de fiction et de leurs contenus fictionnels : ce sont des arrangements *(contrivances)*, des artefacts. Un récit ressemble davantage à une peinture ou à une symphonie qu'à une théorie ou à un rapport factuel. Pour changer, on pourrait par exemple comparer les personnages avec des thèmes musicaux, plutôt qu'avec des êtres humains en chair et en os. Un compositeur crée sa symphonie, mais il en crée aussi toutes les parties. On peut dire la même chose du conteur, sauf que les parties, ici, ce sont les personnages, le décor et les événements qui composent son récit. La similarité est difficile à voir du fait que le conteur utilise, et est obligé d'utiliser, le langage commun avec ses termes généraux, en sorte qu'il semble asserter des propositions au sujet d'une réalité indépendante, comme le fait celui qui rapporte, ou échoue à rapporter, des événements réels. Donc, concluent les philosophes, puisque la fiction pure ne saurait être à propos d'objets physiques, elle doit être au sujet de quelques simulacres fantomatiques de ces objets ou de « prédicats » affaiblis de la même manière. Pour mon compte, je ne veux pas invoquer un mode d'existence spécial pour les objets fictionnels, c'est-à-dire le contenu de la fiction. Et, bien qu'il soit évident que les écrivains de fiction utilisent le langage commun, je ne pense pas qu'on puisse tirer au clair leur activité en disant qu'ils écrivent à propos de prédicats ou de propriétés. Tout le monde est d'accord pour dire qu'un conteur crée à la fois son récit, c'est-à-dire la construction verbale, et les contenus de ce récit. D'après moi, ces deux activités sont inséparables. En effet, on ne saurait créer une fiction pure sans créer du même coup les contenus qui en sont les parties. On ne saurait séparer Emma Woodhouse d'*Emma,* alors qu'on peut séparer

Napoléon de sa biographie. Je ne dis pas qu'Emma est simplement identique aux mots grâce auxquels elle est créée. Elle est un « personnage », ce qui fait qu'elle peut être qualifiée de charmante, généreuse, étourdie, voire même de « proche de la vie », et cela de manière tout à fait appropriée. Personne ne saurait utiliser de manière sensée de telles épithètes concernant de simples mots. Et, néanmoins, on ne saurait parler sensément d'un personnage autrement qu'en termes du récit dont il ou elle est un personnage. De la même manière, je pense qu'on ne saurait dire sensément qu'une volée d'oiseaux chante « fortuitement » le premier mouvement d'une symphonie : les oiseaux ne se soumettent pas aux conventions musicales. Ce qui vaut pour les personnages vaut aussi pour les décors et les événements du récit de pure fiction. La réponse aux questions : « Où les trouvera-t-on ? », « Où existent-ils ? » est tout simplement : « Dans une histoire », et voilà tout. Car ils sont des éléments ou des parties d'un récit, comme le montre la façon dont nous en parlons.

Mais il n'y a que très peu de textes de fiction dont le contenu soit totalement fictif. Ainsi, Londres fait partie du décor d'*Emma*, comme de nombreux romans de Dickens ; de même, la Russie fait partie du décor de *Guerre et Paix* et l'Inde de celui de *La Route des Indes.* Par ailleurs, des personnes et des événements historiques semblent envahir la fiction : ils sont en fait le matériau même des romans « historiques ». Est-ce que les phrases qui dénotent ou décrivent de tels lieux, personnages ou événements n'expriment pas des assertions vraies ou fausses ? Il est vrai que de tels objets et événements réels sont mentionnés dans ces expressions fictionnelles. Néanmoins, ils ne fonctionnent certainement pas de manière intégrale comme ils le feraient dans un rapport ou un document historique. Ils continuent à faire partie d'un récit fictif. Un conteur n'est pas discrédité comme reporter s'il réarrange les squares de Londres ou s'il ajoute une rue inconnue à la ville pour les besoins de son œuvre, ni s'il crédite un personnage historique de discours et d'aventures ignorés des historiens. Un roman historique n'est pas jugé selon les mêmes critères qu'un livre d'histoire. Les inexactitudes sont condamnées, lorsqu'elles le sont, non parce qu'elles seraient de la mauvaise histoire ou géographie, mais parce qu'elles témoignent d'un art déficient. Un récit qui introduit Napoléon ou Cromwell mais qui s'éloigne de manière fantaisiste de la vérité historique pèche contre la vraisemblance qui apparaît être son but : il est donc dépourvu de plausibilité et ennuyeux. Ou s'il est néanmoins intéressant, on se demandera : « Mais pourquoi appeler ce personnage Oliver Cromwell, Lord Protector d'Angleterre ? » La même remarque vaut pour les lieux géographiques : si on appelle « Londres » quelque endroit qui est totalement méconnaissable, ce nom sera dépourvu de pertinence.

J'incline donc à dire qu'un conteur n'énonce pas des assertions informatives concernant des personnes, des lieux et des événements réels, même lorsque de tels éléments sont mentionnés dans des phrases fictionnelles : je dirai plutôt qu'ils fonctionnent eux aussi comme les éléments purement fictionnels avec lesquels ils sont toujours mélangés dans le récit. La Russie en tant que décor de l'histoire des Rostov diffère de la Russie que Napoléon a envahie et qui ne contenait pas les Rostov. Il y a eu une bataille de Waterloo, mais George Osborne n'en a pas été une victime, sauf dans le roman de Thackeray. Tolstoï n'a pas créé la Russie, ni Thackeray la bataille de Waterloo. Mais on peut dire que Tolstoï a créé la-Russie-comme-arrière-fond-des-Rostov et que Thackeray a créé Waterloo-comme-décor-de-la-mort-de-George-Osborne. On pourrait dire que la mention de choses réelles dans une œuvre de fiction possède un double rôle : elle réfère à un objet réel et elle contribue au développement du récit. Mais je ne saurais approfondir cette question ici, sinon pour dire que la situation diffère de celle de Charlotte Brontë, par exemple, se servant des événements réels de sa propre vie dans *Jane Eyre*. Car Charlotte Brontë ne se *mentionne* pas dans son livre, ni les endroits et événements réels qui ont servi de modèles à son récit.

J'ai essayé d'expliquer comment opèrent les expressions fictionnelles et voulu montrer qu'elles se distinguent à la fois des assertions et des expressions émotionnelles. Mais je me suis demandé aussi au début de ce texte comment elles sont assemblées entre elles. Il est évident que leur ordre n'a nullement besoin d'être dicté par celui de quelque ordre factuel. Elles ne sont même pas toujours liées par les principes de la logique. Est-ce que leur assemblage obéit à une règle ou à une procédure quelles qu'elles soient ? Existe-t-il un procédé à l'aide duquel on pourrait expliquer leurs transitions ? Dans la mesure où une œuvre de fiction est une réalisation créatrice, on pourrait presque penser que la recherche de règles ou d'un procédé n'a pas de sens. Est-ce qu'une création ne se définit pas précisément par sa nouveauté et son originalité, par son indépendance des lois de la logique aussi bien que de l'existence réelle, par son irréductibilité à quelque règle ou procédé que ce soit ? Cependant, la création d'une œuvre de fiction, si remarquable soit-elle, n'est pas un miracle. De même, l'usage que l'auteur fait de la langue n'est pas totalement déréglé et hors de toute loi : il obéit à un but. Certes, aucun ensemble de règles ne saurait rendre capable qui que ce soit d'écrire un bon roman, ni de produire une bonne hypothèse scientifique. Mais le scientifique met son ingéniosité à inventer une hypothèse susceptible de connecter certains faits et d'en prédire d'autres. Il fournit un concept organisateur qui est relié aux faits qu'il s'agit d'organiser et qui est réglé par sa probabilité d'être à même de livrer l'explication correcte. Comme je l'ai déjà souligné, la situation du conteur est différente.

Dans sa préface à *Portrait de femme,* Henry James rappelle que, en organisant son « travail » autour d'Isabelle Archer, il s'était demandé, après avoir conçu le personnage : « Et maintenant, que va-t-elle *faire* ? », et que la réponse avait été immédiate : « Bien sûr, la première chose qu'elle fera, ce sera de venir en Europe. » Il n'avait pas besoin d'avoir recours à une inférence, ou de deviner, ni de se fonder sur une observation ou une preuve : il *savait.* Il savait parce qu'il en avait décidé ainsi. Sa décision était sans doute motivée par de multiples raisons artistiques, liées par exemple au fait qu'il voulait développer sa conception de ce personnage spécifique en relation à d'autres personnages, sur un arrière-fond particulier, le tout en accord avec son intrigue. Son but était de produire une histoire spécifique, voire unique : un système clos sur lui-même et possédant sa propre cohérence interne. En un sens, il est certain que toute œuvre de fiction se donne sa propre loi. Néanmoins, je pense qu'il y a une notion générale qui gouverne toutes ces constructions, bien que son application puisse donner lieu à des résultats très différents. Il s'agit de la notion aristotélicienne qu'on traduit généralement par « probabilité », mais que je préfère appeler « plausibilité artistique ». L'expression n'est pas parfaite, mais elle est préférable à « probabilité », qui suggère l'existence d'une relation évidente entre des prémisses et une conclusion, ou encore à « possibilité », qui suggère l'idée d'une restriction à ce qui est logiquement concevable et impliquerait l'exclusion d'un certain nombre d'œuvres rares, étranges et fantastiques. Par ailleurs, l'expression « plausibilité artistique » ne s'applique qu'à ce qui est verbal. Bien qu'on puisse leur appliquer des notions apparentées, on ne parle guère de tableaux, de statues ou de symphonies « plausibles », alors qu'on parle couramment de « récits plausibles ». Un récit plausible est un récit qui est convaincant, qui est à même de se faire accepter par le public. Mais comme la plausibilité en question est une plausibilité artistique, la conviction induite ne sera pas de l'ordre de la croyance qui est appropriée face à une assertion factuelle. Un des désavantages de ma notion réside dans le fait qu'elle risque de suggérer que toute fiction est, ou devrait être, réaliste ou naturaliste. Il est vrai que, bien que la fiction ne consiste pas en des assertions au sujet de la vie ou d'événements naturels, elle prend souvent l'expérience vécue comme modèle pour ses propres assemblages. Parfois, comme le fait Charlotte Brontë, l'auteur utilise du matériel autobiographique. De tels récits sont convaincants parce qu'ils sont « proches de la vie ». Mais toute fiction est loin d'être naturaliste de cette manière. Et un récit prétendument fondé sur des faits réels n'est pas nécessairement convaincant comme fiction. Pour reprendre la devise d'Aristote, « une impossibilité qui convainc vaut mieux qu'une possibilité qui n'est pas convaincante ». La fiction comporte en fait un vaste éventail d'assemblages plausibles, allant du naturalisme le plus pur à l'extravagance la plus folle. Tout ce qui est convaincant est justifié. Bien entendu il y aurait beaucoup à dire concernant la personne qui est ainsi convaincue et concernant la question de savoir si oui ou non elle est un juge fiable en cette matière, mais ici je ne saurais guère qu'indiquer quel est le type d'assemblage propre aux œuvres de fiction et qui les distingue des descriptions factuelles. C'est au critique littéraire qu'il incombe d'analyser les différents types de plausibilité, exemplifiés, disons, par *Emma, Guerre et Paix, Portrait de femme, Les Hauts de Hurlevent, Moby Dick, Alice au pays des merveilles* ou les *Contes* de Grimm. Et bien qu'il soit peut-être impossible d'indiquer des règles qui permettraient d'aboutir à tel ou tel type de plausibilité, il est parfois possible de dire ce qui rend ou rendrait une œuvre non plausible. Un mélange d'éléments provenant de différents systèmes de plausibilité aurait par exemple un tel résultat négatif. Il est tout à fait plausible qu'Alice change de taille en buvant une potion magique, mais ce serait absurde si Emma Woodhouse ou Fanny Price en faisaient autant. Ou, pour rendre plausible une telle péripétie, les romans de Jane Austen devraient être très différents de ce qu'ils sont. Car il faudrait recourir à des explications très différentes de celles que permet leur propre système de conventions. Cette constatation vaut aussi pour des plausibilités plus importantes. Emma Woodhouse ne saurait soudain assassiner Miss Bates après le bal, ou développer un sens du péché typiquement russe, sans détruire du même coup la plausibilité du roman ou causer une révolution complète de sa forme, et cela même si, considérées pour elles-mêmes, ces péripéties sont plus plausibles que celles par lesquelles passe Alice. Mais ces exemples posent la question des relations entre la fiction et la réalité factuelle, entre l'art et la vie, question que je ne saurais discuter ici.

Traduit de l'anglais par Claude Hary-Schaeffer

Michał Głowiński

Sur le roman à la première personne *

I

Bien qu'on ait depuis longtemps décrit le mécanisme des formes grammaticales dans le roman, notamment les pronoms personnels et le système verbal, le problème est toujours d'actualité, et il continue de solliciter les romanciers comme les critiques[1]. C'est de toute évidence une question d'importance capitale. Le choix d'un pronom personnel entraîne et inspire d'autres choix ; il touche à la question fondamentale de la place où situer un récit donné dans les catégories des possibles narratifs. En d'autres termes, il détermine le choix de ses structures de signification. Les structures de signification du récit non personnel, où les personnages sont évoqués par le moyen du pronom de la troisième personne, « il », ou de ses équivalents, comme les noms propres (Vautrin, Castorp, Chveïk)[2],

* Traduit de « On the First-Person Novel », *New Literary History,* 9, 1977, p. 103-114 (traduction anglaise, par Rochelle Stone, des pages 39-75 de *Gry powiesciowe [Jeux romanesques]*, Varsovie, 1983). (Ce texte a été écrit en 1967) ; traduction française, *Poétique* 72, novembre 1987.

1. Voir, par exemple, Michel Butor, « L'usage des pronoms personnels dans le roman », *Répertoire II,* Paris, Éd. de Minuit, 1964, p. 61-72. Pour le rôle des pronoms dans l'expression littéraire en général, voir Émile Benveniste, « Le langage et l'expérience humaine », *Diogène,* 51, 1965, 3-13 (rééd. dans *Problèmes de linguistique générale,* II, Paris, Gallimard, 1974, p. 67-68 – N.d.T.).

2. Voir ce que dit A. Maclver des noms propres dans son étude « Demonstratives and Proper Names », *Philosophy and Analysis,* Margaret MacDonald (éd.), Oxford, 1954.

sont radicalement différentes de celles d'un récit pris en charge par un narrateur personnel. Le récit à la troisième personne se situe dans le cadre de ce qu'on peut définir comme une énonciation quasi objective. Par « énonciation quasi objective », je fais référence, s'agissant du roman, à une énonciation qui nous informe de manière « objective » des faits, des événements, des objets constituant le monde fictionnel représenté dans l'œuvre narrative. Cette « objectivité », c'est celle par laquelle, en l'occurrence, le lecteur se voit sommé d'accepter comme indiscutables les assertions de l'auteur concernant tel ou tel élément de l'univers romanesque. Ce type d'énonciation s'attache aux objets de l'univers de fiction plutôt qu'à la personne, généralement occultée, du narrateur. De ce fait, le lecteur ne dispose pas d'informations susceptibles de jeter un doute sur une phrase telle que celle-ci : « Pour M. Ignace Rzetski, c'était à nouveau le temps du souci et de la perplexité. » Le lecteur aurait été dans une situation tout à fait différente si cette phrase avait été formulée de la manière suivante : « M. Ignace Rzetski déclara (pensa, dit, etc.) que pour lui c'était à nouveau le temps du souci et de la perplexité. » Dans ce cas, le lecteur peut se demander si l'assertion de Rzetski est véridique, dans l'acception particulière que des mots comme « vérité » et « vrai » revêtent quand on parle du roman. Je n'aborderai cependant pas ici le problème de l'articulation d'une énonciation quasi objective aux citations dans le roman à la troisième personne. Je proposerai plutôt une seconde variation sur la phrase de Boleslaw Prus[3]. Si la phrase se trouvait dans l'un des chapitres de *La Poupée* qui sont écrits à la première personne, et qui constituent le Journal

3. Le roman *Lalka (La Poupée)*, de Boleslaw Prus (1847-1912), le représentant le plus remarquable du réalisme polonais, a paru en 1890. C'est un récit à la troisième personne entrecoupé de chapitres occupés par le Journal intime, écrit à la première personne, de Rzetski, l'un des principaux personnages du roman. Voir *La Poupée*, trad. fr. Simone Deligne, Wenceslas Godlewski et Michel Marcq, Paris, Del Duca, 1962-1964, 3 vol. (N.d.T.).

intime de Rzetski, elle aurait pu se présenter à peu près comme ceci : « C'était à nouveau, pour moi, le temps du souci et de la perplexité. » Pour le lecteur du roman, cette phrase n'est pas seulement différente d'une information communiquée par le narrateur, elle est différente aussi d'une citation rapportée en style direct. Comme information d'origine narratoriale, c'est une déclaration de fait, objectivisée ; comme citation, l'information pourrait toujours faire l'objet d'une vérification de la part du narrateur ; le lecteur serait alors en mesure de savoir s'il doit accepter de bonne foi l'assertion de Rzetski concernant le temps du souci et de la perplexité. Dans le cas d'un roman à la première personne, le lecteur ne se trouve pas placé dans une situation aussi avantageuse. Il est condamné à une incertitude très particulière quant à la valeur d'information de la phrase en question. Il ne peut pas en référer à l'autorité d'un narrateur, car lorsqu'une histoire est racontée à la première personne le narrateur se trouve sur le même plan que tous les autres personnages, simple mortel comme eux et donc, comme eux, faillible. Dans un récit à la première personne de cette nature, le sujet peut bien faire usage ostensiblement d'un mode d'énonciation appartenant au récit à la troisième personne ; mais certains phénomènes caractéristiques du récit à la première personne se manifesteront, comme les énoncés expressifs, ou performatifs[4]. On pourra aussi repérer des préjugés, des fantasmes, des mensonges ; on se trouvera alors face à une logique narrative à plusieurs niveaux. Une histoire peut ou bien informer le lecteur, ou bien le désinformer. En d'autres termes, dans le récit à la première personne, le fait que le narrateur dispose d'une information est aussi important que le fait qu'il en soit privé. Je reviendrai plus loin sur ce point. Remarquons pour l'instant que si les

4. J'utilise le concept proposé par J. L. Austin dans le sens où Tzvetan Todorov l'emploie à propos du roman par lettres dans *Littérature et Signification* (Paris, Larousse, 1967), consacré aux *Liaisons dangereuses* de Laclos.

structures de signification du récit à la première personne sont bien distinctes des structures narratives mises en œuvre par le roman à la troisième personne (je songe ici au roman classique, tel qu'il s'est épanoui chez les romanciers réalistes du siècle dernier), elles ne sont pas sans affinités avec le mode de signification des citations dans le roman. Cependant, pour bien des raisons, il est difficile de considérer le récit à la première personne comme une citation, et d'abord à cause de l'absence de tout dispositif énonciatif à quoi l'on pourrait subordonner la citation. C'est une énonciation non médiate, située hiérarchiquement au niveau premier. En conséquence, dans un roman de cette nature, le récit n'est pas susceptible de vérification ; les éléments contribuant à la signification de l'histoire sont disparates et, d'une certaine manière, équivoques. A côté d'une énonciation quasi objective, la signification peut aussi dépendre d'éléments dont le fonctionnement est analogue à celui de la citation ; des relations de faits, objectives, peuvent être associées à des confessions subjectives ; le « faux » peut côtoyer le « vrai ». Et les éléments qu'ici je distingue ne sont pas, en règle générale, nettement séparés les uns des autres ; ils se manifestent conjointement. La signification est multiple à l'intérieur du même segment narratif.

Ainsi, le roman à la première personne était en mesure de contester, même s'il ne l'a pas toujours fait, une certaine conception du roman comme narration véridique et incontestable d'événements organisés chronologiquement. Mais le genre a évolué de telle manière que le roman à la première personne n'a pas toujours rendu cette opposition possible. Il s'est souvent efforcé de faire sienne l'énonciation objective du récit à la troisième personne. Pourtant, je verrais plutôt la raison principale de cette assimilation dans le fait que le roman à la première personne n'a pas résolu le « paradoxe narratif », alors qu'il disposait de tous les moyens nécessaires pour le faire. Par « paradoxe narratif », je fais référence au phénomène suivant. En commençant son histoire, le narrateur a de son sujet un savoir total, mais il le dévoile par étapes, et non d'emblée. Le narrateur donne l'impression que l'histoire se déroule dans une temporalité parallèle à la succession des événements tels qu'ils sont racontés. En d'autres termes, l'ordre dans lequel le récit se présente suit en quelque sorte l'intrigue, qui, dans le roman classique, doit refléter le déroulement des événements, supposé naturel et évident. Il y a en conséquence entre ces deux séries une certaine homologie, qui est l'une des conventions fondamentales du récit en prose classique, à la troisième personne, où elle découle de l'omniscience d'un narrateur qui n'est pas destiné à se concrétiser en un personnage. Mais cette homologie se manifeste aussi dans le roman à la première personne, en dépit du fait que le narrateur est un personnage concret et, théoriquement, non doué d'omniscience. Cela a un effet déterminant sur la configuration temporelle de l'histoire, notamment dans le cas des récits à la première personne où le temps de l'histoire peut être mis en évidence à tout instant. Le lecteur ne peut ainsi connaître du narrateur que son activité narratoriale. Le niveau de la narration n'est pas prédominant, même dans ces variantes du genre qui découpent l'histoire en segments de dimension réduite (par exemple, dans le roman épistolaire, ou dans le cas d'un récit en forme de Journal), bien qu'en principe ces segments doivent être plus ou moins parallèles aux événements racontés. Dans chacun de ces fragments, le récit se déroule normalement selon la chronologie ; il est rare que le narrateur se démarque de ce principe et fasse état d'emblée de son savoir des événements[5]. En renonçant à résoudre le paradoxe narratif avec les moyens qui étaient à sa disposition, le roman à la première personne, dans une certaine mesure, tantôt s'est plié aux exigences du roman réaliste classique, au XVIIIe siècle, lui a tracé la voie. Dans une

5. Pour les relations de temps dans le roman à la première personne, voir Bertil Romberg, *Studies in the Narrative Technique of the First-Person Novel,* Stockholm, 1962, p. 95-117.

certaine mesure, dis-je, parce que ce phénomène s'est trouvé contrarié par le fait que le roman à la première personne utilisait des formes d'expresion qui restaient étrangères au récit à la troisième personne.

II

Le récit à la première personne relève de la *mimésis formelle* : c'est une imitation, par le moyen d'une forme donnée, d'autres modes de discours littéraires, paralittéraires et extralittéraires, ainsi que, selon un procédé relativement commun, du langage ordinaire. La mimésis formelle fait fond sur des formes d'expression socialement déterminées, et en général profondément ancrées dans une culture donnée. Nous avons donc affaire à un certain type de stylisation. C'est la raison pour laquelle on ne peut parler de mimésis formelle que lorsque se manifeste une certaine tension, un certain jeu entre différents modes d'expression ; par exemple, lorsqu'un roman fait usage des règles structurelles qui appartiennent au Journal intime. Il n'y a pas de mimésis formelle lorsqu'un récit donné se borne à manifester les structures inhérentes au genre même ou à la convention stylistique dont il relève, par exemple, lorsqu'un sonnet met en œuvre les règles contraignantes du sonnet classique. Dans ce cas, l'indispensable tension n'existe pas ; le phénomène de mimésis formelle ne se produit pas. C'est cette tension qui constitue le critère fondamental de la mimésis formelle.

De ce critère découle le phénomène suivant : ce que j'appelle « imitation » ne consiste pas en un simple transfert des règles structurelles fonctionnant dans le cadre d'un type de récit donné pour les mettre en œuvre dans le cadre d'un récit de type différent. Il n'y a pas de subordination totale de la forme « imitante » à la forme « imitée ». L' « imitation » ne se réduit pas à l'exercice d'un choix ; c'est la collision violente de règles hétérogènes. Dans l'opération, la forme qui accomplit l' « imitation » joue un rôle actif, car, sous l'apparence d'une reproduction plus ou moins complète, elle introduit les éléments « imités » à l'intérieur du champ que régissent ses structures propres : un roman qui prend pour modèle à imiter la structure du Journal intime, ou celle des Mémoires, fictionalise cette structure, et en conséquence fait apparaître des caractéristiques différentes de celles que manifestait le modèle dans son domaine d'origine. La mimésis formelle ne se fonde donc jamais sur une assimilation totale ou sur un transfert complet des principes structurels d'un mode d'expression dans un autre. Elle se ramène plutôt à un ensemble d'analogies qui doivent suggérer l'identité, mais en même temps témoigner de l'impossibilité d'atteindre cette identité. La mimésis formelle ne consiste donc pas, pour une forme littéraire, à se soumettre à des formes d'expression extra- ou paralittéraires.

Et c'est ici qu'apparaît une troisième caractéristique essentielle de la mimésis formelle : les éléments sur lesquels porte l' « imitation » sont toujours de ceux qui permettent à la signification de s'élaborer. En d'autres termes, il est indispensable de repérer le modèle pour comprendre le récit qui s'appuie sur celui-ci. Ce n'est pas une question de genèse, mais une question de structure. La mimésis formelle fait partie des éléments constitutifs de la convention littéraire ; il faut donc qu'elle soit décelée pour que l'œuvre, élaborée en fonction de règles conventionnelles, puisse être comprise — c'est-à-dire lue selon les règles qu'elle a faites siennes.

La mimésis formelle peut se fonder sur des formes d'expression historiquement reconnues, orales aussi bien qu'écrites. Au titre des conventions liées à l'oralité, on peut citer des œuvres correspondant à une certaine rhétorique du récit, et d'abord des stylisations du récit oral comme le *skaz* russe ou le *gaweda* (« bavardage ») de la littérature polonaise. Dans ce cas, ce sur quoi porte l'imitation, c'est un certain manque de cohérence narrative, les interpellations de l'auditeur, les intonations familières, différents types de gestes phoniques. A ce genre d'énonciation est étroitement associée une belle tradition littéraire, encore très vivace ; le *skaz* était l'un des centres d'intérêt favoris des formalistes russes, avec, pour ne mentionner qu'elles, les études de Boris Eikhenbaum et, un peu plus tard, de Victor Vinogradov. Une forme particulière s'appuyant sur le récit oral est celle qui consiste essentiellement en dialogues de nature variée, qui apparaissent tantôt comme citations, tantôt comme ensembles autonomes.

Parmi les exemples qu'on peut mentionner d'application des principes de la mimésis formelle à la littérature écrite, il y a ces variantes du genre romanesque que sont les Mémoires fictives ou le Journal intime fictif, et dont la caractéristique essentielle est la ressemblance du texte de fiction à un genre littéraire limite, voire à une forme d'expression extérieure à la littérature.

La mimésis formelle, dans ses versions orales aussi bien qu'écrites, peut concerner une œuvre dans sa totalité. Elle peut aussi ne porter que sur la structure de telle ou telle de ses parties. Un exemple typique est celui d'un Journal inséré dans le cadre d'un roman à la troisième personne (c'est ce qu'atteste l'exemple classique du « Journal d'un vieux fondé de pouvoirs » dans *La Poupée* de Prus). Il y a un phénomène beaucoup plus complexe de fonctionnement épisodique de la mimésis formelle (à l'intérieur des limites d'un récit donné) : c'est le dialogue, dans un contexte narratif. Je traite de ce problème dans une étude intitulée « Le dialogue dans le roman[6] ».

Dans le roman à la première personne, la mimésis formelle revêt une importance particulière, parce que ce type de roman est appréhendé en référence à des œuvres qui, elles, sont fondées sur les principes du récit à la troisième personne. Cette opposition entre les deux modes fondamentaux du récit a pris dans l'histoire du roman une

6. Cet article existe en allemand dans une traduction de Peter Lachmann, « Der Dialog im Roman », *Poetica,* 6, 1974, 1-16.

importance toute particulière, encore que variable. Ce qui caractérise principalement le récit à la première personne, c'est qu'il est en rapport avec des formes d'expression qui se situent à la limite de la littérature, au-delà de cette limite, et même dans le domaine du langage ordinaire. Selon les principes mêmes de la mimésis formelle, ce n'est pas seulement une question de choix de la part de l'auteur ; il convient que les lecteurs aussi soient conscients de l' « imitation », et ils doivent lire l'œuvre en fonction des indications ainsi données. Dans cette perspective, la mimésis formelle est l'une des spécificités les plus déterminantes du roman à la première personne et, souvent, l'un des critères de base des typologies qui le concernent[7]. Il peut cependant y avoir des romans qui ne portent pas la marque de son influence : c'est ce qui se produit assez fréquemment dans la prose de fiction du XXe siècle.

Certes, la mimésis formelle a pu jouer un rôle variable et avoir des conséquences différentes selon les époques historiques et selon les moments de l'évolution des formes narratives ; il y a cependant un phénomène caractéristique qui demeure constant : en vertu de la mimésis formelle, le roman relève presque de l'empirisme, en prétendant être une forme d'expression courante, empruntée à la vie quotidienne. C'est ce qui se manifeste lorsque, faisant référence au conte oral, le récit tente à sa façon de reproduire l'intonation chevrotante du narrateur parlant de vive voix (ainsi dans le *gaweda*[8]) ; aussi lorsque le roman, renvoyant à des formes d'expression écrite, s'ef-

7. Sur ce point, l'étude de Bertil Romberg, *op. cit.*, est fondamentale, bien qu'il ne fasse pas usage de la notion de mimésis formelle.
8. Pour le *gaweda*, voir Kazimiertz Bartosynski, « O amorfizmie gawedy. Uwagi na marginesie *Pamiatek Soplicy* » (« Sur l'amorphisme du *gaweda :* notes en marge des *Mémoires de Soplica*, de Henryk Rzewuski »), in *Prace o literaturze : teatrze ofiarowane Zygmuntowi Szweykowskiemu* (Études sur la littérature et le théâtre offertes à Zygmunt Szweykowski), Wroclaw, 1966, p. 91-116 ; et Zofia Szmydtowa, « Poetyka gawedy » (« Poétique du *gaweda* »), in *Studia : portrety* (Essais et Portraits), Varsovie, 1969, p. 337-358.

force de ressembler à un Journal ou à une suite de lettres authentiques. Pourtant, l'assimilation ne peut jamais être totale ; ces formes narratives n'ont pas tardé à adopter des modalités spécifiquement littéraires, et en conséquence très formalisées, dans l'utilisation qu'elles ont faite de ces divers types d'expression empruntés à l'expérience commune, quotidienne. Cela a été essentiellement dû au fait qu'on a toujours eu plus ou moins consciemment, à l'égard des récits littéraires, des exigences dont les Mémoires, les Journaux intimes ou les lettres authentiques étaient exemptés. Une œuvre littéraire a toujours été censée avoir une certaine *signification globale,* exprimée dans sa composition, parce que l'œuvre a un commencement et une fin bien délimités, parce que les détails plus ou moins importants sont repérables facilement, parce que les événements réputés décisifs ne se trouvent pas confondus dans la masse des circonstances sans intérêt, etc. Lorsque des œuvres littéraires ne se sont pas conformées à ces exigences, elles ont été interprétées comme constituant une sorte de déviance polémique à l'égard des règles du genre, et non comme légitimes dans leur seule non-conformité (ainsi à propos de Sterne, et dans certains aspects de la prose contemporaine[9]). La signification globale de ces œuvres est celle que manifeste la parodie de la signification attendue. La littérature change tout en littérarité, sinon, comme Midas, en or. Cela est particulièrement évident dans le roman à la première personne, qui imite diverses formes d'expression (certaines non litté-

9. Le cas des *Lettres portugaises* de « Mariane Alcoforado » est tout à fait passionnant de ce point de vue. Pendant longtemps elles ont été considérées généralement comme authentiques ; ce n'est que récemment qu'on a pu prouver sans l'ombre d'un doute qu'elles sont une fabrication littéraire de talent ; la structure qu'elles manifestent aurait été impossible dans une suite de lettres authentiques. La vraie nature de ces lettres a été montrée par Leo Spitzer à partir d'une analyse stylistique et surtout structurelle (par analogie avec une tragédie en cinq actes). Voir l'étude de L. Spitzer, « Les *Lettres portugaises* », in *Romanische Literaturstudien, 1936-1956,* Tübingen, 1959, p. 210-247.

raires) selon un mode spécifiquement littéraire, en raison des exigences qui s'imposent à toute espèce de roman aussi bien qu'à cause du fait que certaines formulations appartenant à la prose littéraire, reconnues comme contraignantes pour tout roman, sont devenues le signe de la spécificité formelle du genre. Le roman à la première personne souligne son analogie avec les Mémoires ou avec le Journal intime authentiques ; il s'efforce de devenir Mémoires ou Journal fictifs, mais ne saurait jamais y parvenir totalement. Cette impossibilité peut être démontrée sur plusieurs plans, mais nous nous en tiendrons à un seul aspect du problème : les modalités de l'insertion dans le récit des paroles du personnage principal.

Théoriquement, le roman à la première personne autorise deux types de citations :

1) les citations en quelque sorte indirectes, relayées par le mode d'expression du narrateur (notamment au moyen du style indirect) ;

2) les citations qui ne sont pas interprétées comme exprimant les mots mêmes du personnage — ses paroles sont soumises à un processus de stylisation, et la citation formalise les mots normalement employés par un personnage donné ou prononcés dans une situation donnée[10].

Ni dans un cas ni dans l'autre il ne s'agit de reproduction littérale. Pourtant, il y a dans le roman à la première personne des citations qui sont supposées être littérales, et leur présence doit être motivée. Dans le récit en prose moderne, les citations de ce genre, souvent très étendues, s'expliquent dans une large mesure par l'influence qu'exerce le modèle romanesque courant, dans lequel le dialogue a cessé de n'être qu'un phénomène naturel pour devenir l'un des signes distinctifs du monde romanesque, une sorte de signal de fictionalité. Paradoxalement, les

10. Sur la citation dans le roman à la première personne, voir Margrit Henning, *Die Ich-Form und ihre Funktion in Thomas Manns « Doktor Faustus » und in der deutschen Literatur der Gegenwart*, Tübingen, 1966, p. 52-58.

citations, qui en elles-mêmes sont un indice de mimésis formelle, deviennent le moyen de contester à la mimésis son rôle dans l'organisation générale d'une œuvre donnée.

Des citations de longueur substantielle dans le roman à la première personne font du « je » qui parle une entité proche d'un narrateur omniscient, et par là entraînent des complications importantes. Je dis « complications » parce que le lecteur de ce type de roman est toujours conscient du fait que dans le cours de sa lecture il adopte le point de vue du narrateur, dont le savoir est nécessairement limité. Son point de vue est limité même lorsque le narrateur manipule librement les données de l'histoire et ne fait pas état de lacunes dans son souvenir. Ainsi, le roman à la première personne est un mode de récit très spécifique, dans la mesure où le fait pour le narrateur de posséder un savoir ou d'en être privé est d'égale importance [11]. Et le savoir lui-même est problématique. C'est ce que remarque Friedrich Spielhagen quand il écrit que le savoir du narrateur doit de toute façon être confirmé, ce qui, selon lui, indique les limites et l'artificialité de ce type de récit : « Du commencement à la fin, le roman à la première personne est une lutte pour l'authenticité [12]. » Cependant, cette lutte n'a pas lieu dans les citations : le narrateur y serait d'emblée condamné à l'échec, puisque c'est une autre loi qui régit ce domaine. C'est alors que la stylisation des formes d'expression non romanesques se révélerait particulièrement difficile, et ne pourrait pas être menée à bien.

On peut envisager le problème de la citation dans le roman à la première personne selon une autre perspective encore. En un certain sens, le discours narratif a dans ce genre de roman les caractéristiques que seules, dans le roman à la troisième personne, possèdent les citations. En

11. Voir B. Romberg, *op. cit.*, p. 123-125.

12. Friedrich Spielhagen, « Der Ich-Roman », chapitre de ses *Beiträge zur Theorie und Technik des Romans,* repris dans *Zur Poetik des Romans,* Volker Klotz (éd.), Darmstadt, 1965, p. 157.

conséquence, ce discours est associé non à un narrateur abstrait, mais à une personne concrète, et qui parle. D'autres conséquences s'ensuivent : c'est un discours qui dépend toujours, du moins en principe, de la situation où s'insère le récit. C'est une situation au sens large du terme, car entrent en jeu en même temps, d'une part, les caractéristiques du « je » narratorial en tant que personnage appartenant au monde de la fiction, caractéristiques qui doivent nécessairement apparaître clairement par le moyen de traits bien individualisés, et, d'autre part, les conditions et les modalités qui régissent le déroulement du récit. Selon le type de récit à la première personne, des éléments différents se trouvent mis en évidence : il s'agit tantôt de la personnalité du locuteur, tantôt de sa situation dans l'instant de la narration. Mais chaque fois que tel ou tel élément est souligné, il devient l'instrument d'une distinction essentielle. L'atténuation de ces indices entraîne pour la narration à la première personne la perte de sa spécificité caractéristique et la conduit nécessairement à ressembler au récit à la troisième personne. On peut dire ainsi que, soumis à cette sorte de dépendance, le récit à la première personne devient semblable à un dialogue mené en présence du lecteur. Celui-ci n'est pas seulement en présence du texte narratif ; il est aussi, d'une certaine manière, impliqué dans l'acte même qui consiste à élaborer et à transmettre l'histoire.

III

Dans la discussion ci-dessus, le roman à la première personne a fait l'objet d'une schématisation délibérée ; de plus, l'analyse n'a porté que sur quelques problèmes choisis. D'autres questions, comme les différentes variantes du genre romanesque, ses potentialités, et aussi les différentes modalités de son accomplissement au cours de son histoire, ont été laissées hors des limites de notre étude. Une telle schématisation paraît légitime dans la mesure où le mode narratif en question a été examiné dans une perspective très large, qui permet d'en appréhender les lignes les plus générales, les problèmes les plus sensibles, et qui autorise à laisser de côté des détails qui de toute évidence sont secondaires dans l'élaboration d'un modèle aussi sommaire. Il n'en reste pas moins que cette schématisation n'épuise pas l'épistémologie qu'il convient de mettre en œuvre dans l'étude des genres et de leurs variantes, non plus que dans celle, plus généralement, des conventions littéraires, même s'il s'agit là d'une étape essentielle de l'analyse. Elle ne l'épuise pas, parce que ces conventions ne se réduisent pas à des configurations repérables ; elles évoluent dans le temps, elles se manifestent dans des contextes différents qui déterminent leur rôle et leur signification. Naturellement, cette constatation vaut pour le roman à la première personne comme pour le reste. Ce mode d'énonciation narrative se trouve dans une situation assez peu commune. Dans son principe il n'a été soumis qu'à des transformations relativement minimes ; sa structure fait preuve d'une stabilité remarquable, et même d'une indéniable résistance à toute transformation radicale. Le fait incontestable est que le roman à la première personne du milieu du XXe siècle a plus d'affinités avec celui du milieu du XVIIIe siècle que le roman à la troisième personne n'en manifeste entre ces deux mêmes dates de référence. Et pourtant les différences dans la situation historique du genre sont considérables. Elles concernent essentiellement ses potentialités, et aussi sa place dans le tableau d'ensemble du genre romanesque.

Voyons d'abord ce qu'il en est des potentialités. En principe, elles sont tout à fait différentes, envisagées sur la totalité du champ couvert par le genre selon les époques. Cela est surtout remarquable si l'on considère qu'aux premiers âges de l'histoire de la fiction en prose le récit à la première personne n'était pas l'effet d'un choix mais, à la différence de l'épopée, plutôt une question de nécessité, les autres formes n'étant pas encore apparues. Dans certains cas, le récit à la première personne se trouve même dans le roman d'aventures, dont le trait principal est le foisonnement de l'intrigue, et qui au cours de l'évolution historique est devenu l'apanage d'un récit d'un tout autre type. Mais même dans ce domaine le récit à la première personne n'est pas resté en friche, ou ignoré. Claudio Guillén, familier du roman picaresque, soutient que ce dernier requiert la première personne parce que son propos n'est pas seulement de narrer les aventures du *picaro,* mais aussi de décrire le monde selon son point de vue ; le picaresque est donc nécessairement pseudo-autobiographique [13]. Cependant, le roman à la première personne, même dans ses enfances, n'a pas fait de l'intrigue son principal centre d'intérêt. Il s'est plutôt attaché à ce qu'on appelait, non sans une inexactitude trompeuse, l'analyse psychologique. Mme de Staël envisageait déjà un roman qui s'exempterait de tous les événements romanesques. Senancour exposait avec insistance des idées comparables dans ses « Observations » théoriques servant de préface à *Oberman.* Il affirmait sans ambages que son livre, un roman par lettres, était pur de toutes les caractéristiques du roman, c'est-à-dire qu'il ne comportait ni intrigue ni progression dramatique. De plus, l'auteur reconnaissait d'emblée qu'il ne se proposait pas d'attirer l'attention du lecteur par les moyens habituellement utilisés par les romanciers, car il s'était assigné d'autres fins [14]. Mais les potentialités de ce type de fiction en prose sont considérables ; on ne saurait envisager de le confiner à un ensemble de fonctions artificiellement délimitées. Le roman à la première personne peut être une confession intime, mais aussi une sorte de traité édifiant dans lequel le narrateur se fait prédicateur ; il peut revêtir la rationalité exacerbée de l'utopie comme il peut se faire monolo-

13. Voir Claudio Guillén, « Pour une définition du picaresque », *Actes du IIIe Congrès de l'Association internationale de littérature comparée,* La Haye (Pays-Bas), 1962, p. 258-259.

14. Senancour, « Observations », in *Oberman* (1804). Ces « observations » se présentent comme un avant-propos de l'éditeur aux lettres supposées authentiquement écrites par Oberman.

gue dans un enchaînement d'assertions proches du délire. Il peut même revendiquer avec succès certaines provinces qui sont réputées étrangères à son principe même[15].

Ces variantes du roman à la première personne peuvent être inventoriées à une époque donnée de son histoire ; elles peuvent aussi apparaître dans une perspective diachronique. Les fonctions du roman à la première personne ne dépendent pas uniquement de lui-même. Elles sont conditionnées par la place qu'il occupe dans l'ensemble du genre romanesque, et notamment par la relation qu'il entretient avec le roman à la troisième personne. Le roman à la première personne avait une signification et un rôle déterminés à l'époque qui a précédé les étapes de formation du roman réaliste classique ; il a eu une signification et un rôle différents au moment où le roman réaliste a conquis une position dominante, et différents encore à notre époque, qui n'accorde pas de préférence à une forme narrative particulière et qui soumet les modèles classiques à de radicales métamorphoses. A l'époque qui a précédé les créations de Balzac et des autres grands auteurs réalistes, le roman à la première personne n'était pas seulement le mode narratif le plus répandu et celui qui jouissait de la plus haute estime auprès des arbitres du goût en matière littéraire ; c'est aussi, apparemment, le type de roman qui a déterminé les potentialités discursives du genre en général et l'opinion commune à son égard[16]. Il semble que le territoire appartenant au roman n'avait pas encore, à cette époque, donné lieu à des formes bien fixées. C'est la raison pour laquelle on n'était pas très sensible alors aux oppositions entre récit à la première

15. C'est un cas de ce genre que décrit B. T. Fitch dans *Narrateur et Narration dans « L'Étranger » d'Albert Camus,* Paris, 1960.

16. Voir, entre autres, Ian Watt, *The Rise of the Novel,* Berkeley-Los Angeles, 1967 ; Joachim Merlant, *Le Roman personnel de Rousseau à Fromentin,* 1905 ; Ferdinand Brunetière, *Honoré de Balzac,* 1907 ; Maria Jasinska. *Narrator w powiesci przedromantycznej, 1776-1831* (Le Narrateur dans le roman préromantique, 1776-1831), Varsovie, 1965.

personne et récit à la troisième personne. Certains partis pris pouvaient apparaître dans l'une ou l'autre forme, et être également suivis dans les deux. La situation a changé radicalement à partir du moment où le roman réaliste, dans sa forme classique, s'est acquis une position dominante. Dès lors existaient des conditions particulièrement favorables pour distinguer le domaine et les potentialités des deux formes. Mais le roman à la première personne se voit alors reconnaître, si l'on peut dire, une importance dans la marginalité : il en vient à être considéré comme une forme d'expression inférieure (c'est du moins ce que maintient Spielhagen), et ce mode narratif se réfugie dans des entreprises moins ambitieuses. Le statut du roman à la première personne apparaît différent dans la littérature contemporaine, où il constitue une forme narrative à part entière et évolue au même titre que les autres formes. Ses points de référence sont à présent des phénomènes comme le monologue intérieur, le récit achronologique ou, dans une direction quasi opposée, le dialogue d'inspiration behavioriste. Dans certains cas, les différences entre le récit à la première personne et le récit à la troisième personne tendent à s'estomper, par exemple, dans les romans de Robbe-Grillet.

Ainsi, le cas du roman à la première personne est une excellente illustration d'une certaine constante : la signification d'une forme littéraire donnée, même si elle ne subit qu'une évolution mineure, ne se révèle pas dans l'isolement, mais dans la confrontation avec l'environnement évolutif des situations historiques, et d'abord dans le contexte des autres formes littéraires. Car, au bout du compte, la destinée changeante du roman à la première personne tendent à s'estomper, par exemple, dans les romans de Robbe-Grillet.

Traduit de l'anglais par Alain Bony

Table

IMPRIMERIE BUSSIÈRE À SAINT-AMAND (CHER)
DÉPÔT LÉGAL : SEPTEMBRE 1992. N° 15920 (418)

Collection Points

SÉRIE ESSAIS

1. Histoire du surréalisme, *par Maurice Nadeau*
2. Une théorie scientifique de la culture *par Bronislaw Malinowski*
3. Malraux, Camus, Sartre, Bernanos, *par Emmanuel Mounier*
4. L'Homme unidimensionnel, *par Herbert Marcuse* (épuisé)
5. Écrits I, *par Jacques Lacan*
6. Le Phénomène humain, *par Pierre Teilhard de Chardin*
7. Les Cols blancs, *par C. Wright Mills*
8. Littérature et Sensation. Stendhal, Flaubert *par Jean-Pierre Richard*
9. La Nature dé-naturée, *par Jean Dorst*
10. Mythologies, *par Roland Barthes*
11. Le Nouveau Théâtre américain, *par Franck Jotterand* (épuisé)
12. Morphologie du conte, *par Vladimir Propp*
13. L'Action sociale, *par Guy Rocher*
14. L'Organisation sociale, *par Guy Rocher*
15. Le Changement social, *par Guy Rocher*
17. Essais de linguistique générale, *par Roman Jakobson* (épuisé)
18. La Philosophie critique de l'histoire, *par Raymond Aron*
19. Essais de sociologie, *par Marcel Mauss*
20. La Part maudite, *par Georges Bataille* (épuisé)
21. Écrits II, *par Jacques Lacan*
22. Éros et Civilisation, *par Herbert Marcuse* (épuisé)
23. Histoire du roman français depuis 1918 *par Claude-Edmonde Magny*
24. L'Écriture et l'Expérience des limites, *par Philippe Sollers*
25. La Charte d'Athènes, *par Le Corbusier*
26. Peau noire, Masques blancs, *par Frantz Fanon*
27. Anthropologie, *par Edward Sapir*
28. Le Phénomène bureaucratique, *par Michel Crozier*
29. Vers une civilisation des loisirs ?, *par Joffre Dumazedier*
30. Pour une bibliothèque scientifique *par François Russo* (épuisé)
31. Lecture de Brecht, *par Bernard Dort*
32. Ville et Révolution, *par Anatole Kopp*
33. Mise en scène de Phèdre, *par Jean-Louis Barrault*
34. Les Stars, *par Edgar Morin*
35. Le Degré zéro de l'écriture *suivi de* Nouveaux Essais critiques, *par Roland Barthes*
36. Libérer l'avenir, *par Ivan Illich*
37. Structure et Fonction dans la société primitive *par A. R. Radcliffe-Brown*
38. Les Droits de l'écrivain, *par Alexandre Soljenitsyne*
39. Le Retour du tragique, *par Jean-Marie Domenach*

41. La Concurrence capitaliste
par Jean Cartell et Pierre-Yves Cossé (épuisé)
42. Mise en scène d'Othello, *par Constantin Stanislavski*
43. Le Hasard et la Nécessité, *par Jacques Monod*
44. Le Structuralisme en linguistique, *par Oswald Ducrot*
45. Le Structuralisme : Poétique, *par Tzvetan Todorov*
46. Le Structuralisme en anthropologie, *par Dan Sperber*
47. Le Structuralisme en psychanalyse, *par Moustapha Safouan*
48. Le Structuralisme : Philosophie, *par François Wahl*
49. Le Cas Dominique, *par Françoise Dolto*
51. Trois Essais sur le comportement animal et humain
par Konrad Lorenz
52. Le Droit à la ville, *suivi de* Espace et Politique
par Henri Lefebvre
53. Poèmes, *par Léopold Sédar Senghor*
54. Les Élégies de Duino, *suivi de* Les Sonnets à Orphée
par Rainer Maria Rilke (édition bilingue)
55. Pour la sociologie, *par Alain Touraine*
56. Traité du caractère, *par Emmanuel Mounier*
57. L'Enfant, sa « maladie » et les autres, *par Maud Mannoni*
58. Langage et Connaissance, *par Adam Schaff*
59. Une saison au Congo, *par Aimé Césaire*
61. Psychanalyser, *par Serge Leclaire*
63. Mort de la famille, *par David Cooper*
64. A quoi sert la Bourse ?, *par Jean-Claude Leconte* (épuisé)
65. La Convivialité, *par Ivan Illich*
66. L'Idéologie structuraliste, *par Henri Lefebvre*
67. La Vérité des prix, *par Hubert Lévy-Lambert* (épuisé)
68. Pour Gramsci, *par Maria-Antonietta Macciocchi*
69. Psychanalyse et Pédiatrie, *par Françoise Dolto*
70. S/Z, *par Roland Barthes*
71. Poésie et Profondeur, *par Jean-Pierre Richard*
72. Le Sauvage et l'Ordinateur, *par Jean-Marie Domenach*
73. Introduction à la littérature fantastique
par Tzvetan Todorov
74. Figures I, *par Gérard Genette*
75. Dix Grandes Notions de la sociologie
par Jean Cazeneuve
76. Mary Barnes, un voyage à travers la folie
par Mary Barnes et Joseph Berke
77. L'Homme et la Mort, *par Edgar Morin*
78. Poétique du récit, *par Roland Barthes*
Wayne Booth, Wolfgang Kayser et Philippe Hamon
79. Les Libérateurs de l'amour, *par Alexandrian*
80. Le Macroscope, *par Joël de Rosnay*
81. Délivrance, *par Maurice Clavel et Philippe Sollers*
82. Système de la peinture, *par Marcelin Pleynet*
83. Pour comprendre les média, *par M. McLuhan*

84. L'Invasion pharmaceutique
par Jean-Pierre Dupuy et Serge Karsenty
85. Huit Questions de poétique, *par Roman Jakobson*
86. Lectures du désir, *par Raymond Jean*
87. Le Traître, *par André Gorz*
88. Psychiatrie et Antipsychiatrie, *par David Cooper*
89. La Dimension cachée, *par Edward T. Hall*
90. Les Vivants et la Mort, *par Jean Ziegler*
91. L'Unité de l'homme, *par le Centre Royaumont*
1. Le primate et l'homme
par E. Morin et M. Piattelli-Palmarini
92. L'Unité de l'homme, *par le Centre Royaumont*
2. Le cerveau humain
par E. Morin et M. Piattelli-Palmarini
93. L'Unité de l'homme, *par Centre Royaumont*
3. Pour une anthropologie fondamentale
par E. Morin et M. Piattelli-Palmarini
94. Pensées, *par Blaise Pascal*
95. L'Exil intérieur, *par Roland Jaccard*
96. Semeiotiké, recherches pour une sémanalyse
par Julia Kristeva
97. Sur Racine, *par Roland Barthes*
98. Structures syntaxiques, *par Noam Chomsky*
99. Le Psychiatre, son « fou » et la psychanalyse
par Maud Mannoni
100. L'Écriture et la Différence, *par Jacques Derrida*
101. Le Pouvoir africain, *par Jean Ziegler*
102. Une logique de la communication
par P. Watzlawick, J. Helmick Beavin, Don D. Jackson
103. Sémantique de la poésie, *par T. Todorov, W. Empson*
J. Cohen, G. Hartman, F. Rigolot
104. De la France, *par Maria-Antonietta Macciocchi*
105. Small is beautiful, *par E. F. Schumacher*
106. Figures II, *par Gérard Genette*
107. L'Œuvre ouverte, *par Umberto Eco*
108. L'Urbanisme, *par Françoise Choay*
109. Le Paradigme perdu, *par Edgar Morin*
110. Dictionnaire encyclopédique des sciences du langage
par Oswald Ducrot et Tzvetan Todorov
111. L'Évangile au risque de la psychanalyse, tome 1
par Françoise Dolto
112. Un enfant dans l'asile, *par Jean Sandretto*
113. Recherche de Proust, *ouvrage collectif*
114. La Question homosexuelle, *par Marc Oraison*
115. De la psychose paranoïaque dans ses rapports
avec la personnalité, *par Jacques Lacan*
116. Sade, Fourier, Loyola, *par Roland Barthes*
117. Une société sans école, *par Ivan Illich*

118. Mauvaises Pensées d'un travailleur social
par Jean-Marie Geng
119. Albert Camus, *par Herbert R. Lottman*
120. Poétique de la prose, *par Tzvetan Todorov*
121. Théorie d'ensemble, *par Tel Quel*
122. Némésis médicale, *par Ivan Illich*
123. La Méthode
1. La nature de la nature, *par Edgar Morin*
124. Le Désir et la Perversion, *ouvrage collectif*
125. Le Langage, cet inconnu, *par Julia Kristeva*
126. On tue un enfant, *par Serge Leclaire*
127. Essais critiques, *par Roland Barthes*
128. Le Je-ne-sais-quoi et le Presque-rien
1. La manière et l'occasion, *par Vladimir Jankélévitch*
129. L'Analyse structurale du récit, Communications 8
ouvrage collectif
130. Changements, Paradoxes et Psychothérapie
par P. Watzlawick, J. Weakland et R. Fisch
131. Onze Études sur la poésie moderne, *par Jean-Pierre Richard*
132. L'Enfant arriéré et sa mère, *par Maud Mannoni*
133. La Prairie perdue (Le Roman américain), *par Jacques Cabau*
134. Le Je-ne-sais-quoi et le Presque-rien
2. La méconnaissance, *par Vladimir Jankélévitch*
135. Le Plaisir du texte, *par Roland Barthes*
136. La Nouvelle Communication, *ouvrage collectif*
137. Le Vif du sujet, *par Edgar Morin*
138. Théories du langage, Théories de l'apprentissage
par le Centre Royaumont
139. Baudelaire, la Femme et Dieu, *par Pierre Emmanuel*
140. Autisme et Psychose de l'enfant, *par Frances Tustin*
141. Le Harem et les Cousins, *par Germaine Tillion*
142. Littérature et Réalité, *ouvrage collectif*
143. La Rumeur d'Orléans, *par Edgar Morin*
144. Partage des femmes, *par Eugénie Lemoine-Luccioni*
145. L'Évangile au risque de la psychanalyse, tome 2
par Françoise Dolto
146. Rhétorique générale, *par le Groupe* μ
147. Système de la mode, *par Roland Barthes*
148. Démasquer le réel, *par Serge Leclaire*
149. Le Juif imaginaire, *par Alain Finkielkraut*
150. Travail de Flaubert, *ouvrage collectif*
151. Journal de Californie, *par Edgar Morin*
152. Pouvoirs de l'horreur, *par Julia Kristeva*
153. Introduction à la philosophie de l'histoire de Hegel
par Jean Hyppolite
154. La Foi au risque de la psychanalyse
par Françoise Dolto et Gérard Sévérin
155. Un lieu pour vivre, *par Maud Mannoni*

156. Scandale de la vérité, *suivi de* Nous autres Français
par Georges Bernanos
157. Enquête sur les idées contemporaines
par Jean-Marie Domenach
158. L'Affaire Jésus, *par Henri Guillemin*
159. Paroles d'étranger, *par Élie Wiesel*
160. Le Langage silencieux, *par Edward T. Hall*
161. La Rive gauche, *par Herbert R. Lottman*
162. La Réalité de la réalité, *par Paul Watzlawick*
163. Les Chemins de la vie, *par Joël de Rosnay*
164. Dandies, *par Roger Kempf*
165. Histoire personnelle de la France, *par François George*
166. La Puissance et la Fragilité, *par Jean Hamburger*
167. Le Traité du sablier, *par Ernst Jünger*
168. Pensée de Rousseau, *ouvrage collectif*
169. La Violence du calme, *par Viviane Forrester*
170. Pour sortir du XXe siècle, *par Edgar Morin*
171. La Communication, Hermès I, *par Michel Serres*
172. Sexualités occidentales, Communications 35
ouvrage collectif
173. Lettre aux Anglais, *par Georges Bernanos*
174. La Révolution du langage poétique, *par Julia Kristeva*
175. La Méthode
2. La vie de la vie, *par Edgar Morin*
176. Théories du symbole, *par Tzvetan Todorov*
177. Mémoires d'un névropathe, *par Daniel Paul Schreber*
178. Les Indes, *par Édouard Glissant*
179. Clefs pour l'Imaginaire ou l'Autre Scène
par Octave Mannoni
180. La Sociologie des organisations, *par Philippe Bernoux*
181. Théorie des genres, *ouvrage collectif*
182. Le Je-ne-sais-quoi et le Presque-rien
3. La volonté de vouloir, *par Vladimir Jankélévitch*
183. Le Traité du rebelle, *par Ernst Jünger*
184. Un homme en trop, *par Claude Lefort*
185. Théâtres, *par Bernard Dort*
186. Le Langage du changement, *par Paul Watzlawick*
187. Lettre ouverte à Freud, *par Lou Andreas-Salomé*
188. La Notion de littérature, *par Tzvetan Todorov*
189. Choix de poèmes, *par Jean-Claude Renard*
190. Le Langage et son double, *par Julien Green*
191. Au-delà de la culture, *par Edward T. Hall*
192. Au jeu du désir, *par Françoise Dolto*
193. Le Cerveau planétaire, *par Joël de Rosnay*
194. Suite anglaise, *par Julien Green*
195. Michelet, *par Roland Barthes*
196. Hugo, *par Henri Guillemin*
197. Zola, *par Marc Bernard*

198. Apollinaire, *par Pascal Pia*
199. Paris, *par Julien Green*
200. Voltaire, *par René Pomeau*
201. Montesquieu, *par Jean Starobinski*
202. Anthologie de la peur, *par Éric Jourdan*
203. Le Paradoxe de la morale, *par Vladimir Jankélévitch*
204. Saint-Exupéry, *par Luc Estang*
205. Leçon, *par Roland Barthes*
206. François Mauriac
 1. Le sondeur d'abîmes (1885-1933), *par Jean Lacouture*
207. François Mauriac
 2. Un citoyen du siècle (1933-1970), *par Jean Lacouture*
208. Proust et le Monde sensible, *par Jean-Pierre Richard*
209. Nus, Féroces et Anthropophages, *par Hans Staden*
210. Œuvre poétique, *par Léopold Sédar Senghor*
211. Les Sociologies contemporaines, *par Pierre Ansart*
212. Le Nouveau Roman, *par Jean Ricardou*
213. Le Monde d'Ulysse, *par Moses I. Finley*
214. Les Enfants d'Athéna, *par Nicole Loraux*
215. La Grèce ancienne, tome 1
 par Jean-Pierre Vernant et Pierre Vidal-Naquet
216. Rhétorique de la poésie, *par le Groupe* µ
217. Le Séminaire. Livre XI, *par Jacques Lacan*
218. Don Juan ou Pavlov
 par Claude Bonnange et Chantal Thomas
219. L'Aventure sémiologique, *par Roland Barthes*
220. Séminaire de psychanalyse d'enfants, tome 1
 par Françoise Dolto
221. Séminaire de psychanalyse d'enfants, tome 2
 par Françoise Dolto
222. Séminaire de psychanalyse d'enfants
 tome 3, Inconscient et destins, *par Françoise Dolto*
223. État modeste, État moderne, *par Michel Crozier*
224. Vide et Plein, *par François Cheng*
225. Le Père : acte de naissance, *par Bernard This*
226. La Conquête de l'Amérique, *par Tzvetan Todorov*
227. Temps et Récit, tome 1, *par Paul Ricœur*
228. Temps et Récit, tome 2, *par Paul Ricœur*
229. Temps et Récit, tome 3, *par Paul Ricœur*
230. Essais sur l'individualisme, *par Louis Dumont*
231. Histoire de l'architecture et de l'urbanisme modernes
 1. Idéologies et pionniers (1800-1910), *par Michel Ragon*
232. Histoire de l'architecture et de l'urbanisme modernes
 2. Naissance de la cité moderne (1900-1940)
 par Michel Ragon
233. Histoire de l'architecture et de l'urbanisme modernes
 3. De Brasilia au post-modernisme (1940-1991)
 par Michel Ragon

234. La Grèce ancienne, tome 2
par Jean-Pierre Vernant et Pierre Vidal-Naquet
235. Quand dire, c'est faire, *par J. L. Austin*
236. La Méthode
3. La Connaissance de la Connaissance, *par Edgar Morin*
237. Pour comprendre *Hamlet*, *par John Dover Wilson*
238. Une place pour le père, *par Aldo Naouri*
239. L'Obvie et l'Obtus, *par Roland Barthes*
240. Mythe et Société en Grèce ancienne, *par Jean-Pierre Vernant*
241. L'Idéologie, *par Raymond Boudon*
242. L'Art de se persuader, *par Raymond Boudon*
243. La Crise de l'État-providence, *par Pierre Rosanvallon*
244. L'État, *par Georges Burdeau*
245. L'Homme qui prenait sa femme pour un chapeau
par Oliver Sacks
246. Les Grecs ont-ils cru à leurs mythes ?, *par Paul Veyne*
247. La Danse de la vie, *par Edward T. Hall*
248. L'Acteur et le Système
par Michel Crozier et Erhard Friedberg
249. Esthétique et Poétique, *collectif*
250. Nous et les Autres, *par Tzvetan Todorov*
251. L'Image inconsciente du corps, *par Françoise Dolto*